Les eaux acides

Robin Hobb

Les eaux acides

Les Cités des Anciens
**

Traduit de l'anglais par A. Mousnier-Lompré

ÉDITIONS FRANCE LOISIRS

Titre original : DRAGON KEEPER, volume 1 *(Seconde partie)*

Édition du Club France Loisirs,
avec l'autorisation des Éditions Pygmalion

Éditions France Loisirs,
123, boulevard de Grenelle, Paris
www.franceloisirs.com

© 2010, Robin Hobb
© 2010, Pygmalion, département de Flammarion, pour l'édition en langue française
ISBN : 978-2-298-04830-8

*En souvenir de Spot, Smokey, Brownie
Butt, Rainbow, Rag-bag et Sinbad,
pigeons d'excellence, s'il en est.*

Personnages

GARDIENS ET DRAGONS

ALUM : Teint clair, yeux gris argent ; très petites oreilles ; nez presque plat. Son dragon est ARBUC, mâle vert argenté.

ARGENT : A une blessure à la queue et pas de gardien.

BOXTEUR : Cousin de KASE ; yeux cuivrés, petit et râblé ; son dragon est le mâle orange SKRIM.

CUIVRE : Dragon brun chétif, sans gardien attitré.

GRAFFE : Aîné des gardiens, et le plus marqué par le désert des Pluies. Son dragon est KALO, le plus grand mâle, bleu-noir.

GRESOK : Grand dragon rouge, le premier à quitter le terrain d'encoconnage.

HARRIKINE : Long et mince comme un lézard, il est à vingt ans plus âgé que la plupart des gardiens. LECTER est son frère adoptif ; son dragon est RANCULOS, mâle rouge aux yeux argentés.

HOUARKENN : Grand gardien dégingandé. Dévoué à son dragon BALIPÈRE, mâle rouge vif.

JERDE : Gardienne blonde, fortement marquée par le désert des Pluies. Sa dragonne est VERAS, reine vert foncé à grenure dorée.

KANAÏ : Gardien affecté de stigmates prononcés. Sa dragonne est la petite reine rouge GRINGALETTE.

KASE : Cousin de BOXTEUR ; les yeux cuivrés, il est trapu et musclé. Son dragon est le mâle orange DORTEAN.

LECTER : Orphelin à l'âge de sept ans, élevé par les parents d'HARRIKINE. Son dragon est SESTICAN, grand mâle bleu ponctué d'orange, doté de petites piques sur le cou.

NORTEL : Gardien compétent et ambitieux. Son dragon est le mâle lavande TINDER.

SYLVE : Douze ans, cadette des gardiens. Son dragon est MERCOR, doré.

TATOU : Le seul gardien né esclave. Il porte sur le visage un petit cheval et une toile d'araignée tatoués. Son dragon est la plus petite reine, DENTE.

THYMARA : Seize ans ; a des griffes noires à la place des ongles et se déplace aisément dans les arbres. Sa dragonne est une reine bleue, SINTARA, aussi connue sous le nom de GUEULE-DE-CIEL.

TINTAGLIA : Reine dragon adulte, elle a aidé les serpents à remonter le fleuve pour s'encoconner. On ne l'a plus vue depuis plusieurs années dans le désert des Pluies.

LES TERRILVILLIENS

ALISE KINCARRON FINBOK : Issue d'une famille désargentée mais respectable de Marchands de Terrilville. Spécialiste des dragons. Mariée à HEST FINBOK. Yeux gris, nombreuses taches de rousseur.

HEST FINBOK : Marchand de Terrilville de belle prestance, bien établi et fortuné.

SÉDRIC MELDAR : Secrétaire de HEST FINBOK, et ami d'enfance d'ALISE.

L'ÉQUIPAGE DU *MATAF*

BELLINE : Matelot. Mariée à SOUARGE.

CARSON LUPSKIP : Chasseur de l'expédition, vieil ami de LEFTRIN.

DAVVIE : Chasseur, apprenti de Carson LUPSKIP ; environ quinze ans.

GRAND EIDER : Matelot.

GRIG : Chat du bord ; roux.

HENNESIE : Second.

JESS : Chasseur engagé pour l'expédition.

LEFTRIN : Capitaine du *MATAF*. Robuste, yeux gris, cheveux châtains.

MATAF : Gabare longue et basse. Plus ancienne vivenef existante. Port d'attache : Trehaug.

SKELLI : Matelot. Nièce de LEFTRIN.

SOUARGE : Homme de barre. Navigue sur le *MATAF* depuis plus de quinze ans.

Autres personnages

ALTHÉA TRELL : Second du *PARANGON* de Terrilville. Tante de MALTA KHUPRUS.

BÉGASTI CORED : Marchand chalcédien ; chauve, riche ; partenaire commercial de HEST FINBOK.

BRASHEN TRELL : Capitaine du *PARANGON* de Terrilville.

CLEF : Mousse du *PARANGON*, ancien esclave.

DETOZI : Gardienne des oiseaux messagers de Trehaug.

DUC DE CHALCÈDE : Dictateur de Chalcède, âgé et mal portant.

EREK : Gardien des oiseaux messagers de Terrilville.

MALTA KHUPRUS : « Reine » des Anciens, réside à Trehaug. Mariée à REYN KHUPRUS.

PARANGON : Vivenef. A aidé les serpents à remonter le fleuve jusqu'à leur terrain d'encoconnage.

SELDEN VESTRIT : Jeune Ancien ; frère de MALTA et neveu d'ALTHÉA.

SINAD ARICH : Marchand chalcédien qui passe un marché avec LEFTRIN.

VINGT-TROISIÈME JOUR
DE LA LUNE CROISSANTE

*Sixième année de l'Alliance Indépendante
des Marchands*

*De Detozi, Gardienne des Oiseaux, Trehaug,
à Erek, Gardien des Oiseaux, Terrilville*

De la part des Conseils des Marchands de Cassaric et Trehaug, à l'attention du Conseil des Marchands de Terrilville, dans un étui scellé, un calcul des dépenses prévues pour déplacer les dragons jusqu'à un site plus favorable à leur bonne santé, avec le détail de la contribution des Marchands de Terrilville.

Erek,
Ne prêtez pas l'oreille à ces ragots ridicules. Les dragons doivent être déplacés, non abattus ni vendus ! Que les rumeurs se déforment à force de circuler ! J'ai bien reçu les pois, et la différence est déjà visible dans le plumage de mes oiseaux ; cet aliment coûte-il cher ? Vous serait-il possible de m'en acheter un sac d'un quintal, si ce n'est pas trop onéreux ?

Detozi

1

Voyage

Accoudé au bastingage, Leftrin se redressa pour regarder sur le quai la procession qui se dirigeait vers le *Mataf*. Était-ce l'envoi de Trell ? Il se gratta la barbe et secoua la tête. Deux portefaix poussaient des brouettes chargées de coffres pesants, deux autres les suivaient avec un objet de la taille d'une armoire, et derrière eux venait un homme vêtu de façon plus appropriée pour un thé à Terrilville que pour un périple en gabare sur le fleuve du désert des Pluies : il portait une longue veste bleu marine par-dessus un pantalon gris tourterelle, des bottes noires, et il allait nu-tête. Il avait l'air en bonne forme, à la manière d'un homme qui jouit d'une solide constitution mais n'a jamais acquis la carrure d'un métier particulier ; seule une canne lui encombrait les mains. « Celui-là, il n'a pas travaillé un seul jour dans toute sa vie », se dit Leftrin.

La femme à son bras paraissait au moins avoir cherché à s'habiller de manière pratique : un chapeau à bord protégeait son visage, et Leftrin supposa que la résille qui y était attachée servait à la défendre contre les insectes. Elle portait une robe vert foncé, dont le corsage ajusté et les manches longues soulignaient une silhouette soignée ; et il estima qu'il y avait assez de tissu dans ses jupes bouffantes pour vêtir une demi-douzaine de femmes de sa taille. De petits gants blancs cachaient ses mains, et il aperçut un pied chaussé d'une jolie bottine noire alors qu'elle s'approchait de sa gabare.

Le coursier était arrivé juste avant que Leftrin ne donnât l'ordre de quitter le quai pour entamer la remontée du fleuve. « Trell, du *Parangon*, annonce qu'il a deux passagers qui veulent aller rapidement à Cassaric ; ils vous paieront bien si vous acceptez de les attendre.

— Réponds à Trell que je les attendrai une demi-heure ; ensuite, je m'en vais », avait-il dit au jeune messager, qui avait acquiescé de la tête avant de détaler.

Il avait patienté beaucoup plus qu'une demi-heure, et, maintenant qu'il voyait ses hôtes, il se demandait s'il avait eu raison de les accepter ; il pensait embarquer des habitants du désert des Pluies pressés de rentrer chez eux, non des Terrilvilliens avec tous leurs bagages. Il cracha dans l'eau ; il ne restait plus qu'à espérer qu'ils ne plaisantaient pas lorsqu'ils parlaient de le dédommager convenablement pour son attente.

« La cargaison est là ; fais-la monter à bord, ordonna-t-il à Hennesie.

— Skelli, occupe-t'en, transmit le second au jeune matelot.

— Bien, lieutenant », répondit la jeune fille, et elle sauta sur le quai avec légèreté ; Grand Eider alla l'aider. Leftrin, lui, demeura à sa place à surveiller les passagers qui approchaient. Parvenu au bout du quai, l'homme eut un mouvement de recul visible devant la gabare longue et basse amarrée devant eux. Le capitaine rit sous cape en le voyant regarder de tous côtés, espérant manifestement qu'un autre bateau les attendait pour les conduire à destination. De la dentelle ! Ce godelureau avait de la dentelle au col de sa chemise et aux poignets ! À cet instant, il leva les yeux vers Leftrin et prit une expression neutre.

« Est-ce le *Mataf* ? demanda-t-il avec une sorte d'accablement.

— C'est bien ça. Et moi, je suis le capitaine Leftrin. Vous devez être mes passagers qui veulent aller rapidement à Cassaric ; bienvenue à bord. »

L'homme jeta de nouveau des regards affolés sur le quai. « Mais… Je croyais que… » Sous ses yeux horrifiés, un des lourds coffres vacilla sur le bastingage du bateau avant de tomber bruyamment sur le pont. Il se tourna vers sa compagne. « Alise, ce n'est pas prudent ; ce bâtiment ne convient pas à une dame. Attendons un peu ; passer un jour ou deux à Trehaug ne nous fera pas de mal : j'ai toujours été curieux de cette cité, or nous l'avons à peine vue.

— Nous n'avons pas le choix, Sédric ; Parangon ne restera à Trehaug que dix jours au plus. Il nous en faudra deux pour rallier Cassaric, et autant pour revenir et embarquer sur Parangon avant son départ. Ça ne nous laisse au mieux que six jours à Cassaric. » La femme s'exprimait d'une voix calme et légèrement rauque où perçait une vague tristesse. Sa voilette cachait en grande partie ses traits, mais Leftrin distingua un petit menton volontaire et une large bouche.

« Mais… mais enfin, Alise, six jours devraient être plus que suffisants, si ce que le capitaine Trell nous a dit sur les dragons est exact ! Nous pouvons donc attendre ici un jour, voire deux si nécessaire, le temps de trouver un transport plus approprié. »

Skelli ne prêtait pas attention à la dispute ; le second lui avait donné ses ordres, et c'est à lui qu'elle obéissait. À grands gestes, elle dirigeait Hennesie qui avait lancé la flèche d'une petite grue par-dessus le bord ; il débloqua le bout, et elle attrapa habilement le crochet qu'elle fixa à la garde-robe, tandis qu'Eider et Belline s'apprêtaient à remonter le coffre. Leftrin avait un équipage efficace qui aurait embarqué les bagages avant que l'homme eût fini de se tordre dans les affres de l'indécision ; mieux valait apprendre tout de suite quelles étaient leurs intentions plutôt que devoir tout redébarquer.

« Vous pouvez attendre, dit Leftrin en s'adressant à l'homme, mais ça m'étonnerait que vous trouviez quelqu'un qui remonte le fleuve dans les prochains jours : il n'y a pas beaucoup de trafic entre Trehaug et Cassaric ces temps-ci, et les bateaux qui circulent sont nettement plus petits que le mien. Mais c'est vous qui voyez. En tout cas, décidez-vous vite ; j'ai déjà attendu plus longtemps que prévu, et j'ai des rendez-vous à tenir. »

Il ne mentait pas ; le ton urgent de la missive qu'il avait reçue du Conseil des Marchands de Cassaric laissait entendre qu'il pouvait espérer un joli petit profit s'il acceptait la mission un peu louche qu'on lui proposait. Un large sourire lui étira les lèvres ; il savait déjà qu'il prendrait le travail, et d'ailleurs il avait déjà chargé ici même, à Trehaug, les vivres et le matériel dont il aurait besoin pour le trajet ; mais laisser le Conseil dans l'incertitude jusqu'à la dernière minute ferait monter le prix, et, quand il arriverait à Cassaric, ses commanditaires seraient prêts à lui promettre la lune. Par conséquent, retarder son départ pour les deux passagers ne le dérangeait pas outre mesure. Il se pencha par-dessus le bastingage. « Vous montez ou pas ? »

À sa grande surprise, ce ne fut pas l'homme mais la femme qui répondit. Elle leva le visage pour lui parler, et le soleil traversa sa voilette pour l'éclairer. Son attitude évoquait à Leftrin une fleur qui se tourne vers la lumière. Elle avait de grands yeux gris largement écartés dans un visage en forme de cœur ; elle avait remonté ses cheveux en chignon pour plus de commodité, mais ce qu'il en voyait était roux sombre et bouclé. Des taches de rousseur piquetaient généreusement le nez et les joues de la jeune femme. Un autre que Leftrin aurait pu trouver sa bouche trop grande et disproportionnée, mais pas lui. Il eut l'impression que le regard qu'elle lui lançait touchait directement son cœur ; puis elle détourna les yeux, trop bien élevée pour croiser ceux d'un inconnu.

« … pas le choix, en réalité, disait-elle, et il se demanda ce qu'il avait manqué de ses propos. Nous serons ravis de vous accompagner, monsieur ; votre bateau nous conviendra parfaitement, j'en suis sûre. »

Avec un sourire vaguement attristé, elle s'adressa à son compagnon, et Leftrin eut un coup au cœur quand, la tête penchée, elle s'excusa avec douceur : « Pardon, Sédric ; je regrette de t'avoir entraîné dans cette aventure, et j'ai honte de devoir te traîner d'un bateau à l'autre sans même une tasse de thé ou quelques heures sur la terre ferme pour te remettre. Mais tu vois comment ça se passe ; nous devons y aller.

— Si c'est une tasse de thé qui vous manque, je peux vous préparer ça dans la coquerie ; et, si c'est la terre ferme, il n'y en a pas lourd à Trehaug ni dans le reste du désert des Pluies. Donc, vous n'avez rien perdu. Montez à bord et soyez les bienvenus. »

La jeune femme le regarda de nouveau. « Ma foi, capitaine Leftrin, c'est très aimable à vous ! » s'exclama-t-elle, et le soulagement sincère qui imprégnait sa voix lui réchauffa le cœur. Elle souleva sa voilette pour mieux le voir, et il eut le souffle coupé.

Prenant appui sur la lisse, il sauta et atterrit avec légèreté sur le quai, puis s'inclina devant la jeune femme. Surprise, elle fit deux petits pas en arrière, et Skelli toussota comme pour étouffer un rire ; son capitaine la foudroya du regard, et elle se remit promptement au travail. Leftrin reporta son attention sur sa passagère.

« *Mataf* n'est peut-être pas aussi joli que d'autres bateaux, mais il saura vous transporter en sécurité là où peu d'autres bâtiments de sa taille peuvent aller, grâce à son faible tirant d'eau et à un équipage qui sait trouver les meilleurs chevaux quand le courant se met à divaguer. N'attendez pas un de ces petits rafiots pour partir ; ils présentent peut-être mieux que mon *Mataf*, mais ils dansent comme une cage à oiseaux dans le vent et leurs hommes doivent se battre pour leur faire remonter le fleuve. Vous serez beaucoup plus à votre aise avec nous. Puis-je vous aider à monter, madame ? » Et, avec un grand sourire, il poussa l'audace jusqu'à lui offrir son bras. Elle le regarda, hésitante, puis se tourna vers son compagnon, qui se contenta de pincer les lèvres d'un air réprobateur. Ce n'était pas le mari, sans quoi il eût protesté, Leftrin en était sûr. De mieux en mieux.

« S'il vous plaît », dit-il, et c'est seulement quand elle posa son gant blanc sur le tissu rêche et sale de sa manche qu'il se rappela la différence de position sociale qui les séparait. Elle baissa les yeux devant son regard, et il admira ses cils qui se détachaient sur ses joues mouchetées de taches de rousseur. « Par ici », poursuivit-il, et il la mena vers les planches mal dégrossies qui servaient de passerelle au *Mataf*. Elles craquèrent et bougèrent sous leur poids, et la jeune femme s'agrippa au bras de Leftrin avec un petit hoquet effrayé. Il fallait exécuter un petit saut pour gagner le pont de la gabare, et Leftrin eût aimé avoir le courage de prendre sa passagère par la taille pour l'y déposer, mais il se contenta de lui offrir à nouveau son bras pour l'aider à garder son équilibre. Elle s'y appuya puis sauta bravement, et il aperçut brièvement un bout de jupon blanc avant qu'elle n'atterrît près de lui.

« Et nous y voici », fit-il gaiement.

Peu après, l'homme toucha le bordage à son tour avec un choc sourd ; il jeta un coup d'œil aux coffres que Skelli attachait avec le reste de la cargaison de pont. « Dites donc, il faut transporter nos bagages dans nos cabines ! s'exclama-t-il.

— Il n'y a pas de cabines privées sur le *Mataf*, désolé. Bien sûr, je me ferai un plaisir de laisser la mienne à la dame, mais vous et moi, on devra dormir avec l'équipage dans le rouf. Il n'y a pas beaucoup de place, mais, comme c'est pour quelques jours, on arrivera bien à se débrouiller. »

Une expression d'épouvante apparut sur les traits du dénommé Sédric. « Alise, reviens sur ta décision, je t'en prie ! s'écria-t-il d'un ton suppliant.

— Larguez les amarres, et allons-y ! » lança Leftrin à Hennesie.

Tandis que l'équipage se mettait à la manœuvre, Grig, le chat du bord, décida de faire son entrée. D'un pas nonchalant, il s'approcha de la jeune femme, renifla hardiment l'ourlet de sa robe puis se dressa soudain et posa ses pattes avant orange sur sa jupe. « Mraou ? demanda-t-il.

— Descends ! » dit sèchement Sédric au chat.

Leftrin fut positivement ravi quand la femme s'accroupit pour accepter la présentation du petit animal ; ses jupes s'épanouirent sur le pont comme la

24

corolle d'une fleur. Elle tendit la main à Grig, qui la huma puis lui donna un coup de sa tête rayée. « Qu'il est adorable ! s'exclama-t-elle.

— Ses puces aussi, sans doute », marmonna l'homme, discrètement atterré.

Mais sa compagne partit d'un petit rire qui évoqua à Leftrin le bruissement de l'eau contre l'étrave de son bateau.

La nuit était tombée. L'épouvantable repas, servi dans des assiettes en fer-blanc sur une table en bois qui avait connu des jours meilleurs, était heureusement passé. Sédric, assis sur une couchette étroite dans le rouf, songeait à son sort avec accablement ; avec accablement, mais détermination.

Le rouf était une construction basse dressée sur le pont pour abriter les hommes ; il possédait trois pièces, si l'on pouvait les honorer de ce nom, une pour le capitaine, où logeait désormais Alise, une autre qui servait de coquerie, avec un fourneau à bois et une table étroite bordée de deux bancs, et une troisième comme quartier de l'équipage ; un rideau à son extrémité offrait un peu d'intimité à Souarge et à sa solide épouse Belline qui partageaient une couchette plus large que les autres. Sédric en tirait une petite consolation.

Il avait évité sa banne aussi longtemps qu'il l'avait pu et tenu compagnie à Alise sur le pont, où il avait regardé la rive couverte d'arbres défiler à l'infini. La gabare avançait sans heurt et remontait le courant à une allure étonnante ; Grand Eider, Skelli, Belline et

Hennesie maniaient apparemment sans effort les robustes gaffes qui servaient à propulser le bateau tandis que Souarge tenait la barre, et le *Mataf* se déplaçait régulièrement en évitant comme par magie les hauts-fonds et les écueils. C'était une exhibition impressionnante de compétence maritime, et Alise en restait dûment éblouie. Sédric, lui, bien qu'il sût apprécier leur talent, se lassa bien avant elle de les admirer et de s'exclamer ; il la laissa à sa discussion enthousiaste avec le capitaine à la propreté douteuse et se dirigea vers l'arrière en cherchant en vain un endroit calme où se reposer. Il finit juché sur un de ses propres coffres, à l'ombre de la penderie amarrée au pont près de lui. L'équipage ne laissait espérer nulle conversation intelligente ; un des matelots, Eider, avait les proportions d'une armoire ; il y avait bien une femme, Belline, mais elle avait à peu près autant de muscles que son mari, Souarge ; Hennesie, le second, n'avait pas le temps de bavarder avec les passagers, ce qui convenait à merveille à Sédric, et Skelli le choquait par son jeune âge et son sexe : quel était ce bateau sur lequel on attendait d'une jeune fille qu'elle abattît autant de travail qu'un homme ? Après une visite dans le rouf nauséabond, il avait renoncé à toute idée de faire la sieste pour accélérer le temps du trajet ; autant dormir dans un chenil !

Mais c'était la nuit à présent ; les nuées d'insectes l'avaient obligé à rentrer et la fatigue à se coucher. Tout autour de lui, dans l'épaisse obscurité, l'équipage dormait ; Souarge et sa femme s'étaient retirés dans leur alcôve, derrière le rideau ; Skelli et le chat partageaient le même lit, la gamine repliée autour du monstre orange. La malheureuse était la nièce du capitaine, son héritière présomptive, et elle avait dû apprendre le métier en commençant par l'échelon le plus bas. Hennesie, le second, débordait de sa couchette, un bras musclé dans le vide, la main posée sur le pont. L'atmosphère paraissait alourdie par leur odeur de transpiration, leurs ronflements humides et les grognements qu'ils poussaient quand ils se retournaient.

Sédric avait eu le choix entre quatre couchettes inoccupées – manifestement, Leftrin avait eu un équipage plus important à bord de son bateau ; il avait pris la plus basse, et Skelli l'avait débarrassée de bonne grâce de son bric-à-brac pour lui permettre de s'installer ; elle lui avait même donné deux couvertures. Il s'était assis sur sa banne étroite en s'efforçant d'oublier puces, poux et autres vermines de plus grande envergure qui devaient y grouiller ; la couverture bien pliée sur son lit lui avait semblé relativement propre, mais il ne l'avait vue qu'à la lumière d'une lanterne. Derrière les bruits de l'équipage endormi, il entendait le bruissement de l'eau contre la coque ; le fleuve, gris, humide et acide, paraissait plus proche et plus menaçant qu'à bord de la haute et imposante vivenef : la gabarc s'enfonçait davantage dans l'eau, et la riche odeur verte de l'onde et de la jungle alentour pénétrait dans la pièce.

À la tombée de la nuit, lorsque l'obscurité avait déferlé comme un deuxième fleuve sur les eaux, l'équipage avait guidé la gabare vers les hauts-fonds et l'avait amarrée aux arbres de la rive. Malgré la solidité indubitable des bouts et des nœuds, le fleuve cherchait à s'emparer du bateau et l'entraînait avidement en le faisant danser légèrement, tandis que ses amarres craquaient sous la tension ; de temps en temps, la gabare sursautait, comme si elle plantait les talons dans le sol et refusait de se laisser emporter, et Sédric se demandait ce qui se passerait si les nœuds cédaient. Mais il savait qu'il y avait un homme de quart ; Grand Eider resterait debout la moitié de la nuit et ouvrirait l'œil avant de réveiller Hennesie pour son tour de garde ; et le capitaine lui-même surveillait le pont, la pipe à la bouche, quand Sédric avait fini par se résoudre à aller dormir dans le rouf bruyant. Brièvement, il avait joué avec l'idée de s'installer sur le pont pour la nuit ; l'air était tiède, mais, quand les insectes piqueurs avaient commencé à bourdonner autour de lui, il avait promptement changé d'avis.

Il ôta ses bottes, les rangea le long de sa couchette, plia sa veste et la posa à contrecœur au pied de son lit ; puis, sans enlever davantage de vêtements, il s'étendit sur le mince matelas agrémenté d'une couverture. L'oreiller formait une vague bosse à la tête du lit et portait l'odeur puissante du dernier occupant de la banne. Sédric se releva, prit sa veste et la fourra sous sa tête. « Deux jours seulement », murmura-t-il. Il pouvait quand même supporter cette situation pendant deux jours, non ? Puis la gabare arriverait à Cassaric, ils débarqueraient, et Alise obtiendrait certainement l'autorisation d'étudier ses chers dragons – et il serait là, bardé de ses pouvoirs et prêt à profiter de toutes les aubaines. Ils ne passeraient pas plus de six jours dans la cité, séjour amplement suffisant pour les recherches d'Alise, comme il le lui avait déjà dit, et ensuite ils retourneraient à Trehaug, prendraient passage sur le *Parangon* et reprendraient le chemin de Terrilville – et du nouvel avenir de Sédric.

À la maison ! La nostalgie l'envahit brutalement : les draps frais, les pièces spacieuses, la cuisine bien préparée, les vêtements lavés … Était-ce tant demander ? Que tout soit propre et agréable ? Que ses convives ne mangent pas la bouche ouverte ou interdisent au chat de crocher des bouts de viande dans les assiettes ? « J'aime seulement que tout soit agréable », dit-il d'un ton plaintif dans l'obscurité, puis il tressaillit au souvenir que ces mots firent remonter.

Il revoyait parfaitement la scène. Il avait redressé les épaules, avalé sa salive et tenu bon. « Je ne veux pas y aller.

— Je ferai de toi un homme, que tu le veuilles ou non ! avait répété son père. Et c'est une occasion en or pour toi, Sédric, une chance de faire tes preuves, surtout devant quelqu'un qui peut te promouvoir à Terrilville. J'ai tiré quelques ficelles pour t'obtenir cet emploi ; la moitié des jeunes gens de la ville seraient prêts à toutes les bassesses pour y avoir droit. Le Marchand Marlet a une place de matelot sur son nouveau bateau, et tu ne seras pas seul : il y aura d'autres garçons de ton âge à bord qui apprendront comme toi le travail sur le pont. Les amis que tu te feras, tu les garderas pour la vie ! Trime dur, fais-toi remarquer par le capitaine, et de nouvelles perspectives s'ouvriront peut-être pour toi. Le Marchand Marlet est riche, tant par ses filles que par sa flotte et son argent. S'il en vient à porter sur toi un œil favorable, qui sait quel avenir cela pourrait t'ouvrir !

— Et Tracia Marlet est une très jolie jeune fille », avait renchéri sa mère.

Sédric se sentait pris au piège des regards empreints d'espoir de ses parents. Ses nombreuses sœurs avaient déjà fini leur thé et quitté la table en hâte ; elles devaient se trouver au jardin, à la salle de musique ou chez leurs amies, tandis que lui restait enfermé dans les rêves de son père et de sa mère, rêves qu'il ne pouvait partager.

« Mais je ne veux pas travailler sur un bateau », dit-il avec circonspection. Devant la bouche étrécie et les yeux noirs de son père, il poursuivit rapidement : « Le travail ne me fait pas peur, je vous le jure, mais pourquoi ne pourrais-je pas l'effectuer dans une boutique ou un bureau ? Dans un endroit propre, lumineux, avec des gens sympathiques ? » Il s'adressa à sa mère : « L'idée de vous quitter si longtemps m'horrifie. Les bateaux restent absents des mois, voire des années ; comment pourrais-je supporter de ne pas vous voir pendant tout ce temps ? »

Elle plissa les lèvres, et les larmes lui montèrent aux yeux. Ce genre de déclaration pouvait attirer sa sympathie, mais son père resta impavide. « Il est temps que tu voles un peu de tes propres ailes, mon fils. Les études, c'est très bien ; je suis fier d'avoir un fils capable de lire, d'écrire et de calculer sans se tromper, et, si nos finances s'étaient mieux portées ces dernières années, ça suffirait peut-être ; mais nos propriétés n'ont pas prospéré, et il faut donc maintenant que tu ailles chercher fortune par toi-même, afin de rapporter de quoi ajouter à ton héritage. Si tu travailles sur ce bateau, tu toucheras un salaire convenable qui te permettra d'économiser. C'est une véritable aubaine, Sédric, que n'importe quel jeune homme accepterait d'enthousiasme. »

Il avait réuni les torons de son courage. « Père, ça ne convient pas à ma nature ; je regrette. Je sais que vous avez dû demander des faveurs pour obtenir cette place, mais j'aurais préféré que vous m'en parliez d'abord. J'ai voyagé sur des bateaux et j'ai vu les conditions d'existence des matelots : on vit dans la crasse, la puanteur, l'humidité, avec un régime répétitif, et la moitié des gens qu'on côtoie sont des rustres illettrés. Le travail exige un dos musclé, des mains solides, et c'est à peu près tout ; je n'ai aucune envie de devenir marin pour tirer pieds nus des cordages à bord d'un bateau qui ne m'appartient pas ! Je veux un avenir, et je suis prêt à trimer pour y parvenir, mais pas comme ça ! Je voudrais travailler dans un endroit propre et avenant, au milieu de gens agréables ; j'aime me trouver dans un environnement aimable. Est-ce si anormal ? »

Son père s'était brutalement laissé aller contre le dossier de sa chaise. « Je ne te comprends pas, avait-il dit d'un ton âpre. Je ne te comprends pas du tout. Sais-tu ce qu'il m'en a coûté pour t'obtenir cette place ? Te rends-tu compte de l'embarras dans lequel tu me mettrais si tu la refuses ? Ne peux-tu montrer un peu de gratitude ? C'est la chance de ta vie, Sédric ! Et tu

comptes la refuser parce que tu veux "un environnement aimable" !

— Ne criez pas, je vous en prie, était impru-
demment intervenue son épouse. Polon, ne pouvons-
nous discuter de cette affaire de manière calme et
courtoise ?

— Et "aimable" aussi, sans doute ? avait rétorqué
son mari. J'abandonne ! J'ai essayé de faire de mon
mieux, mais ce garçon ne rêve que d'errer dans la
maison, un bouquin à la main, ou de sortir avec la
bande d'inutiles et d'oisifs qui lui servent d'amis. Eh
bien, si leurs pères ont les moyens de les entretenir,
pas moi ! Tu es mon héritier, Sédric, mais j'ignore ce
dont tu hériteras si tu ne te prends pas vite en main. Ne
baisse pas les yeux ! Regarde-moi quand je te parle,
mon fils !

— Je vous en prie, Polon ! avait dit sa mère d'un
ton suppliant. Sédric n'est pas encore prêt. Il a raison :
vous auriez dû vous en entretenir avec lui avant de lui
chercher cet emploi. Vous ne m'en avez même pas
touché un mot !

— Parce qu'une occasion pareille, ça n'attend pas !
Quand elle se présente, celui qui la saisit peut y
trouver un avenir. Mais ce ne sera pas Sédric, non,
naturellement, parce qu'il n'est pas prêt et que ce n'est
pas assez "aimable" pour lui ! Très bien ; gardez-le
dans vos jupes. Vous avez pourri cet enfant par votre
indulgence ; vous l'avez pourri ! »

Sédric se retourna sur l'étroite couchette en s'efforçant de repousser ces images de son esprit, mais elles
revinrent sous la forme d'une nouvelle question : son

père le jugeait-il toujours « pourri » ? Il savait qu'il avait éprouvé une vive contrariété quand Sédric avait annoncé qu'il avait accepté la place de secrétaire de Hest Finbok ; même sa mère, pourtant beaucoup plus patiente et tolérante avec lui, avait fait grise mine à l'idée de voir son fils dans une telle position. « C'est un poste inattendu pour un fils de Marchand, même un fils cadet. Je sais que c'est une voie qui ouvre des perspectives, et même ton père a reconnu que tu noueras peut-être des contacts intéressants lors de tes voyages avec Hest. Mais, tu comprends, il nous semble que tu aurais pu débuter ta carrière à un niveau un peu supérieur à celui de secrétaire.

— Hest me traite bien, mère, et il me paie bien aussi.

— Et j'espère que tu mets de l'argent de côté sur ton salaire, car, malgré sa beauté et la fortune de sa famille, Hest Finbok a la réputation d'être inconstant ; n'espère pas pouvoir compter sur lui pour le restant de tes jours, Sédric. »

Dans l'obscurité du rouf, il eut un petit gémissement plaintif au souvenir de ce discours. À l'époque, il n'y avait entendu que l'inquiétude de sa mère pour lui, mais ces paroles paraissaient aujourd'hui prophétiques. Avait-il commis une erreur en dépendant exagérément de Hest ? Sa main monta lentement jusqu'au petit médaillon qu'il portait au cou ; dans le noir, il caressa de l'index le mot gravé dans le métal : *Toujours*. Avait-il atteint la fin de ce « toujours » ?

Il changea de nouveau de place sur la couchette, mais l'assise était uniformément dure ; au lieu du

33

sommeil, il n'y trouverait que des souvenirs et des angoisses. Il se montait la tête, naturellement ; il s'agissait d'une simple chamaillerie avec Hest, rien de plus ; ils s'étaient déjà disputés par le passé, et ils en avaient ri ensemble plus tard. Un jour, dans une ville de Chalcède, Hest, pris d'une rage terrible, avait planté Sédric à l'auberge, et celui-ci avait dû parcourir les rues au grand galop pour embarquer sur le bateau avant qu'il ne hissât les voiles. Hest n'avait frappé son ami qu'une seule fois, mais, pour être tout à fait honnête, il avait beaucoup bu et il était d'humeur massacrante avant même le début de leur querelle ; user de violence physique ne lui ressemblait pas : il avait d'autres moyens d'exprimer sa domination et sa mainmise sur les autres, et il employait plus souvent le sarcasme et l'humiliation. Il ne recourait à la force brute qu'en dernier recours, et cela signifiait que sa colère avait atteint son point culminant.

Mais celle qui l'animait aujourd'hui était différente, glacée. Après avoir donné l'ordre à Sédric d'accompagner Alise dans son expédition, il s'était montré froid et distant avec lui ; chaque matin, il lui remettait avec un sourire une longue liste de tâches à remplir. Il le traitait avec l'absolue correction d'un maître envers son serviteur. Le soir, il l'écoutait faire son rapport sur le déroulement de ses missions ; il ne paraissait pas se soucier de lui avoir confié la responsabilité du voyage d'Alise et attendait qu'il accomplît ses devoirs quotidiens comme d'habitude.

C'est ainsi que Sédric avait pris les dispositions nécessaires pour l'embarquement de Hest, Vollom

Coursier et Jaff Secudus à bord d'un navire en partance pour les îles aux Pirates. À la dernière minute, délibérément et avec un sourire cruel, Hest avait dicté à Sédric une invitation supplémentaire pour Reddin Cope, dont l'acceptation enthousiaste était arrivée une heure après. Hest avait demandé à Sédric de la lui lire ; puis, d'un ton badin, il s'était exclamé sur le plaisir qu'il aurait à la compagnie de Reddin, sur son affabilité et son ardeur à participer à n'importe quelle nouvelle aventure.

L'après-midi même, ils partaient ; Cope avait joyeusement salué Sédric de la main tandis que le bateau s'écartait lentement du quai. C'était la première opération que tentait Hest pour former des contacts commerciaux dans les îles aux Pirates, naguère dangereuses, et Sédric et lui l'avaient prévue depuis près d'un an ; il savait parfaitement avec quel plaisir son ami attendait ce voyage. Or, il avait non seulement choisi d'autres compagnons pour l'effectuer mais demandé à Sédric de prendre des places sur un bateau qui offrait à ses passagers tout le confort qu'un homme civilisé pouvait espérer. Tandis que le jeune homme écoutait les ronflements et les pets des matelots dans l'obscurité, Hest et ses amis savouraient sans doute un alcool de qualité dans la lumière tamisée d'un salon à bord de leur propre navire. Il s'agita, mal à l'aise, et se gratta la nuque avant de se demander soudain si ce n'était pas une puce ou un pou qui le démangeait ; du bout des doigts, il se palpa le cou mais ne sentit rien. À cet instant, un bâillement impromptu le surprit.

C'est vrai, il était épuisé, grâce aux bons soins d'Alise : il avait empaqueté rapidement leurs possessions puis cherché des portefaix, après quoi il avait fallu courir du *Parangon* jusqu'au *Mataf*. Du coup, il avait à peine entrevu la légendaire cité forestière de Trehaug, et il avait encore moins eu le temps de parcourir ses marchés. De tous les Rivages maudits, c'était la ville principale pour trouver des articles des Anciens à des prix raisonnables, et il avait dû passer à côté d'elle sans pouvoir y jeter un coup d'œil parce qu'Alise redoutait de manquer ses dragons puants et difformes.

Il bâilla de nouveau puis ferma les yeux, résolu à dormir autant que possible malgré les affreuses conditions et à faire bonne figure le matin venu. Si tout allait bien, il se trouverait aux côtés d'Alise quand elle obtiendrait l'autorisation de voir les dragons et tenterait de leur parler ; à mots couverts, elle lui avait dit qu'elle souhaitait sa présence pour transcrire leurs conversations, prendre des notes et même l'aider pour les dessins qu'elle avait l'intention d'exécuter. Il serait donc au milieu des dragons pour assister Alise dans sa collecte d'informations ; si la fortune lui souriait, il ne collecterait pas que cela. Il se frotta les bras puis tira la couverture sur lui ; manifestement, même en été, les nuits étaient froides sur le fleuve, aussi froides que Hest. Mais il lui montrerait ; il lui montrerait qu'il n'escomptait pas passer toute sa vie à son service ; il lui montrerait que Sédric Meldar savait négocier seul, qu'il avait des ambitions et des rêves personnels. Il leur montrerait à tous.

Assise par terre, Thymara regardait les flammes du feu de camp. « Un seul d'entre nous imaginait-il, il y a un mois, que nous ferions ce travail ? Que nous nous préparerions à rencontrer des dragons et à les escorter le long du fleuve ? Ou même que nous nous retrouverions installés autour d'un feu, ici, au sol ? demanda-t-elle à son cercle de nouveaux amis.

— Non, pas moi », murmura Tatou, toujours près d'elle, et plusieurs autres acquiescèrent en riant. Graffe, assis à sa droite, se borna à secouer la tête ; ses boucles noires dansèrent, comme les excroissances charnues qui bordaient sa mâchoire. À son arrivée dans le groupe, il portait un voile sur lequel nul n'avait fait de réflexion : les habitants lourdement marqués par le désert des Pluies employaient souvent ce genre d'accessoire, surtout lorsqu'ils se trouvaient dans les niveaux inférieurs de Trehaug où ils risquaient de croiser les regards ébahis d'étrangers. Le second soir, quand il s'était présenté le visage découvert, Thymara n'avait pu s'empêcher de l'observer avec curiosité ; Graffe arborait des stigmates plus prononcés que quiconque de sa connaissance ; à vingt ans, il avait plus d'excroissances et de barbillons qu'elle n'en avait vus même chez les plus âgés de ses concitoyens. Les ongles de ses doigts et de ses orteils étaient lisses mais iridescents et recourbés comme des griffes ; ses yeux avaient une teinte bleue anormale et ils luisaient visiblement la nuit ; il n'avait pas de lèvres, et sa langue était bleue ; il se déplaçait avec une efficacité discrète, et Thymara se sentait attirée par son calme et sa

37

maturité ; comparé aux autres garçons du groupe, il paraissait responsable et réfléchi.

Ce soir, Graffe restait silencieux comme les autres. En lui, l'impatience le disputait à l'anxiété : encore un jour de voyage et ils feraient enfin la connaissance des dragons.

La commission leur avait fourni de solides canots, parfaitement étanches à l'eau acide du fleuve, et deux guides, un homme et une femme, qui préparaient leurs repas, mangeaient et dormaient à part du groupe. Jusque-là, on avait pourvu à leur approvisionnement, et quelques-uns des jeunes gardiens avaient même trouvé le temps de s'essayer à la chasse, de cueillir des fruits ou de ramasser des champignons en chemin. Mais ils avaient découvert que leurs couvertures ne les réchauffaient guère quand ils dormaient par terre, et que les moustiques et autres insectes piqueurs pullu-laient autant le long du fleuve que ce qu'en disait la rumeur ; ils avaient aussi constaté que, sous les arbres, les étoiles ne brillaient pas, les nuits étaient plus sombres et plus longues que dans les cimes, et ils avaient déjà appris à préserver l'eau potable et à récu-pérer l'eau de pluie dès qu'ils en avaient l'occasion. Ils avaient échangé leurs noms et partagé des histoires.

Et, au cours des quelques jours qu'ils avaient passés ensemble, ils s'étaient rapprochés.

Thymara parcourut du regard le cercle des visages qui luisaient à la lumière du feu et s'étonna de sa bonne fortune. Jamais elle n'avait imaginé qu'un jour tant de gens l'appelleraient par son nom, accepteraient qu'elle leur servît à manger sans froncer le nez devant ses griffes, et parleraient aussi librement des déformations que causait le désert des Pluies et qui empêchaient frères et sœurs de se regarder dans les yeux. Ils venaient de toutes les couches de la voûte, de familles Marchandes et d'autres qui ne se rappelaient même plus de quelle lignée elles descendaient ; certains avaient dû se battre pour manger, et d'autres avaient connu l'instruction, la viande rouge et le vin plus rouge encore à table. Elle regarda les visages qui l'entouraient, les nomma et les compta comme des bijoux dans une boîte au trésor. Ses amis.

À côté d'elle, il y avait Tatou, son plus vieil ami, et encore le plus proche ; ensuite Kanaï, qui riait à part lui d'une plaisanterie ; puis Sylve, qui secouait la tête, l'air ébahi de l'optimisme perpétuel et infondé du jeune garçon ; néanmoins, elle paraissait apprécier l'attention qu'il lui portait et son bavardage incessant. Kase et Boxteur, près d'elle, râblés et les yeux couleur de cuivre, étaient cousins et se ressemblaient beaucoup ; inséparables, ils se poussaient souvent du coude en échangeant des blagues qui les faisaient mourir de rire.

Thymara découvrait peu à peu une facette des garçons de cet âge qu'elle ne connaissait pas : ils avaient toujours une espièglerie ou une farce stupide en cours. À l'instant même, Alum aux yeux argent et Nortel le basané se roulaient par terre de rire parce que Houarkenn avait lâché un pet sonore ; Houarkenn, grand et dégingandé, paraissait se réjouir de leurs rires plutôt que s'en offusquer. Thymara secoua la tête ; elle ne voyait pas ce qu'ils trouvaient de si drôle à ce genre de choses, et pourtant elle ne pouvait s'empêcher de sourire à leur hilarité. Jerde, assise au milieu des garçons, souriait elle aussi. Thymara ne la connaissait pas bien, mais elle admirait déjà ses talents de pêcheuse. Elle avait tout d'abord été abasourdie en apprenant que c'était une fille : rien dans sa carrure solide ne le laissait penser, et elle avait taillé en brosse le peu de cheveux blonds qui restait sur son crâne couvert d'écailles. Thymara comme Sylve avaient tenté de nouer des liens avec elle, mais, bien qu'elle se montrât aimable, elle paraissait préférer une compagnie masculine. Ses pieds et ses jambes musclées étaient couverts d'écailles et couturés de cicatrices ; elle se déplaçait sans chaussures, ce que peu d'habitants du désert des Pluies eussent osé faire sur le sol de la forêt.

À côté de Jerde se trouvaient Harrikine et Lecter. Ils n'étaient pas du même sang, mais les parents d'Harrikine avaient adopté Lecter lorsqu'il avait sept ans, après la mort de son père et de sa mère, et ils étaient aussi proches que des frères, même si le premier était long et mince comme un lézard, alors que le second évoquait à Thymara un crapaud cornu, trapu, la tête dans les épaules, et hérissé d'excroissances. Harrikine, à vingt ans, était le plus âgé du groupe, hormis Graffe, qui avait vingt-cinq ou vingt-six ans, et, par ses manières comme par son attitude, il reléguait les autres au rang d'adolescents. Avec ses yeux bleus et luisants, il achevait le cercle des amis de Thymara. Il vit qu'elle le regardait et leva la tête d'un air interrogateur, un sourire sur sa bouche mince.

« Ça fait bizarre de regarder autour de soi et de s'apercevoir que tous ici sont mes amis, dit-elle à mi-voix. Je n'en avais jamais eu jusqu'ici. »

Il passa sa langue bleue aux coins de sa bouche puis se pencha vers la jeune fille. « C'est la lune de miel, fit-il de sa voix rauque.

— Comment ça ?

— J'ai pas mal bossé comme chasseur, et voilà comment ça se passe : tu pars avec un groupe de collègues, et, au bout de trois jours, ce sont tous tes copains. Après cinq jours, ça commence à devenir tendu, et, la semaine passée, le groupe se décompose lentement. » Il parcourut des yeux le cercle illuminé par le feu. En face d'eux, Jerde se battait amicalement avec deux des garçons ; Houarkenn parut un instant emporter le combat lorsqu'il la prit à bras-le-corps pour l'asseoir sur ses genoux, mais elle se redressa aussitôt, le menaça d'un doigt moqueur et reprit sa place près du feu. Graffe avait observé leur jeu brutal, les yeux étrécis, et il dit dans un murmure : « Dans deux ou trois semaines, tu en détesteras sans doute autant parmi eux que tu en adores aujourd'hui. »

Elle s'écarta légèrement de lui, glacée par son cynisme. Il sentit qu'il l'avait blessée et haussa les épaules. « Je peux me tromper ; c'est peut-être que j'ai l'impression que ça tourne toujours comme ça. Ce n'est pas facile de s'entendre avec moi. »

Elle lui sourit. « Ce n'est pas le sentiment que j'ai.

— Pour ceux qui me comprennent, ça va », fit-il avec un sourire qui disait qu'elle en faisait partie. Il tendit la main vers elle, la paume vers le haut, peut-être en signe d'invitation. « Mais j'ai mes limites ; je sais ce qui m'appartient, et c'est moi qui décide si je le partage ou non – et il y a des choses qu'on ne partage pas. Dans un groupe comme celui-ci, avec autant de jeunes, ça pourra paraître une attitude dure ou égoïste parfois, mais, pour moi, c'est de la simple logique. Si je chasse et que j'aie un peu plus que ce qu'il me faut pour manger, j'accepte de partager, et je pense avoir le droit d'en attendre autant des autres. Mais, sache-le, je ne suis pas de ceux qui se rationnent par pure bonté d'âme ; d'abord, j'ai appris qu'on t'en remercie rarement, et ensuite je sais que ma capacité à chasser dépend de ma condition physique. Si je m'affaiblis par gentillesse aujourd'hui, tout le monde aura peut-être faim demain si mes réflexes sont trop lents ou que je n'aie pas assez la tête à ce que je fais pour tuer ma proie ; par conséquent, je protège mes intérêts aujourd'hui pour pouvoir mieux aider les autres demain. »

Tatou se pencha par-dessus les jambes de Thymara pour s'adresser à Graffe ; elle ne s'était pas aperçue qu'il les écoutait. « Alors, fit-il sur le ton de la conversation, comment fais-tu la différence entre aujourd'hui et demain ?

— Pardon ? » répondit Graffe, apparemment contrarié par cette intrusion ; son affabilité s'évapora.

L'autre ne se laissa pas émouvoir, pratiquement couché sur les genoux de la jeune fille. « Comment distingues-tu aujourd'hui de demain pour savoir si tu dois partager ce que tu as ? À quel moment te dis-tu : "Je n'ai pas partagé hier, ce qui m'a permis de conserver mes forces, de chasser et de rapporter de la viande aujourd'hui, donc je peux la partager" ? Ou bien songes-tu seulement que tu ferais mieux de tout manger pour être en forme le lendemain ?

— J'ai l'impression que tu n'as pas très bien compris, fit Graffe.

— Ah ? Eh bien, explique encore une fois, alors. » Il y avait du défi dans le ton de Tatou.

Thymara lui donna un petit coup pour le déloger, et il se redressa mais parvint à se retrouver plus près d'elle, la hanche pressée contre la sienne.

« Bon, je vais essayer de t'expliquer. » Graffe paraissait amusé. « Mais tu risques de ne pas comprendre ; tu es beaucoup plus jeune que moi et, à mon avis, tu n'as pas vécu selon les mêmes règles que nous. » Il se tut un instant et jeta un regard par-delà le feu à Boxteur et Harrikine qui, debout, s'étaient lancés dans une partie de lutte amicale ; les mains sur les épaules de l'autre, les pieds plantés dans la boue, chacun s'efforçait de faire reculer son adversaire. De part et d'autre d'eux, les autres gardiens les encourageaient à grands cris. Graffe secoua la tête, apparemment mécontent de cette légèreté. « La vie prend un autre aspect quand on n'a pas eu à faire face à des gens qui pensent qu'on n'a pas le droit d'exister. Quand j'étais petit, on considérait que je n'avais droit à rien, et, pour me procurer ce dont j'avais besoin, j'ai dû d'abord mendier puis me battre une fois devenu plus grand. Et, quand j'ai eu l'âge de subvenir à mes besoins, et même de gagner un peu plus, certains ont cru pouvoir partager ce que je rapportais ; ils avaient dû penser que je devais m'estimer heureux qu'ils m'en laissent une part, voire qu'ils me laissent vivre. Alors, si tu n'as pas vécu dans ce genre de conditions, ça m'étonnerait que tu me comprennes. Pour moi, cette expédition m'offre la chance de me débarrasser de ces anciennes règles et de m'installer là où je pourrai inventer les miennes.

— Et la première, c'est de toujours t'occuper de toi avant les autres ?

— Possible. Mais je t'avais dit que tu ne comprendrais sans doute pas ; naturellement, pour équilibrer ça, il y a quelque chose que je ne comprends pas chez toi. Pourquoi ne nous expliques-tu pas ce qui te pousse à remonter le fleuve ? Pourquoi abandonner ton existence à Trehaug pour partir avec une bande de parias et d'inadaptés comme nous ? » La question paraissait presque amicale.

De l'autre côté du feu, Boxteur emportait la partie. Harrikine s'étala dans la boue et s'écarta de son adversaire en roulant sur lui-même. « Je me rends ! » s'écria-t-il, ce qui déclencha l'hilarité des autres. Les deux garçons se rassirent dans le cercle, les rires s'éteignirent, et le calme revint alors que tous remarquaient peu à peu le regard fixe qu'échangeaient Tatou et Graffe.

Quand le plus jeune parla, il s'exprimait d'une voix plus grave qu'à l'ordinaire. « Et si je ne voyais pas les choses comme ça ? Et si je n'avais pas la vie douillette que tu imagines ? Peut-être que, quoi que tu en croies, je comprends parfaitement que tu aies voulu quitter Trehaug pour aller là où tu pourras créer tes propres règles, et, si ça se trouve, la plupart d'entre nous partagent la même envie ; mais je ne crois pas que ma première règle sera "moi d'abord". »

Le silence tomba, plus grand que la jeune fille et les deux garçons ; le feu crépitait, les moustiques zonzonnaient dans le noir, le fleuve bruissait comme toujours, et, au loin, une bête poussa un hululement strident puis se tut. Thymara parcourut des yeux le cercle des gardiens et s'aperçut que la plupart écoutaient leur conversation, et elle se sentit aussitôt mal à l'aise, prise au piège entre Graffe et Tatou, comme si elle représentait un territoire dont l'un ou l'autre devait s'emparer. Elle s'écarta légèrement de Tatou, et de l'air frais vint frôler sa peau là où elle touchait celle du jeune garçon.

Graffe prit une brusque inspiration comme s'il s'apprêtait à répondre vertement, puis il soupira lentement et dit d'un ton égal et aimable : « J'avais raison ; tu ne comprends pas, parce que tu n'as pas vécu ce que j'ai vécu – ce que nous avons tous vécu. » Il haussa la voix sur ces derniers mots pour inclure tout le groupe. Il s'interrompit, sourit à Tatou et reprit : « Tu n'es pas comme nous, et je ne pense donc pas que tu puisses comprendre nos raisons, pas plus que je ne peux comprendre les tiennes. » Il baissa de nouveau le ton, mais sa voix resta audible de tous. « Le Conseil recherchait des habitants du désert des Pluies comme nous, ceux dont il voulait se débarrasser, mais j'ai entendu dire qu'il offrait aussi l'amnistie à certains autres ; les délinquants et les criminels, par exemple. Il paraît qu'il a donné la possibilité à des gens de quitter

Trehaug et d'éviter de payer les conséquences de leurs actes. »

Graffe se tut, et ses paroles flottèrent dans la nuit comme la fumée du feu. Quand Tatou dit : « Je ne sais pas de quoi tu parles », il s'exprimait sans conviction. « Moi, j'ai seulement appris que le travail payait bien et qu'on cherchait des gens sans attaches à Trehaug, qui pouvaient quitter la ville sans laisser d'obligations derrière eux. Et c'était mon cas.

— Vraiment ? » demanda Graffe poliment.

Ce fut au tour de Tatou de parcourir ses camarades du regard. Certains suivaient simplement la conversation ; mais plusieurs autres l'observaient désormais avec une curiosité qui confinait à la suspicion. « Vraiment », fit sèchement le jeune garçon. Il se leva soudain. « Rien ne me retient, et la paie est bonne. J'ai autant le droit de participer à cette expédition que n'importe lequel d'entre vous. » Il leur tourna le dos. « Il faut que j'aille pisser », marmonna-t-il, et il s'enfonça dans la nuit à grands pas.

Thymara ne bougea pas, consciente du vide qu'il laissait à côté d'elle. Il venait de se produire un événement qui dépassait les passes verbales entre les deux garçons ; elle s'efforça de lui donner un nom, mais en vain. *Il a modifié l'équilibre du groupe*, se dit-elle en jetant un regard discret à Graffe. Penché, il poussait les bouts de bois intacts dans les flammes. *Il a rejeté Tatou à l'extérieur, et il a parlé en notre nom à tous comme s'il en avait le droit.* Brusquement, elle le trouvait beaucoup moins charmant.

46

Graffe reprit sa place dans le cercle et sourit à Thymara, mais elle demeura impassible. Dans la lumière dansante du feu, d'autres conversations reprenaient entre les gardiens, à propos de leurs problèmes immédiats ; ils devaient se coucher sans tarder s'ils voulaient se mettre en route tôt le lendemain, et Kanaï secouait déjà sa couverture. Jerde se leva soudain. « Je vais chercher du bois vert ; si le feu dégage de la fumée, ça éloignera un peu les moustiques.

— Je t'accompagne, dit Boxteur, et Harrikine commença de se redresser aussi.

— Non, merci », répondit-elle, et elle s'éloigna dans la forêt obscure dans la même direction que Tatou.

Sans crier gare, Graffe se pencha vers Thymara. « Je regrette ; je ne voulais pas énerver ton galant. Mais il fallait bien qu'on lui explique la réalité.

— Ce n'est pas mon galant », répliqua Thymara sans réfléchir, outrée qu'il pût croire une chose pareille ; puis elle eut le sentiment d'avoir trahi Tatou par cette dénégation.

Mais Graffe souriait. « Ce n'est pas ton galant, hein ? Tiens, tiens, quelle surprise ! » Il haussa les sourcils et se pencha davantage avec une expression minaudière. « Il est au courant ?

— Évidemment ! Il connaît la loi : les filles comme moi n'ont pas le droit d'être courtisées ni de se marier. Nous n'avons pas le droit d'avoir des enfants, donc ça ne sert à rien d'avoir des galants. »

Graffe la regarda, et ses yeux, bleus sur fond bleu et luisant, s'adoucirent soudain. « On te les a bien apprises, ces lois, hein ? Quelle tristesse ! » Il pinça ses lèvres minces, secoua la tête et poussa un petit soupir. Il se perdit un moment dans la contemplation du feu, puis il se tourna de nouveau vers Thymara avec un sourire et se pencha vers elle, en posant sa main sur sa cuisse pour lui parler à l'oreille. Son haleine chaude sur son cou la fit frissonner. « Là où nous allons, nous pouvons inventer nos propres lois ; penses-y. »

Puis, avec la grâce d'un serpent qui se déroule, il se leva et la laissa regarder les flammes.

Deuxième jour de la Lune du Grain

Sixième année de l'Alliance Indépendante
des Marchands

De Kim, Gardien des Oiseaux, Cassaric, à Erek,
Gardien des Oiseaux, Terrilville, et à Detozi,
Gardienne des Oiseaux, Trehaug

Gardien Erek et Gardienne Detozi, quand on m'a confié le poste que j'occupe, on m'a clairement expliqué que les oiseaux messagers devaient servir uniquement aux affaires officielles du Conseil, même si les Marchands peuvent obtenir l'autorisation de les employer pour des messages privés, moyennant rétribution. On m'a bien précisé que les Gardiens ne disposent de nul privilège leur permettant d'envoyer des messages gratuitement, ce qui, me semble-t-il, comprend l'ajout de mots personnels à des communications officielles. Je ne souhaite pas vous dénoncer pour la violation de ces règles, mais, s'il parvient entre mes mains de nouvelles preuves de correspondances privées, à l'instar de cette fois-ci, je signalerai votre cas aux trois Conseils, et je suis certain qu'on vous tiendra comptables des dépenses pour tous les messages gratuits que vous avez envoyés.

Respectueusement.

Gardien Kim

2

Cassaric

Quand ils arrivèrent au quai principal de Cassaric, il commençait déjà à faire noir ; même les moustiques avaient disparu pour la nuit. Les lanternes qui pendaient aux coins de la gabare n'illuminaient guère que les visages soucieux des matelots qui, chargés de manier les gaffes, passaient sans cesse près d'Alise ; leur ronde interminable sur le pont avait quelque chose d'hypnotique, et la jeune femme s'étonnait encore de l'aisance avec laquelle ils propulsaient le bateau contre le courant. Quand elle s'en était ouverte au capitaine Leftrin, il avait eu un sourire malicieux et vaguement parlé d'une ligne de coque très sophistiquée.

Elle s'était installée sur le pont, bien couverte pour se protéger de la fraîcheur nocturne et des insectes qui sortaient avec l'obscurité. Les étoiles lointaines scintillaient pourtant d'un éclat vif. Lorsque les premières lumières de la ville étaient apparues, elle était restée bouche bée : comme Trehaug, la cité de Cassaric, plus

51

récente, s'étendait parmi les frondaisons au-dessus du fleuve ; l'éclat jaune des lampes qui tombait des fenêtres, filtré par le lacis des branches, lui avait d'abord évoqué un semis d'étoiles prises dans une nasse, mais, comme la gabare se rapprochait, les petits points étaient devenus plus grands et plus brillants.

« On arrive bientôt, lui dit le capitaine Leftrin lors d'une de ses nombreuses visites à son poste d'observation. D'ordinaire, nous nous serions arrêtés pour la nuit il y a déjà une heure, mais je sais que vous êtes pressée de voir vos dragons, alors j'ai un peu poussé mon équipage. J'espérais pouvoir mouiller à quai avant la tombée du jour, mais pas de chance ; du coup, je vous propose de passer encore une nuit à bord et de partir tôt demain matin. »

Sédric les avait rejoints. Dans le noir, ils ne l'avaient pas vu approcher, et ils sursautèrent quand il dit : « Nous ne sommes pas fatigués à ce point ; je pense qu'il vaut la peine de faire un petit effort pour trouver une auberge qui offre des bains brûlants, des lits moelleux et du vin clairet en accompagnement d'un repas chaud.

— Vous ne trouverez pas ça ici, répondit le capitaine Leftrin. Cassaric est une ville encore récente ; la plupart de ses habitants y travaillent et il y a peu de visiteurs : une auberge n'aurait pas beaucoup de clients. Si on était arrivés en plein jour, on aurait pu dégotter une famille pour vous louer de quoi dormir, mais, à la nuit tombée, vous risqueriez de vous casser le nez à toutes les portes ; en plus, vous devriez grimper pas mal de marches dans le noir, ou emprunter un hisse-panier, si vous en trouviez un encore en fonctionnement et que vous acceptiez de payer la redevance. »

Alise acquiesça de la tête. « Remballer toutes nos affaires et partir au hasard dans le noir à la recherche d'une maison hospitalière, ce n'est pas logique ; une nuit de plus à bord du *Mataf* ne nous tuera pas, Sédric, et demain matin tu pourras te mettre en quête d'un logement pour nous pendant que j'irai m'entretenir avec le Conseil de la ville au sujet des dragons. » La solution lui paraissait bonne : le bateau n'avait rien de luxueux, mais il offrait un certain confort et une cuisine simple mais nourrissante ; le capitaine Leftrin, bien qu'un peu rugueux, faisait des efforts de galanterie qui touchaient Alise par leur sincérité, et elle appréciait sa compagnie, même si Sédric le trouvait manifestement provincial. À plusieurs reprises, il lui avait lancé des regards douloureux lorsque le capitaine lui adressait ses compliments extravagants, et, une fois, il avait dû réprimer un éclat de rire devant les efforts de l'homme pour étaler son charme ; à sa propre surprise, Alise s'offensait de ce que Sédric s'amusât du capitaine. Elle jugeait son attitude cruelle et mesquine.

Flatteuse aussi.

Elle eût voulu chasser cette pensée de son esprit mais n'y parvenait pas. Les attentions de Leftrin l'avaient prise complètement au dépourvu ; d'abord mal à l'aise, voire méfiante, elle s'était convaincue au cours de la dernière journée qu'il l'admirait sincèrement, et elle ne pouvait méconnaître le frisson de plaisir qui la parcourait à l'idée de paraître attirante aux yeux de ce rude loup de mer. Il n'avait rien à voir avec les hommes qu'elle connaissait ; près de lui, elle se sentait aventureuse, et même intrépide, d'avoir entrepris ce voyage, tandis que la force et la compétence évidentes de Leftrin lui donnaient un sentiment de sécurité. Elle se laissait aller à apprécier sa compagnie en songeant que ce n'était que pour quelques jours, qu'elle n'avait nulle intention de tromper Hest ; elle avait seulement envie de profiter un moment d'un homme qui la trouvait jolie.

Mais Sédric avait réagi d'une façon qu'elle ne pouvait interpréter que comme protectrice et qui l'avait stupéfaite, tout en réveillant chez elle l'attirance enfantine qu'elle éprouvait jadis pour lui ; avant même de s'épanouir et de devenir le jeune homme splendide qu'il était aujourd'hui, il avait fasciné Alise : il lui prêtait attention alors qu'aucun autre garçon ne la regardait, avec sa tignasse rousse et rebelle, ses grosses taches de rousseur et sa poitrine plate ; il était gentil. Ah, comme elle avait rêvé que le grand frère de sa meilleure amie se montrât plus que gentil avec elle ! Elle entrelaçait leurs initiales sur ses cahiers, et, une fois, elle avait volé un de ses gants de monte ; il portait son odeur, et elle rougissait encore – et riait – en se rappelant qu'elle l'avait gardé sous son oreiller pour le sentir chaque soir avant de s'endormir. Elle ne se souvenait plus de ce qu'il était devenu ni du moment où elle avait renoncé à espérer qu'un jour Sédric viendrait à elle pour lui avouer qu'il l'aimait lui aussi. Se pouvait-il qu'il eût éprouvé des sentiments pour elle à un moment ou à un autre ? Se pouvait-il qu'il en eût encore, peu ou prou, au fond de son cœur ?

Mais non ; ce n'était qu'une lubie ridicule, aussi ridicule que ses timides coquetteries avec le capitaine – ridicules et absolument délicieuses. Quel mal y avait-il à imaginer, l'espace d'un ou deux jours, que deux hommes aussi séduisants pussent la trouver attirante ? Depuis des années, soumise aux critiques de Hest, elle se sentait sans grâce, stupide et inintéressante, mais, dans la chaude lumière de la considération du capitaine et de l'attitude protectrice de Sédric, elle se réveillait à la vie comme une fleur au soleil.

Depuis le début de son court séjour à bord du *Mataf*, elle avait l'impression que son aventure correspondait à ce qu'elle en avait rêvé. Le grand chaland naviguait si bas sur l'eau qu'il paraissait dominer à peine le fleuve, et les arbres en semblaient encore plus hauts ; Alise était plus proche des oiseaux et des créatures inconnues, dangereuses ou non, qui peuplaient les ondes. Depuis le pont, elle avait aperçu des animaux que Leftrin appelait des élans des marais et des cochons de fleuve ; un grand gallator à la dentition impressionnante avait interrompu son bain de soleil sur la berge pour se glisser dans l'eau et accompagner la gabare, jusqu'au moment où Skelli l'avait frappé rudement avec la gaffe et l'avait envoyé regagner la rive à coups de queue frénétiques. Elle avait vu plusieurs espèces de grands oiseaux aquatiques ; Leftrin, qui l'avait surprise alors qu'elle les croquait dans son journal, était resté pantois devant ses talents artistiques et l'avait persuadée de lui montrer ses dessins précédents du voyage pour pouvoir s'exclamer sur certaines de ses œuvres. Elle avait rougi de plaisir lorsqu'il avait reconnu le capitaine Trell ; puis, quand il lui avait indiqué le nom en usage dans le désert des Pluies pour certaines des plantes exotiques qu'elle avait esquissées, elle lui avait fait un bonheur immense en les notant d'une belle écriture sous les croquis correspondants. « Je suis ravi d'avoir pu être utile à une si grande experte, madame ! » lui avait-il dit, avec tant de sincérité qu'elle en avait rougi.

Un des renseignements qu'il lui avait fournis l'avait atterrée. Il était venu la rejoindre alors qu'elle prenait l'air sur le pont, assise sur un fauteuil, bien couverte contre le froid du soir, sa voilette baissée pour se protéger des insectes. « Voyez-vous un inconvénient à ce que je me joigne à vous un moment ? » Le ton cérémonieux qu'il avait employé ne cadrait pas avec son attitude habituellement rude. « Je viens de songer que je connais un détail qui pourrait vous être utile.

— Mais je vous en prie ! Nous sommes sur votre bateau », avait-elle répondu, intriguée par ses airs de conspirateur.

Sans plus de façons, il s'était installé sur une chaise à côté d'elle avec une aisance qui avait surpris Alise. « Eh bien, voilà, dit-il sans ambages : le Conseil de Cassaric a établi un plan pour les dragons, et ils l'ont accepté, mais, pour toutes sortes de raisons, on a empêché la nouvelle de se répandre. Mais, vu que c'est important pour vous de parler aux dragons, j'ai décidé de vous mettre au parfum. Le Conseil s'apprête à les déplacer, et, d'après le mot que j'ai reçu, c'est pour bientôt ; dans le courant du mois, à coup sûr.

— Les déplacer ? Mais comment ? Et où ? Dans quel but ? demanda-t-elle, effarée.

— Ma foi, pour le comment, les dragons ne peuvent que se transporter eux-mêmes, à pied. Où ? On ne m'a pas donné tous les détails ; on m'a seulement dit qu'ils remonteraient le fleuve. Quant à la raison, elle n'a rien de compliqué : tout le monde sait dans le désert des Pluies que les dragons n'apportent que des problèmes à Cassaric ; ils représentent un danger pour les ouvriers de la cité enfouie et pour les habitants ; ils mangent comme quatre, ils ont un caractère de cochon, et certains n'ont pas l'intellect trop développé, en tout cas pas assez pour savoir qu'il ne faut pas bouffer la main qui les nourrit, si vous me suivez. Je ne sais pas comment le Conseil a réussi à les convaincre de s'en aller, mais il y est arrivé ; s'il parvient à réunir un groupe pour jouer les bergers avec eux, en quelque sorte, il donnera le signal du départ le plus tôt possible. »

Alise s'était sentie défaillir. Et si elle avait fait tout ce voyage pour s'entendre dire que les dragons étaient déjà partis ? Que ferait-elle alors ? Malgré sa boule dans la gorge, elle avait exprimé ses peurs au capitaine, qui, à sa grande surprise, lui avait répondu par un sourire malicieux. « Ma foi, madame, c'est ce que je venais vous dire ; voyez-vous, je fais partie du groupe qu'ils essaient de monter, et, à moins que je ne me trompe, si je refuse, il n'y aura pas d'expédition. Le Conseil ne le sait peut-être pas, mais il n'y a pas de gabare qui soit capable de passer des fonds plus petits que mon vieux *Mataf*; donc, personne d'autre n'acceptera le contrat. Jusqu'à maintenant, je n'ai fait que réfléchir tout seul pour calculer l'argent que je pourrais empocher, mais, s'il le faut, je peux rajouter une condition : qu'on vous laisse l'occasion de parler aux dragons avant leur départ. Alors, vous en pensez quoi ? »

Alise était confondue. « Je m'étonne que vous me fassiez part d'une information aussi confidentielle, et encore plus que vous la confiiez à une relative inconnue. » Elle s'accouda au bras de son fauteuil et souleva sa voilette pour regarder l'homme. « Pourquoi ? » demanda-t-elle avec une curiosité non feinte.

Il haussa les épaules, et son sourire prit une expression timide ; il détourna les yeux. « Sans doute que vous me plaisez bien, madame, et que j'aimerais que vous n'ayez pas fait un si long voyage pour rien. Ça ne fera pas de mal au Conseil d'attendre deux ou trois jours, non ?

— Je pense que ça ne fera de mal à personne, en effet, répondit-elle, envahie de gratitude et de soulagement. Capitaine Leftrin, vous me feriez plaisir en m'appelant Alise. »

Il reporta le regard sur elle, rougissant comme un adolescent. « Ma foi, j'en serais ravi ! » Il se détourna de nouveau et changea maladroitement de sujet. « Belle nuit, vous ne trouvez pas ? » fit-il.

Elle avait laissé retomber sa voilette pour dissimuler qu'elle rougissait elle aussi. « La plus belle que j'aie vue depuis bien longtemps », répondit-elle.

Quand il eut pris congé, elle se sentit émue comme une gamine. Elle lui plaisait ! Elle lui plaisait tant qu'il avait mis en jeu un contrat important ! À quand remontait la dernière fois qu'un homme lui avait dit : « Vous me plaisez » ? Jamais, autant qu'elle se le rappelât. Hest lui avait-il fait ce genre de déclaration au début de sa « cour » ? Elle n'en avait aucun souvenir ; mais, même dans le cas contraire, cela eût seulement signifié dans sa bouche qu'elle convenait à ses desseins. En revanche, dans celle de Leftrin, cela voulait dire qu'il était prêt à prendre des risques pour elle. Stupéfiant !

Et, quand il était revenu quelques instants plus tard avec deux lourdes chopes en terre remplies de café sucré, elle avait songé qu'elle n'avait jamais partagé meilleur breuvage avec personne.

Les conditions de vie rustiques à bord de la gabare n'avaient pas perdu leur charme à ses yeux ; il y avait quelque chose d'exotique et d'un peu dangereux à dormir dans le lit du capitaine, avec ses épaisses couvertures en laine et sa courtepointe bigarrée ; l'air sentait son tabac, et les instruments propres à son métier jonchaient la pièce. Au soleil pointant, elle se réveillait au son de l'ingénieux carillon à motif de poissons qui pendait au hublot, et elle frissonnait secrètement à l'idée qu'il pût frapper à sa porte à toute heure pour lui demander la permission de prendre sa pipe, un carnet ou une chemise.

La gabare remontait le courant lentement mais avec régularité ; elle restait dans les hauts-fonds au bord du fleuve, là où le flot était le moins fort. Parfois, l'équipage maniait l'aviron, et parfois de longues perches pour propulser le bateau. Pour Alise, la façon dont le lourd et large chaland contrariait la poussée constante du fleuve relevait du miracle. Le premier matin, le capitaine avait installé un fauteuil sur le toit du rouf afin de lui permettre de profiter des spectacles du voyage ; parfois, Sédric la rejoignait sur son perchoir, et elle prenait grand plaisir à sa présence, mais c'était le capitaine Leftrin qui lui tenait le plus souvent compagnie.

Il connaissait d'innombrables anecdotes sur le fleuve et sur les bateaux qui y commerçaient ; par ses récits, il avait modifié la vision qu'avait Alise de l'histoire du désert des Pluies, et elle pensait maintenant mieux comprendre comment les Marchands de la région se voyaient eux-mêmes. Elle avait aussi appris à apprécier les pittoresques membres de l'équipage, y compris le démonstratif Grig ; elle n'avait jamais eu de chat, mais elle se prenait rapidement d'affection pour le petit animal. Elle s'était demandé ce que Hest répondrait si elle en demandait un, puis avait soudain décidé de ne rien lui dire : elle en prendrait un, un point c'est tout. Comme c'était étrange : quelques jours d'une vie un peu plus rude, et voici qu'elle se sentait beaucoup plus maîtresse de son destin, capable de prendre elle-même ses décisions !

Elle avait donc accueilli avec plaisir la suggestion de Leftrin de passer une nuit de plus à bord du *Mataf*. Sédric avait soupiré en levant les yeux au ciel, et elle avait éclaté de rire devant son air douloureux. « Laisse-moi vivre mon aventure tant que j'en ai l'occasion, Sédric ; bientôt, trop vite pour moi, elle s'achèvera, nous retournerons tous les deux à Terrilville, et je passerai sans doute le restant de mes jours à dormir dans un lit moelleux, à manger des repas chauds et à me plonger dans des bains à bonne température ; ce sera à peu près tout ce qui me restera en fait de sensations fortes.

— Allons donc ! Une grande dame comme vous ne mène sûrement pas une existence aussi morne et ennuyeuse ! s'était exclamé Leftrin.

— Oh, mais si, hélas ! Je suis une chercheuse, capitaine, et je passe le plus clair de mes journées à mon bureau, à lire et à traduire de vieux manuscrits en m'efforçant de comprendre ce qu'ils recèlent. La possibilité qui m'était offerte de parler avec de vrais dragons devait représenter la seule véritable aventure de ma vie ; malheureusement, après ce qu'ont dit le capitaine Trell et son épouse, je crains qu'elle ne se révèle beaucoup moins intéressante que je ne le pensais. Mais qu'y a-t-il de si drôle ? Vous moquez-vous de moi ? »

Leftrin avait éclaté d'un rire tonitruant à ses paroles. « Oh non, je ne me moque pas de vous, ma petite dame, je vous assure ! C'est seulement que je trouve très drôle de reléguer Althéa Vestrit au rôle d'"épouse du capitaine Trell" ! Elle a la même autorité que le capitaine Trell, même si le *Parangon* n'a besoin de personne pour le commander. Voilà une vivenef qui sait ce qu'elle veut ! »

Sédric intervint. « Il doit bien y avoir des logements disponibles dans la ville, même modestes ; ça nous suffirait.

« — Je n'en vois pas qui conviennent à une dame. Non, Sédric, mon ami, vous allez devoir supporter mon hospitalité une nuit de plus. Et maintenant, si vous voulez bien m'excuser, je dois parler à mon homme de barre ; il y a un bout de fleuve délicat à passer avant Cassaric, là où on a essayé de créer des écluses pour les serpents de mer l'année de leur migration. Ça ne les a pas beaucoup aidés, les pauvres, et les troncs utilisés représentent depuis un danger pour la navigation. » Là-dessus, il quitta le bastingage, descendit sur le pont et disparut dans l'obscurité.

Pendant qu'Alise contemplait les lumières de Cassaric qui approchaient, Sédric murmura d'un ton lugubre : « Vivement que nous quittions ce rafiot puant ! »

Cette aigreur surprit Alise. « Tu le détestes vraiment à ce point ?

— Il n'y a aucune intimité, la cuisine est primitive, la compagnie à peine supérieure à celle de chiens errants, et ma couchette encore imprégnée de l'odeur de mon prédécesseur ; je ne peux pas me baigner, me raser relève de la gageure, et tous les vêtements que j'avais emportés empestent l'eau de cale. Je ne m'attendais pas à jouir d'un grand luxe en t'accompagnant, mais je ne pensais pas que nous sombrerions à ce point dans le sordide. »

Tant de véhémence laissa Alise abasourdie. Sédric dut prendre son silence pour une condamnation, car il poursuivit d'un ton rageur : « Allons, ne me dis pas que tu nages dans le bonheur sur ce sabot, même si tu as une cabine puante pour toi toute seule ! Ce pirate ne te manifeste aucun respect ; chaque fois que je me retourne, je le vois en train de te lorgner avec concupiscence ou de te donner du "ma petite dame", comme si tu étais une fille de taverne qu'il cherche à impressionner ! Il passe plus de temps perché ici avec toi qu'à commander son bateau. »

Elle retrouva l'usage de la parole. « Et tu juges son comportement inconvenant ? Ou le mien répréhensible ?

— Voyons, Alise, tu sais bien que non ! » Sa voix perdit son tranchant. « Tu ne ferais jamais rien de déshonorant, et surtout pas avec un batelier malodorant pour qui une chemise propre est une chemise qu'il n'a pas portée au cours des deux derniers jours. Non, je ne te reproche rien ; tu es très décidée, et, malgré ta déception lorsque tu as appris le départ prochain des dragons, tu as su saisir l'occasion lorsqu'elle s'est présentée de les voir quand même. Je suis malheureux comme les pierres à bord de ce chaland, mais, en même temps, je me sens soulagé que tu aies regardé la réalité en face et que tu acceptes que notre visite au désert des Pluies ne durera pas aussi longtemps que tu l'espérais.

— Oh, Sédric, je suis navrée ! Tu ne m'avais rien dit, et je ne me rendais pas compte que tu étais si misérable. Demain, peut-être nous trouveras-tu un logement convenable, et tu pourras alors prendre un bain et un bon repas, voire te reposer si tu le souhaites ; je saurai me débrouiller face au Conseil local – je serais même très étonnée si on ne me fournissait pas un guide pour me conduire aux dragons. En tout cas, il n'y a aucune raison que tu m'accompagnes. À l'origine, je croyais que les dragons et moi aurions de longues conversations, et j'espérais que tu pourrais prendre des notes de nos échanges et exécuter quelques croquis ; mais, maintenant, je sais que mon expédition ne vaudra guère mieux que la visite d'une ménagerie, et je ne vois donc pas l'utilité de te tourmenter. » Elle avait résolument effacé de sa voix le dépit qu'elle éprouvait : elle eût tant voulu avoir Sédric à ses côtés quand elle rencontrerait les dragons, et pas seulement pour avoir le réconfort d'un visage familier près d'elle.

Elle désirait un témoin pour assister à la rencontre. Elle s'imaginait à Terrilville, dans un dîner compassé, quand on lui demanderait de raconter sa visite aux dragons ; elle répondrait modestement qu'il s'agissait d'une aventure bien minime, mais Sédric interviendrait alors pour la contredire plaisamment et régaler l'auditoire d'un récit plein d'esprit de son voyage. Elle se voyait, vêtue des bottes noires et du pantalon en toile qu'elle avait achetés en vue de cet instant, traversant à grands pas les platins pour affronter les monstres écailleux. Elle sourit.

Mais, avant d'aller voir les dragons, elle devrait passer par le Conseil local des Marchands pour se présenter et obtenir son autorisation – et, là encore, elle avait espéré la présence de Sédric à ses côtés. Elle ignorait qui l'accueillerait à son entrée au Conseil, et elle eût aimé arriver au bras de Sédric, se montrer comme une femme digne d'un cavalier aussi beau et charmant. Mais il avait déjà fait trop de sacrifices pour elle ; il était temps qu'elle mît sa vanité de côté et songeât au confort de son malheureux ami.

Il se redressa sur son siège. « Ce n'est pas du tout ce que je voulais dire, Alise ! Je suis ravi d'être avec toi, et je pense que je prendrai autant de plaisir que toi à voir les dragons ; je m'excuse de m'être montré aussi décourageant. Dormons tant que nous en avons le temps et levons-nous tôt demain matin. Tu devrais m'accompagner pour chercher un logement ; je refuse de te laisser seule dans une ville inconnue – quoi qu'en dise le capitaine Leftrin, nous ignorons quel degré de sécurité y règne. Nous trouverons un logement, prendrons comme tu l'as dit un bon repas, ferons un brin de toilette, changerons de vêtements, puis nous nous rendrons ensemble au Conseil. Et enfin, les dragons !

— Ça ne te dérange donc pas de m'escorter ? » Déconcertée par son brusque changement d'attitude, elle ne put réprimer un sourire.

« Pas du tout ; au contraire, je suis aussi impatient que toi de m'approcher de ces créatures.

— Quel menteur ! » fit Alise en riant. Elle le regarda droit dans les yeux : la nuit dissimulait l'affection qu'elle éprouvait pour lui. « Mais c'est un mensonge très gentil, Sédric ; tu sais ce que ça représente pour moi, et tu supportes ton exil avec une grâce admirable. Je te promets qu'à notre retour je te rembourserai de tes déboires. »

Il eut soudain l'air gêné. « Alise, ce n'est absolument pas nécessaire, je t'assure. Je vais te raccompagner à ta cabine et nous nous dirons bonne nuit. »

Elle eut envie de lui répondre qu'elle pouvait parfaitement regagner seule sa cabine, mais c'eût été s'avouer qu'elle appréciait ses conversations à mi-voix avec le capitaine et qu'elle espérait qu'il la rejoindrait encore ce soir ; or, Sédric lui avait déjà exposé les réserves que lui inspiraient ces entretiens, et elle ne voulait pas l'obliger à rester debout pour lui servir de chaperon. Elle se leva et prit son bras.

Sintara s'éveilla dans le noir, ce qui lui fit un choc, car elle rêvait qu'elle volait dans un ciel d'azur, sous le soleil, au-dessus d'une cité scintillante au bord d'un fleuve bleu et argent. « Kelsingra », murmura-t-elle. Elle ferma les yeux et s'efforça de reprendre le cours du songe ; elle se rappelait la haute tour renfermant la carte au centre de la ville, la vaste place municipale, les fontaines jaillissantes et les marches larges mais sans hauteur qui menaient aux bâtiments principaux. Des fresques ornaient les murs, représentant des reines des Anciens comme des dragons. Une ancêtre de Sintara gardait le souvenir des siestes qu'elle faisait, étendue sur ces degrés, prise entre la chaleur du soleil et celle de la pierre. Quel bonheur de somnoler ainsi, à peine consciente des gens qui passaient près d'elle en vaquant à leurs propres occupations ! Ils avaient des voix aussi musicales que le gazouillis lointain du fleuve.

Sintara rouvrit les paupières, incapable de retrouver le fil de son rêve ; le souvenir n'en était qu'un substitut maigre et effiloché. Elle entendait le courant murmurer le long des berges boueuses, mais aussi la respiration de stentor d'une dizaine de dragons endormis près d'elle. Il n'y avait pas de comparaison possible entre le songe et la réalité.

Mercor avait mis son plan en route avec précision. Il n'avait jamais rien affirmé devant un humain, mais s'arrangeait pour que les dragons évoquassent les merveilles de Kelsingra quand des hommes se trouvaient près d'eux. Une fois, il avait lancé la conversation alors que des ouvriers transportaient un magnifique cadre de miroir découvert dans la cité enfouie ; elle avait reconnu le matériau, un métal étonnant qui, frotté, émettait de la lumière. Mercor y avait jeté un coup d'œil et s'était détourné pour dire à Sestican : « Te rappelles-tu la salle aux miroirs du palais de la reine, à Kelsingra ? Il y avait plus de sept mille pierres précieuses incrustées dans ceux des plafonds ; quelle illumination, quel parfum ils dégageaient quand elle entrait ! »

La scène s'était répétée quand les chasseurs leur avaient apporté les restes d'un cerf à manger. En recevant sa portion pitoyablement réduite, Mercor avait dit : « Il y avait la statue d'un élan dans la salle royale de Kelsingra, n'est-ce pas ? En ivoire recouvert d'or, avec deux énormes pierres noires en guise d'yeux ; vous vous rappelez comme elles brillaient lorsqu'on l'activait, comme il tapait le sol de la patte et encensait de la tête quand quelqu'un entrait chez le roi ? »

Ce n'étaient que des inventions ; si de tels trésors avaient existé, Sintara n'en avait nul souvenir. Mais, à chaque fois, les humains interrompaient leurs activités pour regarder Mercor, qui se gardait bien de leur accorder le moindre coup d'œil ; et, avant le changement de lune, des hommes étaient venus à la faveur de la nuit, sans torche, pour poser tout bas des questions sur Kelsingra. À quelle distance se trouvait la cité ? Était-elle bâtie en hauteur ou en plaine ? Quelle superficie couvrait-elle ? En quel matériau étaient ses murs ? Et Mercor leur avait débité les mensonges qui lui chantaient : Kelsingra ne se trouvait pas très loin, se situait en hauteur, et tous ses bâtiments étaient de marbre et de jade ; mais il avait refusé d'en dire davantage, tant sur les points de repère qui permettraient de la retrouver que sur le nombre de jours de voyage qui la séparaient de Cassaric, et il n'avait jamais accepté d'aider un humain à dessiner une carte indiquant l'emplacement de la ville.

« C'est impossible, expliquait-il avec affabilité. À l'époque, le fleuve était alimenté par une centaine d'affluents. Il y avait un vaste lac avant d'arriver à Kelsingra, ça, je m'en souviens ; mais je ne saurais m'avancer davantage. Je pourrais m'y rendre et la redécouvrir, si j'en avais envie et que j'aie un moyen de m'alimenter, mais, non, je ne peux pas l'expliquer. »

Le soir suivant, d'autres hommes étaient venus poser les mêmes questions, et d'autres encore plus nombreux le lendemain ; tous avaient reçu les mêmes réponses qui les laissaient sur leur faim. Pour finir, une demi-douzaine de membres du Conseil des Marchands de Cassaric s'étaient présentés en plein jour pour soumettre une proposition aux dragons ; et Malta l'Ancienne les accompagnait, furieuse et emplie de crainte à la fois, vêtue de tissu d'or, avec un turban écarlate et blanc sur la tête.

La totalité des dragons n'avaient accepté de se rassembler pour écouter la proposition qu'à la demande de Malta. Les conseillers avaient paru croire qu'en s'adressant au plus grand d'entre eux et en obtenant son consentement ils lieraient toute la horde. Malta avait éclaté de rire avant d'exiger de réunir toutes les créatures ; puis le chef du Conseil, personnage avec si peu de chair sur les os qu'il n'eût pas valu se donner la peine de le dévorer, parla longtemps. Il prononça un long discours onctueux, disant que le Conseil s'inquiétait des mauvaises conditions de vie des dragons et espérait pouvoir les aider à retourner dans leur patrie d'origine.

Les dragons savaient que les humains faisaient leur possible. Mercor le leur avait assuré avant d'expliquer que lui et ses semblables n'avaient pas de « patrie » mais étaient, dans leur forme normale, les seigneurs des trois royaumes de la terre, de la mer et du ciel. Parfaitement affable, il avait feint de ne pas saisir les lourdes allusions que laissait tomber le chef du Conseil jusqu'au moment où Malta avait interrompu cette comédie pour déclarer sans ambages : « Ils pensent que vous pouvez les conduire à Kelsingra et qu'ils y trouveront d'immenses richesses ; ils cherchent à vous persuader de quitter Cassaric pour vous mettre en quête de cette cité fabuleuse. Mais moi, qui vous aime tous, je crains qu'ils ne vous envoient seulement à la mort. Il faut leur dire non. »

Mais Mercor ne l'avait pas écoutée, et avait répondu d'un ton accablé : « Un tel voyage représenterait une entreprise insurmontable : nous mourrions de faim bien avant d'arriver à Kelsingra. Chacun d'entre nous ne demande pas mieux que de se lancer dans cette aventure, mais certains sont petits et faibles ; il nous faudrait des chasseurs pour les nourrir et des assistants pour nous nettoyer et s'occuper de nous comme le faisaient les Anciens. Non, ce serait malheureusement impossible ; je n'ai pas besoin de refuser, car accepter n'aurait aucun sens. »

Puis, malgré les interventions, les supplications et même les cris furieux de Malta, ils avaient conclu un accord : le Conseil fournirait aux dragons des chasseurs et des assistants qui les accompagneraient, leur rapporteraient de quoi manger et les soigneraient ; en retour, les grandes créatures n'avaient qu'à les mener jusqu'à Kelsingra ou à l'emplacement que la cité occupait jadis.

« Nous consentons à ces conditions, avait déclaré Mercor d'un ton grave.

— Ils vous trompent ! avait protesté Malta. Ils ne cherchent qu'à se débarrasser de vous pour pouvoir fouiller Cassaric plus facilement et ne plus avoir à vous nourrir ! Dragons, écoutez-moi, je vous en prie ! »

Mais le contrat avait été conclu ; Kalo avait appuyé sa patte boueuse et noircie d'encre sur un parchemin qu'on lui tendait, comme si une cérémonie aussi ridicule pouvait lier un dragon, sans parler de lier tous les dragons. Malta avait grincé des dents et crispé les poings pendant que le Conseil proclamait qu'il s'agissait bel et bien de la meilleure solution. Sintara, elle, avait éprouvé un bref élan de compassion pour la jeune Ancienne qui s'opposait si fermement à ce que les dragons eux-mêmes avaient conduit les humains à leur proposer. Elle avait espéré que Mercor trouverait le moyen de s'entretenir en privé avec Malta, mais il n'en avait pas eu envie, ou bien il avait jugé que cela risquait de mettre son plan en danger. Quand les membres du Conseil avaient enfin pris congé, l'Ancienne les avait accompagnés, encore rouge de colère.

« Ce n'est pas fini ! leur avait-elle lancé. Il vous faut aussi la signature de tous les membres du Conseil pour rendre ce contrat légal ! N'allez pas croire que je resterai les bras croisés pendant ce temps ! »

Voir Malta avait attristé Sintara et sans doute déclenché ses rêves. C'était une jeune Ancienne, une humaine récemment métamorphosée ; elle avait encore bien des années de croissance et de changements devant elle, si elle devait devenir semblable aux Anciens de jadis.

Mais ce ne serait pas le cas ; certains humains la regardaient avec émerveillement, mais d'autres, aussi nombreux, la considéraient avec dédain. Qu'adviendrait-il de Malta, de Selden et de Reyn maintenant que Tintaglia avait abandonné les nouveaux Anciens, tout comme elle avait abandonné les nouveaux dragons ? Sintara ne reprochait pas à la reine d'être partie : les dragons s'occupaient toujours d'eux-mêmes avant

71

tout. Elle avait trouvé un compagnon, de meilleures zones de chasse ; elle finirait par pondre, les œufs donneraient des serpents, et le cycle, le vrai cycle des dragons, reprendrait quand ces serpents s'enfonceraient dans la mer.

Mais, entre-temps, Sintara et ses semblables seraient les seuls dragons qui existaient dans le désert des Pluies, toutes créatures d'une autre époque, réapparues dans un monde qui les avait oubliées ; et, malheureusement, sous une forme diminuée qui ne convenait pas à cette réalité.

Les seigneurs des Trois Règnes, s'appelaient-ils autrefois ; mer, terre et ciel appartenaient aux dragons et à leurs semblables, et nul ne pouvait s'opposer à eux. Ils étaient les maîtres.

Et aujourd'hui ils n'étaient plus rien, condamnés à vivre dans la boue, à se nourrir de charogne, et, Sintara en avait la conviction, à mourir lentement en remontant le fleuve. Elle ferma de nouveau les yeux. L'heure venue, elle partirait – non parce qu'elle se sentait tenue par la parole de Kalo, mais parce qu'il n'y avait aucun avenir sur cette berge ; si elle devait mourir infirme et brisée, elle voulait d'abord goûter un peu à la vie.

L'aube approchait quand Alise se réveilla. Elle n'avait pas dû dormir plus de quelques heures ; elle ouvrit les yeux en entendant sa porte s'ouvrir avec un léger grincement, et retint son souffle ; elle prit soudain conscience qu'elle avait été tirée du sommeil par

de petits coups frappés à l'huis. « Vous êtes réveillée ?
demanda le capitaine Leftrin à mi-voix.

— Maintenant, oui », fit-elle en tirant ses couvertures jusque sous son menton, le cœur tonnant dans la
poitrine. Que voulait-il ? Pourquoi pénétrait-il dans sa
cabine en pleine nuit ?

Il répondit à la question qu'elle n'avait pas for-
mulée. « Désolé d'entrer comme ça, mais j'ai besoin
d'une chemise propre. Le Conseil désire me parler
tout de suite ; apparemment, il guettait mon arrivée au
port, parce qu'un coursier s'est présenté très tard hier
soir avec un message : le Conseil doit finaliser le plus
vite possible le contrat pour déplacer les dragons. » Il
secoua la tête. « Quelque chose se trame ; dans cette
affaire, on dirait que quelqu'un s'efforce de doubler
quelqu'un d'autre. Ça ne ressemble pas du tout au
Conseil ; ces gens-là font toujours semblant d'avoir
tout leur temps et m'obligent à marchander jusqu'à ce
que j'accepte leurs conditions ou que je tombe à court
d'argent.

— Déplacer les dragons le plus vite possible ? » À
ces mots, Alise avait eu l'impression que son esprit se
figeait. Elle se redressa dans la couchette, ses couvertures contre sa poitrine. « Mais où les conduisent-ils ?
Et pourquoi ?

— Je n'en sais rien, madame ; je le saurai sans
doute quand je les verrai. Dans leur message, ils
disaient seulement qu'ils voulaient me voir au plus
tôt ; c'est pour ça que je dois me presser.

— Je vous accompagne. » Alors qu'elle prononçait
ces mots, elle se rendit compte de son audace ; rien

dans les paroles de Leftrin ne laissait entendre qu'il pût vouloir de sa compagnie ; et, au lieu de lui demander la permission, elle s'imposait ! Sa capacité toute neuve à prendre seule ses décisions allait-elle lui valoir des ennuis ?

Mais il répondit seulement : « Je pensais bien que vous voudriez venir ; donnez-moi juste le temps de prendre quelques affaires, et je vous laisse vous préparer. Je mettrai quelques tartines de plus à frire et je vous sortirai une chope de café. » Tout en parlant, il prit une chemise pendue à un crochet et la boîte qui contenait son rasoir et son savon. Alise dut remarquer que Sédric avait raison : il avait déjà porté la chemise plusieurs jours plus tôt, et elle ne l'avait jamais vue laver ni sécher. Elle s'aperçut que cela lui était égal.

Dès qu'il eut refermé sans bruit la porte derrière lui, elle bondit de son lit. Comme elle risquait de devoir monter de nombreux escaliers, voire des échelles au cours de la journée, elle opta pour une jupe fendue et des bottes, comme pour une sortie à cheval, et un corsage solide en coton épais, auquel elle ajouta une veste marron en bon coutil qu'elle serra à la taille à l'aide d'une ceinture. L'ensemble lui conférait peut-être une silhouette masculine, mais ainsi elle serait prête à faire face à tout. Le petit miroir du capitaine lui montra que les jours passés sur le fleuve avaient multiplié et foncé ses taches de rousseur, et ses cheveux, cuits par le soleil, avaient pris une teinte orange, desséchés comme de la paille malgré les chapeaux qu'elle avait la précaution de toujours porter. Un instant, la banalité de l'image qu'elle offrait la fit frémir, puis elle carra les épaules et raffermit sa petite bouche : elle ne venait pas se faire admirer mais étudier les dragons ; son minois n'avait jamais été et ne serait jamais son meilleur atout dans la vie. C'était son intellect qui comptait. Elle se regarda de nouveau dans la glace, les yeux plissés, redressa le menton, prit un chapeau de paille et s'en coiffa sans douceur.

Elle trouva le capitaine Leftrin seul dans la coquerie. Deux chopes de café fumaient sur la table ; le dos à la porte, il faisait revenir de grosses tranches de pain jaune sur le fourneau, tandis qu'un pot de mélasse collant et deux épaisses assiettes en grès attendaient les tartines. Comme Leftrin se retournait pour en faire glisser une sur chaque assiette, il sourit à Alise. « Eh bien, vous avez vite fait ! Il fallait toujours une demi-journée à ma sœur pour s'habiller, mais vous voilà, toute prête à partir, et jolie comme un cœur, en plus ! »

Elle resta stupéfaite de se sentir rougir. « Vous êtes trop aimable », bredouilla-t-elle, épouvantée du formalisme de sa réponse. Mais pourquoi Sédric lui avait-il donc mis dans la tête qu'elle ne devait pas encourager le capitaine à la poursuivre de ses assiduités rustiques ? *C'est sa façon d'être, voilà tout*, se dit-elle. *Ça n'a rien à voir avec moi*. Elle s'assit à la table.

Apparemment, personne d'autre n'était réveillé sur le bateau. Elle but une gorgée de café, épais, noir, et qui avait sans doute passé toute la nuit sur le fourneau. Comme il n'y avait pas de lait pour l'adoucir, elle suivit l'exemple des matelots qu'elle avait observés et y mélangea de généreuses cuillers de mélasse. Désormais, le breuvage avait un goût de goudron sucré et non plus seulement de goudron. Elle fit couler d'épais fils de sirop sur son pain grillé et le mangea tant qu'il était chaud. Ils déjeunèrent avec plus d'efficacité que de manières, puis Leftrin débarrassa et déposa les assiettes et les chopes dans la poêle. « On y va ? » demanda-t-il, et elle acquiesça de la tête.

Ils sortirent ensemble de la coquerie, et il tendit la main à la jeune femme pour l'aider à descendre de la gabare. Comme la passerelle n'était pas installée, il fallait sauter du pont sur le quai. Une fois parvenue sans encombre à terre, Alise prit tout naturellement le bras que lui tendait Leftrin ; tandis qu'ils parcouraient les quais dans la lumière du petit matin, il désignait les bateaux qu'ils longeaient, les nommait et racontait à sa compagne quelques anecdotes sur chacun d'eux. Mataf était de loin le plus grand. « Et le plus ancien, ajouta-t-il avec fierté. Quand on l'a construit, on n'a pas économisé le bois-sorcier. Le fleuve a dévoré des milliers de bâtiments depuis son lancement, mais Mataf encaisse les écueils, l'eau acide et les rochers, et il continue de naviguer. »

Ils quittèrent les pontons flottants pour s'engager sur une large allée de terre battue ; le sol cédait bizarrement sous les pas d'Alise. « C'est un chemin en cuir, expliqua Leftrin. Il s'agit d'une vieille technique : on étend plusieurs épaisseurs de peaux tannées sur des rondins de bois ; on ajoute des branches et des écorces de cèdres par-dessus, puis encore des peaux, et enfin de la cendre et une couche de terre. Ça ralentit le pourrissement, et les strates de bois et de cuir ont une certaine flottabilité ; ça ne dure pas éternellement, mais, sans ça, à force de piétinements, ce chemin se transformerait en bourbier en quelques semaines, après quoi l'eau remonterait et l'envahirait. Ça n'en a pas l'air, mais ça a coûté chérot à Cassaric pour fabriquer cette voie. Ah, nous voici au hisse-panier ! Mais vous préférez peut-être les escaliers ? »

Le long du tronc d'un arbre immense, des marches montaient en spirale ; Alise leva la tête et aperçut l'étage inférieur de Cassaric au-dessus d'elle. Près de l'escalier, elle vit une plate-forme d'aspect fragile, bordée d'une balustrade en corde ; un long filin prolongé d'une poignée pendait à côté d'elle. « Vous tirez sur cette poignée qui agite une sonnette, et, si l'opérateur est là, il envoie le contrepoids qui vous fait monter. Ça coûte un ou deux sous, mais c'est moins fatigant et plus rapide que monter à pied.

— Je crois que je préfère les marches », dit Alise. Mais elle n'avait pas gravi la moitié de la distance qu'elle regrettait sa décision : l'escalier était plus raide qu'il n'en avait l'air. Le capitaine l'accompagnait vaillamment et poussait un petit grognement d'effort à chaque marche. Quand la jeune femme parvint au premier palier et parcourut les alentours du regard, elle oublia soudain ses jambes douloureuses.

Une large plate-forme ceignait l'énorme fût de l'arbre. Les échoppes adossées au tronc commençaient à ouvrir leurs rideaux. De la plate-forme centrale s'étendait dans toutes les directions un réseau de passerelles suspendues reliées aux arbres voisins et à leurs plates-formes ; malgré les mains courantes en liane qui les bordaient, elles s'incurvaient vers le bas en leur milieu, et il leur manquait des planches. « Par ici, pour la Salle du Conseil », dit Leftrin ; il prit la main d'Alise, la posa sur son bras, et entraîna sa compagne sur une des passerelles.

Au bout de quatre pas, le vertige la saisit. Les planches résonnaient sous leurs pas avec un bruit musical. Leftrin ne prenait pas la peine de se tenir aux garde-fous et ne paraissait pas sentir la lente oscillation du pont. Elle jeta un coup d'œil en dessous d'elle, réprima un hoquet d'épouvante devant la distance qui la séparait du sol, puis regarda de côté et faillit s'évanouir : la passerelle s'enfonçait sous leur poids ; elle allait tomber d'un instant à l'autre ! Leftrin posa sa main sur la sienne. « Regardez droit devant vous, lui dit-il d'un ton rassurant. Prenez le rythme ; vous verrez, c'est comme monter un escalier. Oubliez le sol, ne pensez pas à ce qui n'est pas là. Dans le désert des Pluies, on construit ces ponts depuis plus d'un siècle ; ce sont nos rues ; vous pouvez y aller en toute confiance. »

Il s'exprimait avec calme, sans condescendance ; il ne la méprisait pas parce qu'elle avait peur, il acceptait son effroi comme naturel, et cela rendait ses conseils plus faciles à suivre. Elle s'agrippa plus fermement à son bras, régla son pas sur le sien, et bientôt ils se déplacèrent à l'unisson ; Alise avait soudain l'impression de participer à une danse. Ils parvinrent au point le plus bas de la courbure puis entamèrent la remontée, le pont devenant comme une échelle inclinée, et enfin ils atteignirent la plate-forme suivante. La jeune femme s'arrêta pour reprendre son souffle, et le capitaine Leftrin l'attendit.

« Plus que trois à passer », dit-il, et, malgré son appréhension, elle ne recula pas. C'était comme un défi, mais un défi qu'elle ne craignait pas de relever.

« Eh, allons-y alors », répondit-elle.

Elle faillit perdre courage lorsque, sur la seconde passerelle, ils se trouvèrent face à un groupe d'ouvriers qui se rendaient dans la direction opposée ; elle et Leftrin durent se rapprocher du bord pour les laisser passer, et leur passage fit danser toute la structure comme un chien qu'on caresse. Mais, quand ils empruntèrent le troisième pont, elle avait retrouvé la sensation de danser avec Leftrin, et elle prit pied sur la dernière plate-forme légèrement essoufflée mais triomphante.

Cassaric avait de l'ambition, à en juger par les proportions de la Salle des Marchands bâtie autour de l'arbre le plus majestueux qu'Alise eût croisé jusque-là. La plate-forme qui le supportait le ceignait d'une esplanade d'où partaient quatre escaliers qui montaient jusqu'à d'autres paliers dans des géants voisins. À cette heure matinale, la voûte de la forêt ne laissait filtrer qu'une faible lumière, et des torches crachotantes éclairaient encore les passerelles. Leur trajet avait conduit Alise et le capitaine loin du fleuve, et l'éclat de la trouée s'atténuait avec la distance ; la jeune femme avait l'impression d'avoir pénétré dans une cité crépusculaire peuplée d'êtres fantastiques.

Elle avait grandi à Terrilville parmi les descendants des premières familles de Marchands qui s'y étaient établies ; elle connaissait depuis toujours l'existence de leurs cousins du désert des Pluies et respectait les liens qui unissaient les deux communautés. Il n'y avait que dans le désert des Pluies qu'on trouvait les trésors magiques des Anciens d'autrefois ; mais il y avait un prix à payer pour vivre dans cette région et travailler dans les cités enfouies : tous les habitants ou presque présentaient à la naissance des anomalies qui s'aggravaient au cours des ans. Parfois, il s'agissait d'un semis vaguement écailleux sur le crâne ou les lèvres, ou d'une frange d'excroissances charnues le long de la mâchoire ; avec l'âge, il pouvait se produire une modification de la couleur des yeux ou un épaississement des ongles, stigmates typiques qu'on pouvait observer chez un ressortissant du désert des Pluies venant visiter Terrilville. Même le capitaine Leftrin avait sa part de marques : sur le dos de ses mains et de ses poignets, sa peau était bleutée et légèrement écailleuse, et Alise avait l'impression de distinguer de vagues écailles sous ses sourcils fournis et sur sa nuque ; mais elle n'y prêtait pas attention.

À Cassaric comme à Trehaug, la plupart des gens allaient le visage dénudé : ils étaient chez eux, et on encourageait les visiteurs qui ne les respectaient pas à repartir. Alise s'était efforcée de ne pas regarder trop fixement les ouvriers qu'elle avait croisés plus tôt ; ils avaient sur le dos des mains et sur les coudes des écailles, non pas couleur chair, mais bleues, vertes ou d'un rouge vif étonnant ; un des hommes, totalement glabre, avait le crâne couvert d'une fine résille d'écailles qui soulignait son front et remplaçait aussi la peau de ses lèvres ; un autre arborait une grosse frange de pampilles épaisses le long de la mâchoire, tandis que d'autres surplombaient ses yeux, molles et charnues comme la crête d'un coq. Alise avait détourné le regard, soulagée que l'obligation de conserver son équilibre sur la passerelle oscillante requît toute son attention.

Mais, à présent, elle se tenait sur une plate-forme parfaitement stable, et elle ne savait où poser les yeux. Si tôt le matin, il n'y avait guère de passants, mais tous présentaient les stigmates du désert des Pluies. Beaucoup lui jetaient des regards empreints de curiosité, et elle s'efforçait de croire que c'était à cause de son accoutrement, très différent du leur. Les hommes portaient une sorte d'uniforme, composé d'une chemise en épais coton bleu, d'un solide pantalon de toile marron et d'une ample veste, en toile également ; ils avaient de lourdes bottes, encore crottées de boue de la veille, un sac en toile pour transporter leur repas, et de leurs poches dépassaient des gants épais et un bonnet en laine. « Des fouilleurs, avait expliqué Leftrin ; ils partent pour une longue journée de labeur sous terre. Il fait froid là-dessous, et humide, hiver comme été. »

Comme ils croisaient une femme vêtue d'un pantalon en cuir souple et d'une tunique en cuir ornée de touffes de fourrure, il reprit : « C'est une grimpeuse ; voyez, elle va nu-pieds pour avoir une meilleure préhension. Elle doit se rendre dans la voûte pour cueillir des fruits ou chasser des oiseaux. »

Alors qu'Alise songeait que les femmes de Cassaric avaient une existence difficile et miséreuse, deux jeunes filles passèrent près d'elle en bavardant gaiement ; elles portaient des robes et se rendaient peut-être chez une amie ou au marché. Leurs jupes à volants étaient plus courtes que ce qu'exigeait la mode de Terrilville et laissaient voir leurs souliers marron en cuir souple ; elles portaient de petits châles en dentelle, et leurs chapeaux étaient conçus pour évoquer de grandes feuilles légèrement pliées. Alise se retourna pour les suivre du regard, et, l'espace d'un instant, une jalousie qu'elle connaissait bien l'envahit et l'accabla. Qu'elles paraissaient joyeuses et affairées à leur bavardage ! Parvenues devant une passerelle, elles se prirent par le bras, traversèrent d'un pas claquant et poussèrent de grands cris comme des garçons une fois de l'autre côté.

« Pourquoi soupirez-vous ? » demanda Leftrin, et elle se rendit compte qu'elle suivait toujours les jeunes filles du regard.

Elle secoua la tête en souriant amèrement de sa propre sottise. « Je songeais seulement que je n'ai jamais eu leur âge, et que je le regretterai toujours. J'ai souvent l'impression d'être passée de l'enfance à l'état de femme mariée sans avoir profité de l'insouciance de l'adolescence.

— On croirait entendre une vieille femme, avec sa vie derrière elle. »

Une boule lui bloqua soudain la gorge. *C'est bien ce que je suis. Dans quelques jours, je rentrerai chez moi et je réendosserai mon rôle pour le restant de mes jours. Plus d'aventures, plus aucun changement en vue ; rien à espérer hormis une existence bien convenable.* Elle avala sa salive, et, quand elle put enfin parler, elle avait trouvé des mots plus appropriés. « Ma foi, je suis une femme mariée et j'ai une vie posée ; je crois que j'ai besoin de sentir de l'imprévu, des possibilités qui m'attendent au coin de la rue.

— Et ça ne vous est jamais arrivé ? »

Elle hésita : la vérité lui semblait bizarrement humiliante. « Non, je ne pense pas. Mon existence était plus ou moins tracée depuis toujours, et le fait de me marier a été une surprise pour moi, car j'y avais renoncé depuis longtemps. Mais ma vie s'est alors installée dans une routine qui ne me changeait guère de mon célibat. »

Il se tut plus longtemps qu'il n'en avait l'intention, et, quand elle le regarda, il pinçait étrangement les lèvres, comme pour se retenir de parler. « Eh bien, dites-le », fit-elle en se demandant si elle aurait le courage d'entendre son jugement.

Il eut un sourire malicieux. « Ma foi, ce n'est pas poli, mais, si j'étais marié à une femme comme vous et qu'elle aille raconter à un autre que le mariage ne la change pas du célibat, je me demanderais ce que je fais de travers. » Il haussa les sourcils et ajouta tout bas d'un ton grivois : « Ou ce que je ne fais pas du tout !

— Capitaine Leftrin ! » s'exclama-t-elle, choquée. Puis, comme il éclatait de rire, elle ne put s'empêcher de se joindre, horrifiée, à son hilarité.

Quand ils reprirent leur souffle, il leva la main en signe d'avertissement. « Non, ne me dites rien ! Il y a des choses qu'une épouse ne doit pas révéler sur son mari ! Et, de toute manière, nous sommes arrivés ; il n'est plus temps de bavarder. »

Ils se tenaient devant les portes de la Salle des Marchands, immenses plaques de bois noir d'un seul tenant, deux fois plus hautes qu'un homme. Leftrin en poussa une, et elle pivota sans bruit sur ses gonds.

Le bâtiment n'avait pas de fenêtres. Dans l'anti-chambre, éclairée par un seul chandelier d'où émanait une odeur de fleur d'oranger, Leftrin s'avança sans hésiter sur le tapis qui couvrait le plancher et ouvrit une nouvelle double porte. Alise le suivit et pénétra dans une vaste pièce circulaire, où des rangées de bancs sur des gradins entouraient une large estrade sur laquelle se dressait une longue table en bois clair bordée d'une dizaine de grands fauteuils. La moitié d'entre eux était occupée. Des globes suspendus qui ressemblaient à des boules de verre jaune dispensaient une lumière dorée qui jetait des ombres étrangement tordues. Aux murs pendaient des tapisseries Anciennes, authentiques ou très bien imitées ; elles arrêtèrent le regard d'Alise, qui aussitôt mourut d'envie de demander l'autorisation de les étudier.

Mais leur entrée impromptue avait surpris les six conseillers assis à la table. Malgré l'heure matinale, ils portaient leurs robes officielles, chacune d'une couleur et d'une coupe différentes des autres pour indiquer laquelle des familles fondatrices chaque membre représentait. Alise n'en reconnut aucun ; les familles Marchandes de Terrilville étaient différentes de celles du désert des Pluies, malgré de nombreux mariages entre les deux communautés au cours des ans. À la place du milieu, une femme au visage ridé, les cheveux gris et taillés en brosse, posait sur les nouveaux venus un regard sans aménité. « Vous êtes dans une réunion privée, dit-elle. Si vous venez pour une affaire qui concerne les Marchands, veuillez prendre rendez-vous et revenir plus tard.

— Je crois que nous sommes invités à cette réunion », répondit Leftrin. Son usage du pluriel fit bondir le cœur d'Alise : il ferait tout pour la garder auprès de lui afin qu'elle restât informée de tout ce qui arrivait aux dragons. « Je suis le capitaine Leftrin, de la gabare le *Mataf*. En m'amarrant à quai hier soir, j'ai reçu une invitation à me présenter ici "le plus tôt possible" ce matin, pour discuter du déplacement des dragons, je pense. Mais, si je me trompe... »

Il laissa sa phrase en suspens, et la femme leva les mains en un geste de protestation ; mais, avant qu'elle eût le temps de rien dire, la porte derrière Alise claqua bruyamment. Elle se retourna et réprima un hoquet de surprise : une Ancienne, toute vêtue d'argent et de bleu, se tenait devant elle. Dans la lumière dorée, ses yeux avaient un éclat métallique, et son visage évoquait un masque de pierre à l'expression furieuse. « Cette réunion n'a rien de légal, capitaine. Comme vous le voyez, elle ne compte pas suffisamment de membres du comité pour autoriser aucune action.

— Bien au contraire, Malta Khuprus. » La femme brandit une liasse de documents. « J'ai ici des lettres qui me permettent d'agir au nom de deux membres, trop occupés par leurs affaires pour participer à cette assemblée, et je puis employer leurs voix comme je l'entends ; or, si nous votons tous de la même façon, nous obtenons une majorité, avec ou sans le vote des absents.

— Mais je gage que vous ne disposez pas d'une telle lettre de la part de mon frère, Selden Vestrit ; or, Marchande Polsk, étant donné qu'il représente les intérêts de la dragonne Tintaglia, je ne vois pas comment vous pouvez parvenir à un vote qui lie toutes les parties sans sa présence.

— Il n'a qu'une seule voix ; qu'il soit d'accord ou non avec nous, ça ne changerait rien au résultat.

— Il représente Tintaglia, il parle au nom des dragons. Comment pouvez-vous prendre des décisions les concernant sans le consulter au préalable ? C'est absolument impossible. »

Tout en parlant, l'Ancienne s'était avancée dans la salle. Alise s'efforçait de ne pas la dévisager mais ne pouvait s'en empêcher. Tout le monde connaissait l'histoire de Malta Vestrit, impliquée dans une tentative ratée d'enlèvement sur la personne du Gouverneur de Jamaillia ; elle avait été prise avec lui par des pirates, et, en fin de compte, elle avait fait partie de ceux qui avaient contribué à établir la paix entre Jamaillia et le Royaume des pirates. Mais ce n'était pas à cela que chacun pensait quand on parlait d'elle : elle était en contact étroit avec la dragonne Tintaglia juste avant qu'elle ne sortît de son cocon, et, selon certains, cela avait précipité sa transformation de jeune Marchande ordinaire de Terrilville en Ancienne ; d'autres soutenaient qu'il s'agissait d'un don de la dragonne. Son fiancé comme son frère avaient été affectés eux aussi, or ils avaient également assisté à l'éclosion de Tintaglia. Tous trois manifestaient des modifications similaires.

« Nous aurions souhaité qu'il participe à cette réunion, mais il n'est pas ici ni à Trehaug, et on nous a dit qu'il ne fallait pas l'attendre avant quatre mois au moins. D'ici là, nous entrerons dans la mauvaise saison, et nous entamerons encore un long hiver humide avec des dragons qui transformeront en bourbiers les terrains autour de Cassaric. Il faut agir tout de suite ; nous ne pouvons pas ajourner davantage notre décision dans le seul but d'entendre l'opinion d'un seul membre de la commission.

— Si vous agissez tout de suite, c'est uniquement parce qu'il se trouve loin du désert des Pluies et qu'il ne peut pas intervenir au nom de Tintaglia ! »

La femme aux cheveux gris avait l'air d'un animal aux abois, et plusieurs de ses collègues paraissaient gênés, mais un des autres conseillers manifesta son agacement en tapotant des doigts sur la table. Un jeune homme aux pommettes hautes, sur lesquelles brillaient des écailles orange, était visiblement furieux, et il serrait les dents comme pour retenir des paroles violentes. La présidente de la commission répondit :

« Vous étiez avec nous quand nous avons parlé aux dragons ; vous l'avez entendu, ils ont compris le marché que nous leur offrions, et vous savez que le plus grand, le noir, a accepté notre proposition de les déplacer jusqu'à un site plus adapté. Nous avons même consenti à ce que des chasseurs accompagnent leur horde ; nous les attendons d'une heure à l'autre, et ils savent qu'ils devront se mettre en route aussitôt. Cette réunion a pour but de vérifier que nous sommes en mesure de répondre aux attentes des dragons. Capitaine Leftrin, nous vous avons convoqué dans l'espoir de nous assurer vos services pour escorter les dragons et leurs chasseurs dans leur voyage vers l'amont du fleuve. »

Alise ne put qu'admirer l'habileté avec laquelle la femme avait détourné la conversation de Malta pour la reporter sur Leftrin. Elle s'efforçait de comprendre comment toutes les pièces s'emboîtaient : on devait déplacer les dragons de Cassaric ? Des chasseurs les accompagneraient ? Et peut-être aussi la gabare du capitaine ?

« Vous ne me laissez guère le temps de me retourner », répondit ce dernier. Il prit une grande inspiration et poursuivit lentement, avec des mots pesés : « Ça va même être très difficile. Je dois savoir exactement à quoi je m'engage avant de pouvoir vous donner une réponse. »

Alise sentit les spéculations que dissimulaient ses propos réservés. La sortie de Malta lui avait révélé qu'il tenait le Conseil de Cassaric au creux de sa main : les membres avaient reconnu qu'ils devaient agir vite ; or, si Leftrin avait dit la vérité, il possédait le seul bateau de son tonnage capable d'escorter les dragons en amont du fleuve ; par conséquent, ils devraient lui verser ce qu'il exigeait s'ils voulaient tenir leurs délais. À l'évidence, ils souhaitaient que les dragons se missent en route avant l'hiver et le retour de Selden Vestrit.

La conseillère, l'air d'un animal traqué, regarda tour à tour Leftrin et Malta. « Nous avons une proposition à vous faire, capitaine ; nous souhaitons négocier un affrètement, celui de votre gabare, afin d'escorter les dragons et leurs gardiens. Le *Mataf* chargerait des vivres supplémentaires et servirait de transport et d'abri pour nos chasseurs, ainsi que de point d'attache pour les esquifs des gardiens la nuit, le cas échéant. Un des chasseurs que nous avons choisis pour vous accompagner est un explorateur accompli ; en plus de fournir de la viande aux dragons, il dressera une carte du fleuve et notera tous les événements dignes d'intérêt du voyage. Il représentera aussi le Conseil et aura l'autorité pour juger quand les dragons seront convenablement installés. Une fois cette décision prise, il vous en fera part et, à ce moment, vous reviendrez à Cassaric. »

Malta intervint sèchement : « Si les esquifs des gardiens doivent s'amarrer à une gabare, où seront les dragons pendant ce temps, j'aimerais le savoir, Marchande Polsk ? »

La femme secoua la tête. « Il ne s'agit que d'une situation hypothétique, Malta ; nous prenons simplement nos dispositions pour faire face à tous les cas de figure.

— Et le représentant du Conseil, en quoi est-il nécessaire ? Les dragons ne sauront-ils pas eux-mêmes quand ils seront "convenablement installés" et ne congédieront-ils pas eux-mêmes leurs gardiens ? »

Les yeux de l'Ancienne avaient pris un étrange éclat, et Alise se rendit compte qu'ils luisaient. Le pli de sa bouche exprimait la colère, mais ce n'était pas le seul signe visible : les globes dorés qui illuminaient la salle commencèrent à changer de position ; la force inconnue qui les maintenait en place céda, et les boules lumineuses se dirigèrent lentement mais inéluctablement vers Malta. Un des membres du Conseil prit une brusque inspiration inquiète, mais les autres conservèrent un masque indifférent.

La présidente s'efforça de s'exprimer avec calme. « Les dragons risquent de ne pas se rendre compte du point où nous aurons fait tout ce que nous pouvions pour eux. C'est la triste vérité ; aussi avons-nous décidé de trouver quelqu'un pour les accompagner et évaluer la situation de façon impartiale.

— Impartiale ? s'exclama Malta. Un représentant du Conseil, "impartial" ? Dans ce cas, il faudrait peut-être aussi désigner un représentant des dragons, pour veiller à ce qu'on les traite équitablement et que les termes du contrat soient respectés. Avez-vous songé à faire en sorte de tenir votre parole envers Tintaglia selon les conditions du marché que nous avons passé avec elle ? » Les globes l'entouraient à présent et laissaient le reste de la salle dans la pénombre ; leur lumière scintillait sur les écailles de son visage et de ses bras. Elle brillait comme une statue incrustée de pierres précieuses, et son regard était aussi dur que des diamants taillés.

« Et elle ? rétorqua la Marchande Polsk. Tintaglia s'est évanouie dans la nature en nous laissant la charge d'une horde de dragons affamés ! Que voulez-vous que nous fassions ? Que nous les gardions ici, sur le pas de notre porte ? Ce n'est bon ni pour eux ni pour nous ! Les maintenir à Cassaric ne résoudra rien ; en revanche, si nous les envoyons remonter le fleuve, ils trouveront peut-être une région plus adaptée à leurs besoins. Voyez combien d'entre eux ont déjà succombé ! Quant aux survivants, ils ne sont pas en bon état. Ce n'est pas le moment de brandir vos pouvoirs pour nous intimider ; vous feriez mieux de nous aider à travailler sur la meilleure façon de les évacuer. Nous ne pouvons pas leur offrir mieux, Malta, vous vous en rendez sûrement compte !

— Absolument pas, répondit Malta d'une voix basse, mais on sentait une peur dissimulée dans son ton. Je constate seulement qu'il se passe quelque chose que je ne comprends pas, quelque chose qui vous pousse à monter cette expédition le plus vite possible. L'un d'entre vous jugerait-il utile de m'expliquer franchement ce qui se passe ? » Les lumières qui l'entouraient s'assombrirent légèrement.

La Marchande Polsk poussa son avantage sans lui répondre. « Avez-vous des nouvelles de votre frère ou de Tintaglia ?

— Mon frère voyage, et l'on sait bien que le courrier n'arrive que de façon irrégulière de l'étranger. Quant à Tintaglia, je n'ai aucune nouvelle d'elle, et je n'ai senti aucun contact de sa part depuis des mois. J'ignore ce qu'elle est devenue ; peut-être est-elle partie très loin, ou bien a-t-elle subi un terrible accident. Je n'en sais rien. » Elle s'exprimait d'une voix angoissée, mais c'est d'un ton plus ferme qu'elle poursuivit : « Mais ce que je sais, c'est que bon nombre de Marchands de Terrilville lui ont donné leur parole d'aider ses rejetons en échange de son appui. Sans son intervention lors de la guerre avec Chalcède, Terrilville aurait pu disparaître : elle a empêché les navires ennemis de dépasser l'embouchure du fleuve. Quand nous avons eu besoin d'elle, elle ne s'est pas dérobée. Maintenant qu'elle est loin, allons-nous condamner les dragonneaux à une lente agonie sous prétexte que leur entretien nous coûte ? La parole d'un Marchand a-t-elle donc tant perdu sa valeur en cette époque de paix ? » À mesure qu'elle parlait, les globes lumineux brillaient plus fort ; leur éclat se reflétait sur elle au point qu'elle en paraissait la source et non le récepteur.

Un long silence, peut-être honteux, suivit ses questions, et certains membres du Conseil échangèrent des regards.

Timidement, Alise dit : « J'étais là. J'étais là le soir où la dragonne s'est présentée à l'Assemblée des Marchands de Terrilville, le soir où le marché a été conclu. J'ai entendu Tintaglia parler, et, malgré mon jeune âge, j'ai fait partie de ceux qui ont signé notre accord avec elle. » D'une voix plus basse, elle poursuivit : « J'étais même là quand Reyn Khuprus a exigé que Tintaglia l'aide à retrouver Malta, en en faisant une condition du marché. » Son regard passa de l'Ancienne, surprise, aux membres du Conseil ; elle se redressa, rassembla un courage qu'elle ignorait posséder et s'exprima plus fort pour remplir la salle de sa voix. « Je m'appelle Alise Kincarron Finbok. Outre le fait que j'ai apposé ma signature au bas du contrat qui nous lie à la dragonne Tintaglia, si bien que j'ai un intérêt personnel dans ces décisions, je suis une spécialiste de premier plan des dragons et des Anciens. Je viens de Terrilville expressément pour m'entretenir avec les dragons et compléter nos connaissances sur leur espèce.

» Depuis l'arrivée de Tintaglia parmi nous, je consacre mon temps à étudier et à traduire tous les parchemins, toutes les tablettes qu'on peut trouver à Terrilville concernant les dragons et les Anciens. Quand vous évoquez la rupture d'un accord avec un dragon qui vous a donné son véritable nom en gage de bonne foi, je ne crois pas que vous compreniez parfaitement ce dont vous parlez. Moi, en tant qu'autorité sur ce sujet, si. »

Elle reprit son souffle ; elle ignorait si on partagerait son avis sur cette dernière affirmation à Terrilville, mais elle chassa ses doutes. Il n'y avait personne à Cassaric pour la contredire ; de toute façon, elle savait qu'elle avait raison, et c'était tout ce qui comptait en l'occurrence. Elle poursuivit son discours d'un ton assuré, en s'écoutant parler avec stupéfaction. « Je ne pense pas que le Conseil des Marchands de Cassaric dispose de l'autorité nécessaire pour prendre cette décision au sujet de...

— Vous avez étudié les dragons et les Anciens. » C'était Malta qui l'avait interrompue. « Dans vos manuscrits, avez-vous trouvé mention du nom de Kelsingra ? Je crois qu'il s'agit d'une cité des Anciens. »

Alise se sentit comme un voilier soudain abandonné par le vent ; la question de Malta était si inattendue qu'elle en oublia le raisonnement qu'elle souhaitait présenter au Conseil. Elle avait été abasourdie d'apprendre que Cassaric avait l'intention d'« évacuer » sans tarder les dragons ; d'après ce que lui avait dit Leftrin, elle croyait disposer d'au moins quelques jours, mais elle risquait apparemment de ne même pas bénéficier de ce bref délai, et, l'espace d'un instant, elle avait été résolue à tout faire pour récupérer ces quelques jours. Mais l'intervention de Malta lui avait fait perdre le fil de ses arguments, et son courage s'évanouit. Elle jeta un regard aux membres du Conseil en pensant les voir agacés par la question de Malta, mais ils paraissaient attendre sa réponse autant que l'Ancienne ; la Marchande Polsk se penchait sur la table, les yeux fixés sur elle. Alise avait oublié la présence du capitaine à ses côtés ; il posa une main rassurante sur son bras. « Allez-y, dites-leur. »

Elle resta un instant sidérée : comment pouvait-il savoir qu'elle connaissait Kelsingra ? Puis elle se rappela que la veille, dans l'après-midi, alors qu'il lui narrait des anecdotes sur son métier et lui expliquait qu'un chenal parfaitement navigable pouvait s'envaser en moins d'un mois, elle, brûlant de briller à ses yeux, avait hoché la tête d'un air entendu et lui avait parlé d'un manuscrit ancien qui décrivait la fréquence avec laquelle il fallait curer le port de Kelsingra. Il avait répondu qu'il n'avait jamais entendu parler de cette cité, et elle avait haussé les épaules en disant que, peut-être, le fleuve l'avait engloutie depuis longtemps.

Elle regarda Malta. L'Ancienne donnait l'impression de vouloir s'envoler, penchée vers Alise, les yeux emplis d'espoir. Les globes lumineux qui l'entouraient avaient repris leur place d'origine, mais elle paraissait encore attirer toute la lumière de la salle. Comment Alise pouvait-elle lui dire que Kelsingra n'était pour elle qu'un nom dans un parchemin ? Elle jeta des regards éperdus autour d'elle, et, par chance ou par hasard, ses yeux s'arrêtèrent sur une tapisserie à la gauche de Malta. Un étrange frisson la traversa et, d'un geste lent, elle la désigna du doigt : « Voici Kelsingra. » Elle s'en approcha, le cœur accélérant à chaque pas. « Donnez-moi un peu de lumière, je vous prie », dit-elle en oubliant dans son enthousiasme où elle se trouvait et à qui elle s'adressait.

En réponse, Malta envoya les globes s'attrouper autour d'elle ; ils la suivirent et, quand ils s'assemblèrent devant la tapisserie, on eût cru regarder par une fenêtre un monde de tissage. Tout y était ; l'artiste avait volontairement faussé la perspective afin d'inclure plus de détails du paysage. « Là. » Elle tendit l'index. « Ce doit être la fameuse tour de la carte de Kelsingra. D'après ce que j'ai lu, plusieurs cités des Anciens parmi les plus importantes comptaient une tour de ce genre, chacune renfermant une vaste carte en relief de la région environnante, et, tout autour, les ouvertures donnaient sur la zone ainsi figurée. On y trouvait parfois des symboles indiquant des sites plus éloignés ; les manuscrits laissent entendre que ces cartes aidaient les gens à se déplacer rapidement, mais ils n'expliquent pas par quel moyen. Plusieurs parchemins mentionnent la tour de la carte de Kelsingra, ce qui indique peut-être qu'elle avait plus d'importance que certaines autres. »

Elle entendait sa propre voix comme si elle venait de très loin. Elle avait pris un ton professoral, celui qu'elle rêvait parfois d'employer quand on reconnaîtrait son savoir et que les gens souhaiteraient le partager. Jamais elle n'avait imaginé donner un cours dans un environnement comme celui de Cassaric ni devant un public qui compterait une Ancienne. Elle tendit à nouveau l'index. « Comme vous le voyez, la tour de la carte se situe dans la flèche d'un bâtiment très impressionnant. La frise ornementale au premier plan montre une Ancienne en train de labourer à l'aide d'une charrue tirée par un bœuf, et le mur voisin présente une reine dragon. À mon avis, la proximité des deux n'est pas due au hasard mais indique qu'ils avaient autant d'importance que les deux murs qui soutiennent cet édifice proéminent de la cité, et l'on ne peut que se demander quelles décorations portaient les deux autres faces du bâtiment.

» Remarquez la largeur et la profondeur des marches qui montent jusqu'aux grandes portes d'entrée ; des hommes ou des Anciens avec des proportions d'humains n'auraient pas eu besoin d'escaliers aussi monumentaux ni de portes aussi immenses. Il me paraît clair que cet édifice, identifié dans un parchemin sous le nom de Citadelle des Archives, accueillait entre ses murs des Anciens et des dragons.

— Mais où est-ce ? Où se trouve Kelsingra ? » Malta avait interrompu la péroraison d'Alise d'une voix basse et impatiente.

Lentement, la Terrilvillienne se tourna vers l'Ancienne. « Je ne puis vous répondre avec précision. Autant que je sache, on n'a jamais découvert de carte des zones que nous regroupons aujourd'hui sous le nom de désert des Pluies ; mais, d'après les textes que nous possédons, je puis affirmer que la ville se situait très en amont de Trehaug et de Cassaric. Il existe des descriptions des prairies grasses qui entouraient la cité et fournissaient d'excellentes pâtures à la fois pour le bétail et pour le gibier ; les dragons se nourrissaient des deux à volonté, ce qui était considéré comme leur droit. Mais un tel paysage d'ondulations herbues ne correspond pas au désert des Pluies couvert de jungle que nous connaissons, pas davantage que le fleuve d'alors ne cadre avec celui d'aujourd'hui : d'après les documents, Kelsingra était bordée d'un cours d'eau profond, et, en période d'inondation, rapide et traître. Les illustrations des parchemins et de la présente tapisserie montrent clairement des voiliers à quille approchant de la cité et s'amarrant à ses quais, tandis que des navires de commerce de taille considérable mouillent déjà dans le port ; là encore, ces images ne correspondent pas au fleuve du désert des Pluies que

97

nous connaissons. Par conséquent, nous pouvons formuler l'hypothèse qu'il a changé, fait manifestement avéré par les ruines enfouies qu'on a découvertes, et nous demander s'il n'existait pas un autre cours d'eau, un affluent, aujourd'hui confondu avec notre fleuve, qui coulait jadis devant Kelsingra. »

Elle arriva en même temps à bout de souffle et de mots. Tournant le dos à la tapisserie, elle fit face à son auditoire. Les traits de Malta exprimaient un mélange de triomphe et d'accablement ; la femme aux cheveux en brosse hochait vigoureusement la tête. « Excellent ! s'exclama-t-elle ; nous avons une grande dette envers vous, madame. Le dragon noir a désigné cette cité de Kelsingra comme la meilleure destination possible pour lui et ses semblables ; selon des indices que nous avions relevés dans leurs conversations, il s'agissait d'une cité des Anciens de première importance, mais, jusqu'à maintenant, nous n'avions pas confirmation de sa réalité. Aujourd'hui, vous nous fournissez non seulement une preuve tangible grâce à la tapisserie mais votre opinion d'experte que cette ville a existé et existe peut-être encore. Nous ne pouvions rêver meilleure nouvelle !

— Moi, si, répliqua Malta sèchement. J'aimerais une carte qui montrerait clairement l'emplacement de la cité en relation avec les deux autres que nous avons déjà localisées. » Sur un geste irrité de sa part, les globes lumineux s'égaillèrent comme une bande de chats effrayés. Elle se dirigea vers les gradins et s'assit lentement sur un des bancs, l'air très humain et très las. « Ils n'auraient pas dû nous faire confiance. Nous avions donné notre parole à Tintaglia, et, au début, nous nous sommes efforcés de faire de notre mieux ; mais, peu à peu, nous avons revu nos critères à la baisse, et les deux dernières années n'ont été qu'un long cauchemar. Il y en a tellement qui ont péri !

— Sans nous, ils seraient tous morts ; sans nous, la plupart n'auraient pas pu s'encoconner ni éclore. » La Marchande Polsk énonça calmement le fait.

« Sans nous, qui les avons découpés en planches pour construire nos navires, ils auraient été plus nombreux à survivre au séisme et à pouvoir éclore.

— Mais, sans les vivenefs, auriez-vous pu être présente ? » intervint Alise, non sans audace. Malta paraissait engluée dans le désespoir, mais la jeune Terrilvillienne sentait une intense émotion s'emparer d'elle ; la plus merveilleuse des idées s'épanouissait peu à peu dans son esprit, et elle osait à peine l'exprimer, prise entre la crainte d'un refus et la terreur d'une acceptation. D'une voix qu'elle voulut ferme, elle demanda : « Dans combien de temps les dragons doivent-ils partir ?

— Le plus tôt sera le mieux », répondit la Marchande Polsk. Elle se passa les deux mains dans les cheveux, qu'elle redressa comme une crête de dragon. « Tout retard ne fera qu'aggraver la situation, y compris pour les dragons. S'ils pouvaient se mettre en route demain, c'est ce que je choisirais.

— Mais j'ai fait tout le trajet depuis Terrilville dans le seul but de les étudier, voire de m'entretenir avec eux ! objecta Alise.

— Vous constaterez qu'ils ne se prêtent guère à la conversation, fit Malta d'un ton lugubre. Même si vous étiez venue il y a des mois, ça n'aurait rien changé. Ils ont le souvenir atavique des dragons qu'ils auraient dû devenir, et, bien qu'il m'en coûte de le reconnaître, la Marchande Polsk a raison : ils sont malheureux ici. Je me suis efforcée de venir les voir souvent, et je me rends compte des difficultés que rencontrent ceux qui tâchent de tenir les termes de notre marché avec Tintaglia. Je ne suis pas aveugle ; mais je regrette que ça se termine ainsi ; j'aimerais pouvoir les accompagner et m'assurer qu'on leur trouve un site où ils seront mieux installés. Mais c'est impossible. »

Elle paraissait si accablée qu'Alise se demanda si elle n'était pas malade ; mais alors l'Ancienne posa ses mains sur son ventre en un geste sur lequel on ne pouvait se tromper : elle attendait un enfant, et elle faisait passer son bien-être avant tout. La dernière pièce tomba en place : les circonstances étaient idéales pour Alise. Si ce n'était pas un signe du destin, cela s'en rapprochait beaucoup.

« Vous ne pouvez pas les escorter, mais moi si. » D'une voix claire, elle saisit sa chance et offrit ses services tout à la fois. « Je suis prête à partir avec eux et à me servir de mes connaissances sur leur espèce pour les aider ; je ne demande qu'à voyager avec eux afin d'en apprendre le plus possible sur eux, les observer, et, je l'avoue, dans l'espoir fou d'être présente quand on découvrira Kelsingra. Permettez-moi de les accompagner. »

Un silence composite accueillit sa déclaration : Malta la regardait comme l'incarnation du salut, la Marchande Polsk paraissait intriguée, et deux des membres de la commission la contemplaient avec horreur. Son intuition lui dit alors que ces deux-là savaient, par certains indices, que Kelsingra existait et qu'on pouvait y trouver de précieuses reliques des Anciens ; sans le faire exprès, elle venait de gâcher leur petit complot, et cela ralluma son courage. Elle s'adressa à Malta. « Si l'on redécouvre Kelsingra et qu'elle se révèle intacte, elle pourrait représenter la meilleure source d'informations pour comprendre les relations entre Anciens et dragons ; les mystères qu'ont soulevés Cassaric et Trehaug pourraient trouver leur solution à Kelsingra.

— Il s'agit assurément d'un sujet qui concerne les Marchands du désert des Pluies, fit un des hommes à la table.

— Il s'agit assurément d'un sujet qui concerne les Anciens et les dragons, rétorqua Malta.

— Il faut d'abord trouver la cité, et assurer la sécurité des dragons. » Leftrin affichait un large sourire. Il traversa la salle assombrie pour se placer aux côtés d'Alise, en pleine lumière. « Si la dame veut poursuivre son voyage pour continuer de les étudier, je veux bien l'emmener. » La présidente se pencha comme pour protester, et il enchaîna calmement : « Je suis même prêt à en faire une condition pour accepter mon affrètement. » Avec hardiesse, il se tourna vers Malta et s'inclina légèrement. « Nous devrions peut-être en déférer à Malta Khuprus. Elle a laissé entendre qu'il fallait un représentant aux dragons ; à mon avis, nous serions bien avisés d'avoir une spécialiste de ces créatures avec nous. »

L'Ancienne eut un sourire las, puis elle s'adressa aux membres de la commission. « Sur cette question, je parlerai au nom de Tintaglia. » Elle fixa sur Alise un regard impérieux, et la Terrilvillienne acquiesça de la tête avant même que Malta ne reprît : « Si Alise Finbok accepte d'accompagner les dragons, j'accepte de la considérer comme un juge impartial qui agira au mieux de leurs intérêts. »

Quatrième jour de la Lune du Grain

Sixième année de l'Alliance Indépendante
des Marchands

De Detozi à Erek

Quelle sale petite fouine ! Il ne mérite même pas que ses pigeons lui fientent dessus ! Comme si le poids de notre encre sur un coin de parchemin allait alourdir les oiseaux ! Ce père la morale cherche toujours le moyen de me discréditer, parce qu'il sait que, si on me destitue, son frère obtiendra sans doute mon poste ! Je vous en prie, choisissez bien les pigeons que vous utilisez si vous avez un mot à me transmettre ; rappelez-vous que ceux qui retournent à mon nichoir ont des bandes rouges. Kim ne peint même pas les siennes : il laisse ses lanières de cuir telles quelles, ce répugnant cossard.

Detozi

3

Rencontres

Les berges boueuses du fleuve se desséchaient ; des fissures et des crevasses s'étaient ouvertes dans l'étendue brunâtre. Comme Sintara sortait de l'eau grise et chargée de limon, la rive humide cédait sous ses pas et la déséquilibrait ; elle songea que les dragons n'étaient pas faits pour vivre au sol.

Ses écailles bleues dégouttaient encore du bain qu'elle venait de prendre, et elle laissait une trace mouillée derrière elle. Elle ouvrit ses ailes rabougries, les agita, provoquant une averse de petites gouttes, puis les replia sur ses flancs. Elle eût aimé jouir d'une vaste plage de sable brûlant où se sécher au soleil avant de faire reluire ses griffes et ses écailles, mais elle savait ce souhait vain ; dans cette vie, elle n'avait jamais connu le luxe d'un bon bain de poussière et encore moins d'une séance de grattage sur une berge sablonneuse ; la terre et le sable l'eussent assurément débarrassée d'une grande partie des minuscules parasites qui l'infestaient, elle comme tous ses semblables.

Elle se baignait et se lavait quotidiennement, mais peu d'autres en faisaient autant. Tant qu'elle devait vivre à proximité d'eux et de leur vermine, ses ablutions paraissaient bien futiles, pourtant elle refusait de renoncer à ce rituel. Elle était une dragonne, non une salamandre dépourvue d'intelligence.

La forêt qui bordait la plage jetait une ombre perpétuelle sur la plus grande partie de la berge. Au cours des années qu'ils avaient passées prisonniers au bord du fleuve, les dragons avaient agrandi la clairière ; certains arbres avaient été abattus par accident, lorsqu'ils servaient aux grandes créatures à se faire les griffes ou à se frotter pour soulager les démangeaisons provoquées par leurs parasites, d'autres volontairement afin d'étendre la zone habitable. Toutefois, tuer un arbre et l'abattre étaient deux choses différentes ; dans le premier cas, la chute consécutive des feuilles laissait passer un peu plus de lumière, mais, malgré des efforts sporadiques, les dragons, même à plusieurs, ne pouvaient jeter à bas les géants de la jungle.

Le soleil parvenait jusqu'à la berge au milieu de la journée et n'y demeurait que quelques heures. Sintara observa les quatorze dragons étendus devant elle ; la plupart dormaient ou somnolaient en se gavant de lumière et de chaleur ; ils n'avaient rien d'autre à faire. Les plus grands s'étaient approprié les meilleures places, tandis que les petits se contentaient des espaces restants, souvent mouchetés d'ombre ; les plus chétifs dormaient sous les frondaisons, exclus du soleil. Mais même les zones les plus recherchées manquaient de confort : en séchant, la boue du fleuve se résolvait en

106

une fine poussière qui agaçait les narines et les yeux ; mais, au moins, on y était au chaud et à la lumière. La peau et les muscles de Sintara avaient faim de soleil et de chaleur autant que son estomac de viande.

L'astre du jour faisait étinceler certains des dragons parmi les plus propres. Kalo, le plus grand du clan, brillait d'un éclat bleu-noir, étendu dans la plus large flaque de soleil, la tête posée sur les pattes avant. Il avait les yeux fermés, et sa lente respiration soulevait un petit panache de poussière à chaque exhalaison. Au repos et repliées, ses ailes paraissaient presque normales ; il les déployait rarement, mais alors leur musculature atrophiée le trahissait.

Près de lui, le rouge scintillant de Ranculos contrastait de façon saisissante avec la couleur terne de la rive ; ses paupières cachaient ses yeux d'argent. Il présentait des proportions anormales, comme si l'on avait sculpté des morceaux de trois dragons différents puis qu'on les eût assemblés en un seul. Il avait des pattes antérieures et des épaules puissantes, mais il allait en se réduisant vers l'arrière, et sa queue était ridicule ; ses ailes pendaient et ne se repliaient pas correctement. C'était pitoyable.

Sintara étrécit les yeux en constatant que Sestican, le bleu, s'était couché les ailes ouvertes et occupait son espace ; ses longues pattes maigres sursautaient nerveusement dans son sommeil. Entre elle et lui, plusieurs dragons parmi les plus malformés dormaient, leur peau terne maculée de boue, serrés les uns contre les autres comme des orteils.

Sans leur prêter attention, elle se fraya un chemin parmi eux ; l'un d'eux poussa un glapissement et deux autres grognèrent quand elle les piétina ; un quatrième roula sous sa patte, la déséquilibrant ; elle battit de la queue pour se reprendre et agita ses ailes qui, encore mouillées, projetèrent sur tous une ondée de gouttelettes froides. Des grondements étouffés montèrent autour d'elle, mais aucun dragon n'eut le courage de la défier vraiment. Arrivée à sa place, elle mit exprès la patte sur l'aile bleue de Sestican, étendue sur le sol.

Il poussa un rugissement de surprise et voulut rouler sur lui-même, mais elle appuya plus fort et tordit l'ossature délicate de l'aile. « Tu es à ma place, dit-elle d'une voix menaçante.

— Cesse de m'écraser ! » rétorqua-t-il sur le même ton. Elle leva la patte juste assez pour qu'il pût retirer son aile meurtrie. Il la rabattit brutalement sur son flanc pendant que Sintara se couchait, toujours mécontente : la terre était tiède encore de la chaleur de l'autre dragon, mais non brûlante de soleil comme elle l'avait rêvé. Néanmoins, elle s'installa en écartant Veras sans délicatesse pour se faire plus de place ; la femelle vert foncé s'agita, dénuda ses crocs ridicules et se rendormit.

« Ne t'avise plus de prendre ma place », dit Sintara au grand dragon cobalt ; elle rabattit sa queue sur elle, contrariée de ne pouvoir la laisser se dérouler comme elle le voulait. Mais à peine eut-elle posé sa tête sur ses pattes que Sestican se dressa brusquement, et elle gronda quand son ombre tomba sur elle. À la périphérie du groupe, un des petits dragons leva la tête et demanda stupidement : « Manger ? »

L'heure n'était pas venue. Des têtes se dressèrent de toutes parts, puis les dragons se mirent sur leurs pattes en trébuchant, tâchant de voir par-dessus les voisins ce qui arrivait sur la plage.

« C'est de la nourriture ? demanda Nente d'un ton exaspéré.

— Ça dépend de ta faim, répondit Veras. Ce sont des barques pleines d'humains ; ils les tirent sur la grève.

— Ça sent la viande ! » s'exclama Kalo, et, avant même qu'il eût le temps d'achever sa phrase, toute la horde s'ébranla. D'un coup d'épaule, Sintara écarta Nente de son chemin, et la femelle verte fit mine de la mordre, hargneuse. Sintara lui donna un coup de queue en passant mais ne prit pas la peine de se venger davantage : parvenir la première à la distribution de nourriture était beaucoup plus important qu'assouvir quelque envie de vengeance. Elle prit son élan et bondit par-dessus Veras ; par réflexe, ses ailes flétries se déployèrent, mais en vain ; elle les referma vivement et poursuivit sa lourde course vers la berge.

Les jeunes humains se serraient les uns contre les autres, terrifiés ; l'un d'eux poussa un cri d'épouvante et repartit en courant vers les barques échouées. Comme les dragons continuaient de foncer sur eux, trois de ses semblables l'imitèrent. D'autres humains arrivaient par l'étroite piste qui s'enfonçait dans la forêt et conduisait aux échelles qui permettaient d'accéder à leurs nids dans les arbres. Sintara perçut le fumet familier d'un des chasseurs ; il lança aux humains descendus des barques : « Tout va bien ! Ils sentent l'odeur de la viande. Ne bougez pas, faites leur connaissance, vous êtes là pour ça. Il y a de quoi manger pour tous ; laissez-les se nourrir d'abord, puis déplacez-vous parmi eux et laissez-les vous accueillir. Ne reculez pas ! »

Sintara humait l'effluve de peur qui émanait d'eux. Elle remarqua en passant que les humains fraîchement débarqués étaient pour la plupart des jeunes. Ils parlaient entre eux, s'interrogeaient et échangeaient des mises en garde avec des voix flûtées, stridentes. Enfin, les chasseurs apparurent sur la piste avec leurs brouettes, chacune remplie de viande et de poisson qui formaient un tas plus haut que d'habitude. Sintara choisit la troisième et bouscula Ranculos pour s'en emparer ; il rugit mais jeta aussitôt son dévolu sur la quatrième brouette. Comme toujours, les chasseurs quittèrent promptement la zone pour se retirer dans la forêt, bien à l'abri ; ils récupéreraient leurs brouettes quand tous les dragons auraient fini de manger.

Sintara plongea le mufle dans la venaison entassée. La viande était morte, le sang figé et les muscles raidis ; le cerf avait sans doute été abattu la veille, voire l'avant-veille, et il dégageait une odeur de charogne, mais elle s'en moquait ; elle engloutissait la nourriture aussi vite qu'elle le pouvait. Il y avait une brouette par dragon, mais elle devait souvent se battre pour ses derniers morceaux de carne si un autre dragon avait déjà fini sa portion.

Elle renversa la brouette dans sa précipitation, et les quartiers de viande restants s'éparpillèrent au sol. Le dernier morceau de carpe, couvert de poussière, se coinça dans son gosier, et elle dut secouer la tête pour le faire descendre ; mais il demeura bloqué. Sans se préoccuper de ses voisins, elle se rendit à l'abreuvoir ; l'eau qui sourdait par les flancs du trou pratiqué dans le sol était moins acide que celle du fleuve. Elle y enfonça le museau, aspira une longue gorgée, releva la tête, pointa la gueule vers le ciel et avala ; le poisson resta coincé dans sa gorge. Elle reprit une grande goulée d'eau, et il finit par descendre. Elle lâcha un rot de soulagement, et sursauta quand une voix lui demanda soudain : « Ça va mieux ? Tu avais l'air de t'étrangler. »

Lentement, Sintara baissa les yeux. Près d'elle se tenait une gamine maigrichonne du désert des Pluies. La légère trace d'écailles sur ses pommettes luisait d'un éclat argenté sous le soleil. Sans répondre, la dragonne tourna la tête pour observer la berge boueuse. Certains des humains demeuraient près des barques, mais plusieurs autres étaient allés se mêler aux dragons. Elle reporta son attention sur la fille qui lui avait parlé ; elle lui arrivait à peine au garrot, et elle sentait la fumée et la peur. Sintara ouvrit la gueule et inspira longuement pour capter tout le fumet de la nouvelle venue, puis elle expira, et la jeune fille eut un mouvement de recul sous son souffle. « Pourquoi me demandes-tu ça ? » fit-elle sèchement.

L'autre ne répondit pas mais indiqua la forêt du doigt et dit : « Le jour où tu as éclos, j'étais là-bas, dans cet arbre ; j'assistais à la scène.

— Je n'ai pas "éclos" : je suis sortie de ma gangue. Ignores-tu donc tout des dragons au point de ne pas voir la différence ? »

Un afflux de sang modifia la température et la couleur du visage de la jeune fille. « Je ne suis pas ignorante ; je sais que les dragons commencent leur existence sous forme de serpents qui éclosent sur une plage très loin d'ici ; dire que tu es née ici n'était qu'une façon de parler.

— Plutôt un mauvais choix de mots, répliqua Sintara.

— Je m'excuse », fit la jeune fille.

« Je m'excuse », fit Thymara précipitamment. La dragonne paraissait très susceptible ; peut-être avait-elle eu tort de la choisir. Elle jeta un regard à Tatou, qui s'efforçait d'approcher une petite femelle verte ; elle ne paraissait pas lui prêter attention, sinon pour émettre un sifflement menaçant lorsqu'il s'avançait trop près de sa brouette de viande. Kanaï, lui, avait déjà le bras autour d'un dragonneau rouge et rabougri ; il lui gratta la tête, près de la crête du cou, et la créature s'appuya contre lui en vrombissant de plaisir. Peu après, Thymara comprit qu'il était en train de la débarrasser d'une colonie de parasites : de petits insectes aux nombreuses pattes dégringolaient en averse des écailles qu'il grattait avec diligence.

La plupart des autres gardiens demeuraient attroupés près des barques et les regardaient. Graffe avait annoncé son choix à peine l'esquif avait-il touché terre : « Le grand noir est pour moi ; restez tous à l'écart et laissez-moi l'occasion de lui parler avant de vous approcher des autres. »

Certains se laissèrent peut-être impressionner par la prise d'autorité de Graffe, mais pas Thymara ; elle avait déjà repéré la dragonne qui l'intéressait. La femelle brillait d'un éclat bleu avec des marques argentées sur ses ailes tronquées ; des sortes de volants écailleux s'étageaient sur son cou comme les froufrous de la robe d'une femme riche. Elle faisait partie des dragons les mieux proportionnés, malgré son envergure réduite ; une créature volontaire, selon la première impression de Thymara, que sa hardiesse avait poussée à s'en approcher aussitôt. Mais à présent elle se demandait si elle n'avait pas commis une erreur. La dragonne bleue n'avait pas l'air particulièrement amical, et elle était d'une taille imposante. S'il fallait en juger par la façon dont elle dévorait la brouette de viande, la rassasier relèverait de la gageure ; ce qui lui paraissait une tâche à sa hauteur à Trehaug se révélait insurmontable. Si elle devait assurer à elle seule la pitance d'un dragon, la créature crierait famine la plupart du temps.

La dragonne n'avait apparemment pas bon caractère, même le ventre plein ; comment réagirait-elle, affamée, après avoir marché toute une journée ? À contrecœur, Thymara passa en revue les autres dragons à la recherche d'un meilleur candidat ; elle ne plaisait manifestement pas du tout à celui-ci.

Mais les autres gardiens avaient pris leur courage à deux mains et circulaient déjà parmi la horde. Kase et Boxteur s'approchaient de deux créatures orange ; la

113

jeune fille se demanda vaguement si les deux cousins faisaient toujours des choix similaires. Sylve, l'air timide, les mains dans le dos et la tête baissée, parlait à voix basse à un mâle doré ; il tendit le cou, révélant une gorge blanc-bleu. Jerde se tenait près d'une femelle verte à grenure d'or. Comme ses camarades se dispersaient au milieu des créatures, Thymara fit un rapide décompte : il n'y avait pas assez de gardiens, et il resterait deux dragons en surnombre ; cela pouvait poser des problèmes.

« Que faites-vous ici ? À quoi rime cette invasion ? »

Il y avait de l'irritation dans le ton de la dragonne, comme si Thymara l'avait insultée. Surprise, elle répondit : « Comment ? On ne vous a pas prévenus de notre arrivée ?

— Qui ne nous a pas prévenus ?

— La commission. Une commission du désert des Pluies a été formée pour résoudre le problème des dragons, et elle a conclu qu'il valait mieux pour tout le monde qu'on vous déplace en amont jusqu'à un site plus adapté à vos besoins, avec des prairies, un sol sec et du gibier en abondance.

— Non. » La dragonne avait laissé tomber le mot d'un ton catégorique.

« Mais…

— Ce n'est pas ce qui a été décidé. Les humains ne décident pas à notre place. Nous avons annoncé à ceux qui nous servent que nous allions partir et que nous avions besoin de chasseurs et d'aides pour notre voyage. Nous leur avons dit que nous avions l'intention de retourner à Kelsingra ; en as-tu entendu parler, petite créature ? C'était une cité des Anciens, pleine de soleil, de vastes champs et de rivages sablonneux. Les Anciens qui vivaient là étaient des êtres de culture et de savoir qui appréciaient les dragons et construisaient leurs bâtiments à notre mesure ; les plaines grouillaient de bétail et de gibier. C'est là que nous nous rendons.

— Je n'ai jamais entendu parler de cette cité. » Thymara s'exprimait d'un ton hésitant, ne tenant pas à offenser davantage la dragonne.

« Ce que tu sais ou ne sais pas m'indiffère. » La grande créature se détourna d'elle. « C'est là que nous allons. »

Elle n'arriverait jamais à s'entendre avec la dragonne. Thymara jeta des regards éperdus autour d'elle. Deux dragons restaient sans gardien ; crottés de boue et l'œil terne, ils fouillaient stupidement du museau dans leurs brouettes vides. L'argenté avait une infection suppurante à la queue ; l'autre avait peut-être une teinte cuivrée, mais il était si sale qu'il paraissait brun grisâtre. Maigre, voire décharné, il souffrait peut-être de vers, et Thymara estima froidement que ni l'un ni l'autre ne survivrait à leur déplacement. Mais peut-être cela n'avait-il pas d'importance : à l'évidence, son rêve de se lier d'amitié avec le dragon qu'elle devait escorter se réduisait à une chimère infantile. Quelle illusion ridicule de croire qu'elle pouvait s'entendre avec une créature aussi noble et puissante ! Elle commençait à revoir ses attentes sur l'expédition, et cette prise de conscience alourdissait son cœur : elle allait soigner et nourrir des créatures qui la jugeaient irritante et avaient une force suffisante pour la tuer sans y penser. Au moins, sur sa mère, elle avait l'avantage de la taille. Un sourire amer lui tordit les lèvres à l'idée qu'elle pût préférer la compagnie de sa mère à celle d'un dragon mal luné.

Son immense voisine souffla brusquement près de son oreille. « Eh bien ?

— Je n'ai rien dit. » Elle s'exprimait à mi-voix. Elle eût aimé s'éclipser discrètement, mais elle n'osait pas bouger sous le regard de la dragonne.

« Je sais. Tu n'as donc pas entendu parler de Kelsingra, mais ça ne veut pas dire qu'elle n'existe pas ; je pense que nous avons autant de chances de la trouver que de découvrir tes "prairies", ton "sol sec" et ton "gibier en abondance", car, si les habitants du désert des Pluies avaient eu vent d'une telle région, ils s'y seraient déjà installés.

— C'est vrai », acquiesça Thymara de mauvais gré. Pourquoi n'avait-elle pas vu elle-même la situation sous cet angle ? Parce que les membres de la commission, Marchands en principe plus âgés et plus expérimentés qu'elle, lui avaient affirmé que c'était ce qu'elle trouverait ? Mais qu'en savaient-ils ? Aucun d'entre eux n'avait l'allure d'un chasseur ni d'un cueilleur, et la plupart avaient l'air de n'avoir jamais mis les pieds dans la voûte et encore moins exploré les berges du fleuve. Et si la région promise n'existait pas ? S'il s'agissait seulement d'un stratagème pour débarrasser Cassaric des dragons et de leurs soigneurs ?

Elle repoussa cette idée ; elle l'effrayait, non seulement parce qu'elle pouvait s'avérer mais parce qu'elle se rendait compte soudain que les gens avec qui elle avait signé un contrat étaient parfaitement capables de condamner les dragons et leurs gardiens à un voyage sans fin sur des berges marécageuses. « Pourquoi êtes-vous si sûrs que Kerlinga existe ? demanda-t-elle à la grande femelle bleue.

— Si tu veux parler de Kelsingra, prononce au moins son nom correctement ; vous traitez les mots avec trop de négligence. À mon avis, des créatures au cerveau si réduit doivent avoir du mal à retenir les informations. Quant à savoir comment nous savons qu'elle existe, nous en gardons le souvenir.

— Mais vous n'avez jamais quitté cette plage !

— Nous avons notre mémoire atavique – enfin, certains d'entre nous en ont une partie. Et plusieurs d'entre nous se rappellent Kelsingra, la cité dressée sur la rive large et baignée de soleil, l'eau douce et argentée du puits, les places et les bâtiments conçus pour manifester l'alliance des Anciens et des dragons, les champs magnifiques couverts de bétail gras. » La dragonne avait pris un ton rêveur, et, l'espace d'un instant, Thymara eut l'impression de percevoir la faim que lui inspiraient les vaches grasses, leur sang chaud et leur chair humide ; ensuite, un bain et une longue sieste sur la plage de sable blanc. La jeune fille secoua la tête pour la débarrasser de ces images.

« Qu'y a-t-il ? demanda la dragonne avec brusquerie.

— Les seules cités des Anciens que nous ayons découvertes sont enfouies dans la boue, et ceux qui y vivaient ont disparu depuis longtemps. Les tapisseries et les peintures qu'ils ont laissées nous montrent des paysages si différents de ce qui existe aujourd'hui que les spécialistes pensent qu'elles décrivent un pays situé très loin au sud plutôt que leurs villes telles qu'elles étaient jadis.

— Alors vos spécialistes se trompent. » La grande créature s'exprimait d'un ton catégorique. « Nos souvenirs sont peut-être incomplets, mais je puis t'affirmer que la Cassaric dont je me rappelle se trouvait au bord d'un fleuve profond et rapide, avec un bras de décharge plus calme et une large plage d'argile veiné d'argent ; l'eau était assez profonde pour permettre aux serpents de remonter facilement le courant et aux navires des Anciens de parvenir jusqu'à Cassaric et au-delà jusqu'aux autres cités qui bordaient le fleuve. Cassaric elle-même n'était pas une grande ville, mais elle avait sa part de merveilles ; elle devait surtout sa célébrité au fait qu'elle servait aux serpents de site secondaire d'encoconnage, si les plages de ce que vous appelez Trehaug étaient bondées. Ça ne se produisait pas tous les ans, mais ça arrivait, et Cassaric possédait des salles capables d'accueillir les dragons qui venaient s'occuper des cocons ; il y avait la salle des Étoiles, au toit en panneaux de verre, où les Anciens aimaient à observer le ciel nocturne ; les murs du long couloir qui y menait étaient décorés d'une mosaïque de pierres qui renfermaient leur propre lumière ; il n'y avait pas de fenêtres dans ce couloir afin que les visiteurs puissent admirer les paysages que les artistes avaient peints avec leurs petits points de lumière. Je me rappelle un objet de divertissement que les humains avaient conçu à leur usage : un labyrinthe aux parois de cristal, qu'ils avaient baptisé le Dédale du Temps ; ce n'était qu'artifices et sottises, naturellement, mais cela semblait leur plaire.

— Si on a découvert une salle telle que tu la décris, je n'en ai pas entendu parler, dit Thymara avec regret.

— Ça n'a pas d'importance, répondit la dragonne, soudain dure. Ce ne sont pas les seules merveilles qui ont disparu. Vous, les humains, vous allez fouiller dans les ruines de cette époque comme des larves fouisseuses, et vous ne comprenez pas ce que vous trouvez.

— Je ferais mieux de m'en aller, je crois », murmura Thymara en se détournant. La déception lui fouaillait le ventre. Elle regarda les deux dragons sans gardiens et s'efforça d'éprouver de la pitié, mais ils avaient les yeux vides, comme aveugles ; ils ne prêtaient même pas attention à leurs semblables qui faisaient connaissance avec les humains, et le brun crotté mâchonnait distraitement le bord maculé de sang de la brouette qui avait contenu sa pitance. Après tout, le contrat qu'elle avait signé ne lui promettait pas la compagnie d'une créature stupéfiante d'intelligence : elle s'y engageait seulement à escorter un dragon au cours de cette funeste expédition et à le soigner du mieux possible. Elle serait peut-être plus avisée de commencer par un dragon qui n'attendît rien d'elle ; elle eût peut-être même été plus avisée de ne rien attendre elle-même.

Les autres gardiens paraissaient avoir eu la main plus heureuse. Kanaï et son rouge avaient l'air de s'entendre à merveille ; il avait mené la petite créature courtaude jusqu'à l'orée de la forêt et nettoyait ses écailles avec des poignées d'aiguilles de pin ; le dragonneau se tortillait avec bonheur sous sa main. Jerde avait apparemment gagné la confiance de sa dragonne verte mouchetée, qui levait une de ses pattes avant pour permettre à la jeune fille de l'examiner. Graffe se tenait à distance respectueuse du grand noir mais semblait absorbé dans sa conversation avec lui. Sylve et son mâle doré avaient trouvé un coin ensoleillé où ils s'étaient assis tranquillement sur la boue craquelée de la berge.

Thymara chercha Tatou et le dragon vert et mince qu'il avait approché. Elle ne les vit pas tout d'abord, puis finit par les apercevoir au bord de l'eau ; Tatou avait pris sa foène et marchait le long de la rive tandis que le dragon vert l'observait avec un intérêt avide. Thymara ne pensait pas qu'il repérerait quoi que ce fût d'assez gros, si tant est qu'il y eût du poisson, mais il avait manifestement retenu l'attention de son compagnon. Au contraire d'elle : la dragonne n'avait même pas daigné répondre à son dernier commentaire.

« Merci de m'avoir parlé », dit Thymara, accablée, avant de s'éloigner sans bruit. L'argenté, décida-t-elle ; il fallait nettoyer et bander la plaie qu'il avait à la queue. Sans doute le trajet s'effectuerait-il dans le fleuve ou tout près, et, laissée à elle-même, la blessure s'approfondirait et s'ulcérerait au contact de l'eau acide. Quant au cuivré décharné, si elle trouvait quelques feuilles de roussequin et parvenait à pêcher un poisson, elle tenterait de le traiter contre les vers. Les feuilles de roussequin étaient-elles efficaces sur les dragons ? Elle l'ignorait, mais, en étudiant la créature tandis qu'elle se dirigeait vers elle, elle jugea que cela ne pourrait pas lui faire de mal ; de toute manière, il n'y avait personne auprès de qui s'informer de la manière de soigner un dragon, et, s'il maigrissait encore, il ne tarderait pas à mourir.

Une idée lui vint tout à coup : il y avait bien quelqu'un qui pourrait la renseigner. Elle revint auprès de la dragonne bleue qui la regardait avec une hostilité mal dissimulée. Thymara rassembla son courage. « Puis-je t'interroger sur les dragons et les parasites ?

— Où as-tu appris les bonnes manières ? » Un crachement suivit cette question ; l'haleine ne toucha pas la jeune fille, mais elle distingua vaguement la brume de venin qu'elle transportait.

Choquée, elle demanda d'un ton circonspect : « Est-ce grossier de poser ce genre de question ? » Elle avait envie de reculer mais n'osait pas bouger.

« Tu as l'audace de me tourner le dos ? »

Sur le long cou de la dragonne, les « volants » de plaques écailleuses commençaient à s'ériger. Thymara ignorait jusque-là à quoi elles servaient, mais, d'après ce qu'elle savait des animaux en général, une telle manifestation devait indiquer l'agressivité. Une base jaune vif se révéla quand les rabats écailleux se soulevèrent comme les pétales d'une fleur reptilienne. Les grands yeux cuivrés de la créature étaient braqués sur Thymara ; quand celle-ci les croisa, elle eut l'impression qu'ils tournoyaient lentement, comme si elle avait devant elle deux tourbillons de cuivre fondu. C'était un spectacle d'une beauté à couper le souffle et terrifiant à la fois. « Pardon, dit-elle, éperdue. Je ne savais pas que c'était grossier ; je croyais que tu voulais que je m'en aille. »

Quelque chose n'allait pas, mais Sintara ne savait pas quoi. La fille aurait dû se trouver complètement sous sa coupe, à genoux, à implorer l'attention de la dragonne ; au lieu de cela, elle lui avait tourné le dos et commençait à s'éloigner. Pourtant, les humains étaient extrêmement sensibles au charme des dragons, c'était bien connu. Elle déploya davantage sa collerette et secoua la tête pour disperser une brume d'ensorcellement. « Ne souhaites-tu pas me servir ? demanda-t-elle. Ne me trouves-tu pas magnifique ?

— Bien sûr que si ! s'exclama l'humaine, mais son attitude et l'odeur âcre de sa peur la révélaient effrayée, non enchantée. Quand je t'ai vue, j'ai compris que c'était de toi que je voulais m'occuper ; mais notre conversation est… » Sa voix mourut.

Sintara s'efforça de lire ses pensées mais ne trouva que du brouillard ; c'était peut-être le nœud du problème : peut-être la fille était-elle trop stupide pour percevoir son charme. Elle fouilla ses souvenirs ancestraux et découvrit l'existence d'autres humains semblablement affligés, certains si obtus qu'ils n'entendaient pas la langue des dragons. Pourtant, cette humaine avait l'air de comprendre assez clairement ce qu'elle disait ; alors qu'avait-elle donc ?

Sintara décida de faire un petit essai de ses pouvoirs, pour voir si la fille y réagissait ou non. « Comment t'appelles-tu, petite humaine ?

— Thymara », répondit l'autre aussitôt. Mais, comme Sinara commençait à se réjouir de son influence, la jeune fille demanda : « Et toi, comment t'appelles-tu ?

— Tu n'as pas encore acquis le droit de le savoir ! » répliqua Sintara, et l'humaine tressaillit ; mais elle dégageait un effluve de peur sans aucune trace du désespoir qu'une telle remontrance eût dû susciter en elle. Comme elle se taisait, n'implorait pas de connaître son nom, Sintara demanda sans détour : « Ne veux-tu pas savoir comment je m'appelle ?

— Ça me permettrait de m'adresser à toi beaucoup plus facilement, oui », répondit la fille d'un ton hésitant.

Sintara eut un petit rire. « Mais tu ne veux pas le savoir pour avoir barre sur moi ? reprit-elle, ironique.

— Quel pouvoir ton nom me donnerait-il ? »

La dragonne la regarda, perplexe. Ignorait-elle vraiment le pouvoir du nom d'un dragon ? Celui qui possédait ce savoir pouvait, en l'employant correctement, contraindre le dragon à dire la vérité, à tenir une promesse, voire à accorder une faveur. Si cette Thymara n'en savait rien, pas question de l'éclairer. Elle demanda : « Comment voudrais-tu m'appeler si tu devais me choisir un nom ? »

La jeune fille paraissait à présent plus intriguée qu'effrayée. Sintara ralentit le tourbillon de ses yeux, et Thymara s'approcha d'un pas. Là, c'était

123

mieux. « Eh bien ? la relança-t-elle. Quel nom me donnerais-tu ? »

L'humaine se mordilla la lèvre un instant puis répondit : « Tu es d'un bleu ravissant. Dans la voûte, tout en haut, il y a une plante grimpante qui s'enracine dans la fourche des arbres et qui produit des fleurs bleu foncé avec le cœur jaune d'or ; elles dispensent un parfum merveilleux qui attire les insectes, les petits oiseaux, et même les petits lézards. Elles ne sont pas aussi belles que toi, mais tu me fais penser à elles. Nous les appelons "gueules-de-ciel".

— Ainsi, tu voudrais me donner le nom d'une fleur ? Gueule-de-ciel ? » Sintara était contrariée ; le nom lui donnait une impression de fragilité un peu ridicule, mais, après tout, elle avait laissé le choix à la fille ; peut-être pouvait-elle lui passer cette fantaisie. Néanmoins, elle lui demanda : « Ne crois-tu pas que je mérite un nom qui ait plus de mordant ? »

L'humaine baissa les yeux comme si la dragonne l'avait surprise en flagrant délit de mensonge. À mi-voix, elle avoua : « Les gueules-de-ciel sont dange-reuses à toucher. Elles sont magnifiques et leur parfum séduisant, mais le nectar qu'elles contiennent peut dis-soudre un papillon en une seconde et dévorer un oiseau-mouche en moins d'une heure. »

Sintara ouvrit grand les mâchoires, ravie, et conclut : « Ce n'est donc pas seulement la couleur de cette fleur qui te fait penser à moi ? C'est le danger qu'elle représente ?

— Oui, je crois.

124

« — Dans ce cas, tu peux m'appeler Gueule-de-ciel. Vois-tu ce que le garçon, là-bas, fait au dragon rouge rabougri ? »

Thymara suivit le regard de la dragonne. Kanaï avait arraché quelques rameaux à un conifère et frottait énergiquement le dos de son compagnon ; débarrassée de la boue et de la poussière qui le recouvraient, la petite créature atrophiée étincelait comme un rubis au soleil. « Je ne crois pas qu'il lui veuille du mal ; il tâche seulement de lui enlever ses parasites.

— Exactement ; et la cire des aiguilles est bonne pour la peau. » D'un ton aimable, Sintara poursuivit : « Je t'autorise à me rendre le même service. »

Comme l'étrave du *Mataf* s'enfonçait dans la berge boueuse, Alise parcourut des yeux avec une jalousie sans mélange la scène fantastique qui s'ouvrait devant elle. En cette fin d'après-midi, le soleil brûlant cuisait la rive, parsemée d'au moins une dizaine de dragons de toutes les couleurs imaginables dont s'occupaient de jeunes habitants du désert des Pluies. Certaines des créatures dormaient paisiblement ; deux d'entre elles se tenaient près du fleuve, impatientes, tandis que deux garçons, des lances à la main, longeaient le courant en quête de poissons. Sur la pente d'une plage baignée de lumière, un long dragon d'or était étendu, son ventre bleu-blanc exposé aux derniers baisers du soleil ; couchée contre lui, une petite fille dormait, son crâne couvert d'écailles roses aussi brillant que le dragon qu'elle soignait. À l'extrémité de la longue plage se dressait le plus grand dragon de tous, noir, les ailes

125

étendues et scintillant d'étincelles bleu foncé. Un jeune homme, torse nu et presque aussi écailleux que la créature, les bouchonnait. À l'autre bout de la berge, comme en contrepoint, une jeune fille munie d'un balai en rameaux de conifère nettoyait diligemment un dragon bleu allongé ; ses nattes noires dansaient sur sa nuque au rythme de ses mouvements. Le dragon bougea et tendit une de ses pattes arrière afin qu'elle pût s'en occuper.

« J'ignorais que les dragons avaient des aides humains. Enfin, je savais que des chasseurs leur fournissaient de la viande, mais je n'avais pas compris que…

— Et vous avez raison ; du moins, vous aviez raison. » Leftrin avait un talent pour l'interrompre d'une façon aimable plutôt que grossière. « Ils viennent d'arriver ; ce sont les gardiens dont vous avez entendu parler, ceux qui vont déplacer les dragons. Ils ne doivent pas être là depuis plus d'un jour ou deux.

— Mais certains ne sont encore que des enfants ! » s'exclama Alise. Ce n'était pas l'inquiétude qu'ils lui inspiraient qui durcissait sa voix ; c'était, elle s'en rendit compte, la jalousie, purement et simplement. Ces gamins faisaient exactement ce qu'elle-même rêvait de faire. Naïvement, elle s'était vue comme la première à entrer en contact amical avec un dragon, à le toucher avec bonté et à gagner sa confiance. La description qu'en avaient donnée Althéa et Brashen lui avait laissé imaginer des idiots reptiliens qui n'attendaient que sa compréhension et sa patience pour débloquer leur intelligence innée. Ce qu'elle voyait sur

126

la berge du fleuve brisait un nouveau panneau du vitrail de ses rêves : elle ne serait pas le sauveur des dragons, la seule capable de les comprendre.

Leftrin haussa ses larges épaules, prenant son interjection pour l'expression de son inquiétude. « Les jeunes ne restent pas enfants longtemps dans le désert des Pluies, et surtout pas les enfants comme ceux-là. Regardez-les ; c'est un miracle que leurs parents les aient gardés – et ne me dites pas que leurs mutations datent de la dernière pluie : des griffes comme ça, il faut être né avec. Et le jeune homme, là ? Je parie qu'il avait déjà des écailles sur la tête à la naissance et qu'il n'a jamais eu un seul poil sur tout le corps. Non, ce sont tous des erreurs, sans exception, et c'est pour ça qu'on les a choisis. »

Sa description froide et brutale laissa Alise sans voix.

« Et vous-même, ainsi que le *Mataf*, êtes-vous aussi des erreurs ? Est-ce pour ça qu'on vous a choisis pour l'expédition ? » Sédric s'exprimait d'un ton aussi acide que l'eau du fleuve.

Mais, si Leftrin releva la pique, il n'y réagit pas. « Non, Mataf et moi, on nous a engagés ; le contrat est solide, écrit serré, et les termes en valent la peine pour Mataf et moi. » Il adressa un clin d'œil appuyé à la jeune femme, qui faillit rougir. Il reprit comme si Sédric n'avait rien vu : « Non seulement parce que personne d'autre n'en voulait, mais parce que le Conseil du désert des Pluies sait bien que personne d'autre n'aurait pu s'en charger. Mataf et moi, on a remonté le fleuve plus loin que n'importe quel bateau de gros tonnage ; il y en a peut-être quelques-uns qui sont allés plus loin, des éclaireurs en quête de gibier à bord de canoës, des choses comme ça, mais on ne peut pas réaliser ce que demande le Conseil avec un canoë.

— Et ce que demande le Conseil, c'est qu'on débarrasse Cassaric des dragons.

— Ma foi, c'est dit un peu crûment, Sédric, mais regardez vous-même : l'endroit ne leur convient pas du tout ; ils sont en mauvaise santé, ils ne peuvent pas chasser eux-mêmes, et ils font mourir les arbres qui bordent la plage.

— Et ils gênent les profitables fouilles de l'ancienne cité.

— Aussi, oui », répondit Leftrin sans ciller.

Alise lança un regard en coin à Sédric. Il avait fait sa dernière remarque d'un ton acerbe ; il était toujours contrarié, à juste titre, sans doute. Elle avait passé beaucoup plus de temps que prévu dans la Salle des Marchands, plusieurs heures, en grande partie consacrées à discuter avec les membres de la commission les détails du contrat de Leftrin. Malta y avait assisté, mais, le temps passant, elle ressemblait de plus en plus à une femme enceinte et lasse et de moins en moins à une Ancienne élégante et influente. Alise l'avait observée discrètement mais avec avidité.

Quand elle avait entendu parler pour la première fois de l'idée que des humains se transformaient en Anciens, cela avait remis en cause son sens de la réalité. Pour elle, enfant, les Anciens faisaient partie du royaume des fables, créatures brumeuses et puissantes qui rôdaient aux confins des contes et des mythes. La légende vantait leur élégance, leur beauté, leur pouvoir qu'ils maniaient parfois avec sagesse, d'autres fois avec une cruelle désinvolture. Quand les premiers colons à s'installer dans le désert des Pluies avaient découvert des traces de cités disparues et relié ces ruines avec les Anciens quasi mythiques, beaucoup avaient réagi avec scepticisme ; néanmoins, les années passant, on avait accepté leur existence et l'idée que, peut-être, les trésors magiques et mystérieux qu'on exhumait du désert des Pluies représentaient les dernières traces de leur passage dans le monde. Leur race avait connu son apogée et avait à présent disparu.

Nul n'avait opéré le rapprochement entre les déformations malheureuses et parfois monstrueuses que subissaient les colons du désert des Pluies avec la beauté éthérée des Anciens représentés dans les parchemins, dans les légendes et sur les tapisseries. Peau couverte d'écailles et yeux luisants ne donnaient pas toujours un spectacle plaisant, et, dans le cas des enfants qui en étaient affligés, ils voyaient leur espérance de vie grandement réduite, au contraire des quasi immortels que les légendes décrivaient. Un vautour et un paon possèdent certes des plumes et un bec, mais nul ne les confond. Pourtant, Malta et Selden Vestrit de Terrilville et Reyn Khuprus du désert des Pluies avaient changé, comme ceux qui habitaient cette région, non vers le monstrueux mais vers le fantastique, et certains, pour les distinguer des autres, les disaient « touchés par les dragons ». Alise pensait que leur présence lors de la sortie de Tintaglia de sa gangue et le temps qu'ils avaient passé auprès d'elle avaient orienté leur métamorphose sur une voie différente.

Regarder Malta Khuprus lui avait donné matière à réflexion pendant les heures fastidieuses où Leftrin avait marchandé avec les conseillers. Sans paraître trouver le temps long, il s'était lancé dans son maquignonnage avec l'enthousiasme d'un molosse s'efforçant de terrasser un taureau. Tandis qu'il discutait pour savoir qui paierait les vivres, quel fret son bateau pouvait emporter, s'il aurait la responsabilité des barques des gardiens, qui paierait si un dragon endommageait sa gabare, et cent autres variables, Alise avait subrepticement étudié l'Ancienne en s'interrogeant. Face à l'évidence, on ne pouvait ignorer que les modifications physiques subies par les humains leur donnaient certaines caractéristiques des dragons – ou des reptiles : les écailles, les excroissances inhabituelles, la crête que Malta portait au front, tout cela dénotait un lien avec les dragons. Mais d'autres éléments ne cadraient pas, comme par exemple l'étrange élongation de ses os.

Si les Anciens avaient découvert ce qui précipitait leur métamorphose, ils ne l'avaient noté nulle part, du moins dans les parchemins dont Alise avait connaissance. Puis elle se demanda si les Anciens n'avaient pas formé une espèce indépendante de celle des humains ; ceux-ci s'étaient-ils toujours transformés en Anciens, ou bien ces derniers existaient-ils séparément d'eux mais les deux races s'étaient-elles entrecroisées ? Alise, absorbée dans ses réflexions, avait sursauté, comme tirée brutalement d'un rêve, quand

Leftrin avait annoncé : « Eh bien, c'est entendu ; je partirai dès que vous aurez fait apporter le ravitaillement sur le quai. » Elle avait vu les membres du Conseil se lever pour serrer la main du capitaine pendant qu'on sablait, afin d'en sécher l'encre, un document manifestement rédigé et signé par toutes les parties à mesure qu'elles se mettaient d'accord sur le détail des termes. Malta, l'air plus fragile que jamais, avait signé elle aussi et regardait maintenant Alise. La Terrilvillienne avait rassemblé son courage pour aller se présenter à elle.

Mais elle avait à peine fait quelques pas que l'Ancienne était venue vers elle, courtoise mais lasse. Elle avait pris les mains d'Alise dans les siennes et dit : « Je ne sais vraiment pas comment vous remercier. J'aimerais pouvoir y aller moi-même, même si je n'ai guère d'affection pour les dragons : ils ne sont pas faciles à vivre, presque aussi entêtés et sûrs d'eux que les humains. »

Alise était restée abasourdie. Elle s'attendait à ce que l'Ancienne se déclarât dévouée aux dragons jusqu'à la mort et l'implorât de tout faire pour les protéger ; mais non ; Malta poursuivit : « Ne vous fiez pas à eux, ne les croyez pas particulièrement nobles ou plus moraux que les hommes, car c'est faux. Ils sont comme nous, en plus grand et en plus fort, avec des souvenirs très présents où nul ne contrecarre leur volonté. Soyez donc prudente ; et, quoi que vous appreniez d'eux, que vous découvriez Kelsingra ou non, notez tout et revenez nous en faire part, parce que, tôt ou tard, l'humanité devra cohabiter avec une considérable population de dragons. Nous avons oublié tout ce que nous savions sur les relations avec eux, mais eux n'ont rien oublié.

— Je ferai attention, avait promis Alise d'une voix défaillante.

— Je vous crois. » Malta avait souri et paru un instant plus humaine. « Vous m'avez l'air d'une Marchande qui n'a pas oublié ce qu'est une promesse. À l'époque où nous vivons, il en faudrait davantage comme vous. À présent, veuillez m'excuser, mais je dois rentrer me reposer.

— Avez-vous besoin d'aide pour retourner chez vous ? avait demandé la Terrilvillienne non sans audace ; mais Malta avait secoué la tête, lâché les mains d'Alise et gravi lentement mais avec grâce les marches peu élevées qui menaient aux portes. La jeune femme la suivait encore du regard quand elle sentit la main de Leftrin se poser lourdement sur son épaule.

« Eh bien, on dirait que vous venez de nous offrir nos billets pour l'expédition ! Je me demande si Brashen Trell se doutait de la chance qu'il m'envoyait en vous adressant à moi ! Ça m'étonnerait, mais c'est le cas. Ma foi, ma dame porte-bonheur, le marché est signé ; il ne manque que votre paraphe. »

Ébahie, elle se retourna et s'aperçut qu'il ne mentait pas : les membres du Conseil n'avaient pas bougé de leurs sièges, et la plume l'attendait sur son support. Comme son regard se portait vers la présidente de la commission, la Marchande Polsk désigna le document d'un geste impatient. Alise jeta un coup d'œil à Leftrin.

« Eh bien, allez-y ! fit-il. La journée s'avance. »

Dans une sorte de brume, elle traversa la salle. Elle ne devait pas, elle ne pouvait pas faire cela. Avait-elle jamais apposé sa signature au bas d'un document qui la liait ? Seulement le jour où elle avait contresigné son accord de mariage avec Hest. Comme dans un cauchemar éveillé, elle se rappelait toutes les minutes de ce contrat et l'empressement avec lequel elle avait mis sa griffe sur chacune d'elles. C'était la seule fois où sa signature l'avait engagée en tant que Marchande, et elle se la remémorait de temps en temps ; à présent, en se rappelant la façon dont Hest avait pressé la céré-monie, elle n'y voyait plus la hâte d'un jeune marié mais l'augure de la future banalisation de leur union, et aujourd'hui elle regrettait de s'être compromise ainsi ; alors comment pouvait-elle seulement songer à parapher un autre document ? Son regard parcourut les mots qui précédaient son nom ; on avait négocié un salaire pour elle, un paiement quotidien pour chaque jour qu'elle passerait à bord de la gabare. Elle éprouva une étrange impression à songer qu'elle gagnerait de l'argent, de l'argent à elle, lors de ce voyage – enfin, si elle y participait. Et, soudain, elle sut qu'elle en serait.

Parce qu'elle en avait envie ; parce que, bien que mariée à Hest, elle restait de souche Marchande et capable de prendre seule ses décisions. Ce fut sa main, sa main qu'elle connaissait par cœur, avec ses taches de rousseur, qui prit la plume et la trempa dans l'encrier ; avec un bizarre sentiment de distanciation, elle la regarda former les lettres de son nom de sa solide écriture penchée. « Là, c'est fait », dit-elle, et sa voix lui parut bien ténue dans la vaste salle.

« C'est fait », acquiesça la Marchande Polsk en versant une dose copieuse de sable sur le papier. Elle secoua le contrat, et seule demeura sur la page la signature d'Alise, ferme et noire. Qu'avait-elle fait ?

Le capitaine Leftrin l'avait rejointe. Son rire franc éclata dans la salle ; il prit le bras d'Alise, et il l'entraîna à sa suite. « Et voilà une matinée fructueuse qui se conclut. J'avoue que je suis ravi de votre compagnie pour cette expédition. Le Conseil affirme que le *Mataf* pourra être chargé et prêt à appareiller en fin d'après-midi ; entre nous, ça ne lui demandera pas trop de travail. Je savais que j'obtiendrais le contrat, et j'ai déjà pris mes dispositions pour qu'on me livre les fournitures dont j'ai besoin. Bien ; nous n'avons pas loin à naviguer avant notre première halte : la berge des dragons se trouve à une heure de trajet des quais. Mais, pour le moment, nous avons un peu de temps libre ; j'ai envoyé un messager apprendre la nouvelle à Hennesie : c'est un bon second et il supervisera l'embarquement de la cargaison, je ne me fais pas de souci. Alors, que diriez-vous de visiter Cassaric avant notre départ ? Vous n'avez guère eu l'occasion de voir Trehaug, d'après ce que vous m'avez dit. »

Elle eût dû refuser, exiger de retourner aussitôt au bateau, mais, après l'aventure qu'elle venait de vivre, l'idée de retrouver son personnage de femme d'une correction rigoureuse, voire pusillanime, lui paraissait insupportable ; de même, elle ne se voyait pas avouer à Sédric ce qu'elle avait fait en le regardant droit dans les yeux. Sédric… Oh, Sâ ait pitié d'elle ! Non, elle ne pouvait pas affronter cette perspective, pas tout de suite. Hardiment, elle posa la main sur le bras de Leftrin et répondit : « Visiter Cassaric ? Oui, ça me plairait, je crois. »

Il lui avait donc montré la « cité », bien que Cassaric ne méritât guère ce nom. C'était une ville animée, encore jeune, rude et en plein croissance. Alise avait la conviction que le capitaine Leftrin avait choisi délibérément de l'emmener par le trajet le plus aventureux possible ; il avait commencé par une ascension vertigineuse à bord d'un hisse-panier. Ils étaient montés sur la petite plate-forme, avaient refermé le portillon fragile, puis Leftrin avait tiré une corde, et, très loin au-dessus d'eux, Alise avait entendu sonner une clochette. « Il faut qu'ils lestent, maintenant », avait expliqué le capitaine, et la jeune femme avait attendu, le cœur battant. Au bout d'un moment, un choc avait ébranlé le petit compartiment, qui s'était élevé lentement mais régulièrement ; construit en matériaux légers mais solides, il était si exigu que ses passagers se frôlaient constamment. Alise contemplait le paysage mais ne pouvait s'empê-cher d'avoir conscience de la présence robuste de Leftrin derrière elle. À mi-chemin de leur montée, ils croisèrent le responsable de l'ascenseur qui descendait par l'autre panier ; debout au milieu de ses pierres de lest, il arrêta les deux paniers côte à côte, par un moyen qu'Alise ne vit pas, afin de toucher le droit de passage. Une fois payé, l'homme poursuivit sa descente tandis qu'Alise et Leftrin reprenaient leur ascension. La vue était extraordinaire. Ils passaient entre d'énormes branches sur lesquelles couraient des chemins piétonniers, des rangées de maisons qui pendaient des arbres comme des ornements, des passerelles branlantes et de petits paniers qui filaient, accrochés à des poulies, le long de lignes qui évoquaient à la jeune femme des cordes à linge. Quand ils parvinrent enfin à destination et que l'employé arrêta leur ascension, ils se trouvaient si haut dans les arbres que des rayons de soleil jaune vif filtraient à travers les épais feuillages. L'homme ouvrit le portillon, et Alise prit pied sur un étroit balcon fixé à une grosse branche. Elle jeta un coup d'œil en contrebas, réprima un hoquet de frayeur, puis faillit pousser un cri d'effroi quand Leftrin la saisit brusquement par le bras. « La première fois qu'on grimpe, c'est le meilleur moyen d'attraper le vertige », lui dit-il, et il l'entraîna sur un étroit chemin qui serpentait le long de la branche en direction du tronc.

Elle s'efforça de prendre une attitude détachée en plaçant les mains sur l'écorce rugueuse ; elle eût voulu se serrer contre l'arbre, mais c'eût été comme vouloir étreindre un mur. Ici, dans le désert des Pluies, les plantes et leurs frondaisons avaient des dimensions si gigantesques qu'on eût dit des éléments géographiques et non simplement botaniques. Leftrin eut la courtoisie de se taire tandis qu'elle reprenait son souffle et sa dignité. Quand elle se retourna vers lui, il lui sourit avec sympathie, sans taquinerie, et dit : « Je crois qu'il y a un petit salon de thé très agréable par ici. »

Il lui fit faire le tour du tronc sur le solide trottoir en bois. La ville s'était éveillée et, bien que les chemins ne fussent pas aussi bondés que les rues de Terrilville un jour de marché, il y avait tout de même partout une foule considérable ; à regarder ces gens vaquer tranquillement à leurs occupations, Alise sentit la perception qu'elle avait d'eux changer progressivement. Leurs visages écailleux et leurs tenues étranges commençaient à lui paraître normaux quand ils étaient arrivés au salon de thé et avaient commandé une collation. Ils avaient bavardé, ri et mangé, et, pendant quelque temps, Alise avait oublié qui et où elle était.

Le capitaine Leftrin était un homme rugueux, presque grossier, pas particulièrement beau ni soigné, ni même instruit. Il se moquait de faire tomber du thé dans sa soucoupe ; quand il riait il jetait la tête en arrière et rugissait, au grand effarement des clients de la boutique et à la grande gêne de la Terrilvillienne. Pourtant, en sa compagnie, elle se sentait plus femme que depuis des années, peut-être depuis toujours. À cette idée, elle se rendit compte qu'elle se conduisait comme si non seulement elle était célibataire mais qu'elle n'eût à répondre de ses actes à personne. Choquée, elle resta le souffle court, et songea aussitôt que Hest avait envoyé Sédric la chaperonner précisément pour éviter ce genre de mésaventures et protéger sa réputation – sa réputation à lui, se reprit-elle. Sédric avait tenté de la mettre en garde là contre. Elle termina rapidement son thé puis attendit, fébrile, que Leftrin en fît autant, mais en prenant son temps.

« Voulez-vous que nous continuions à nous promener ? demanda-t-il avec un sourire assuré lorsqu'ils quittèrent l'échoppe.

— Je crois que je devrais retourner expliquer à Sédric que mes plans ont changé ; à mon avis, ça ne va pas lui faire plaisir », répondit-elle, et soudain elle mesura à quel point elle était loin de la vérité. Sédric avait déjà mal supporté ces quelques jours de voyage à bord du *Mataf* ; comment réagirait-il en apprenant qu'elle s'était portée volontaire pour un voyage de plusieurs jours, voire plusieurs semaines ? S'y opposerait-il ?

Cette pensée la glaça d'effroi, mais une autre, pire encore, lui vint à l'esprit : pouvait-il lui interdire de participer à cette expédition ? Devrait-elle se plier à son jugement s'il déclarait qu'elle devait renoncer à sa folie ? Que se passerait-il alors ? Elle avait apposé sa signature au bas d'un accord ; nul Marchand ne songerait à invalider pareil engagement. Mais s'il lui disputait ce droit ? Jusqu'où devait-elle se soumettre à son autorité ? Après tout, c'était son chaperon, qui l'accompagnait pour préserver les apparences, non son gardien ni son père. En outre, Hest avait clairement dit qu'il était aux ordres d'Alise ; par conséquent, le cas échéant, elle pourrait lui imposer son choix. N'était-ce pas pour cela que Hest le payait ? Pour obéir aux instructions ? C'était le serviteur de Hest.

Et l'ami d'Alise.

Sa conscience la démangeait désagréablement. De plus en plus souvent, elle pensait à lui comme à un ami, et elle appréciait les attentions et la déférence qu'il lui manifestait. Ce matin-là, en s'éclipsant de bonne heure, elle n'avait pas jugé utile de l'avertir, parce que l'ami comprendrait ; mais l'employé de son époux, son chaperon, comprendrait-il, lui ? L'avait-elle placé dans une position difficile sans y penser ? Vite, sans se laisser le temps de céder à la tentation de déambuler à nouveau dans Cassaric au bras du capitaine, elle reprit : « Je dois retourner tout de suite au bateau ; il faut que je prévienne Sédric de ce que j'ai… » Elle s'interrompit soudain. De ce qu'elle avait décidé ? Pouvait-elle employer cette expression sans se sentir humiliée quand Sédric la retournerait contre elle ? Car il le ferait, elle en avait brusquement la certitude.

« Vous avez sans doute raison, fit Leftrin à contrecœur. Il faudra que vous dressiez une liste de ce dont vous aurez besoin ; j'ai de bons fournisseurs ici ; j'irai chercher votre matériel et vous me réglerez quand nous reviendrons à Trehaug.

— Naturellement », acquiesça Alise d'une voix défaillante. Évidemment, l'allongement de son voyage entraînerait des frais ; pourquoi n'y avait-elle pas songé ? Et qui devrait payer ces dépenses ? Hest. Il en serait ravi ! Elle se sentait soudain beaucoup moins compétente et indépendante que quelques heures plus tôt, et elle envisageait presque avec soulagement le veto de Sédric. Elle voulut regarder le ciel, mais l'ombrelle massive de la végétation l'en empêcha. Combien d'heures avaient-elles passé ? Combien d'heures avait-elle perdues sur le temps dont elle disposait avec les dragons ? Les membres du Conseil avaient paru vouloir les déplacer le plus vite possible ; aurait-elle effectué ne fût-ce qu'une seule journée de recherche à la fin de son voyage dans le désert des Pluies ? Elle imagina les moqueries et les reproches de Hest devant ce gaspillage de temps et d'argent, et les joues lui brûlèrent. Elle ne devait pas perdre davantage de temps.

Serrant les dents, elle avait retraversé les ponts oscillants en compagnie de Leftrin. Elle n'avait jamais éprouvé sensation semblable à celle de son estomac lui remontant dans la gorge lorsque le panier fragile les fit descendre beaucoup trop vite pour son confort. Leftrin avait tendance à marcher de façon nonchalante et à bavarder avec les gens de sa connaissance qu'il croisait ; Alise dut ainsi faire preuve de patience pendant une dizaine de rencontres.

À chacun, Leftrin la présentait comme « la spécialiste terrilvillienne des dragons qui va remonter le fleuve avec eux pour leur trouver un site adapté ». Ce titre, qui naguère l'eût transportée de joie, l'emplissait au contraire d'anxiété, et son abattement fut complet quand elle arriva enfin au *Mataf* pour constater l'absence de Sédric.

Hennesie supervisait déjà l'embarquement d'une noria de caisses et de barils. Il parut surpris de voir Alise. « On croyait tous que vous dormiez encore. Le Sédric, il a dit de vous dire qu'il allait chercher un "logement convenable" pour vous deux. » Son imitation de la diction de Sédric fit prendre conscience à la jeune femme de la façon dont l'équipage percevait la délicatesse et les manières aristocratiques de son ami.

Elle resta quelque temps sur le pont à regarder l'équipage travailler et à se demander, effarée, quelle quantité de fret les cales du *Mataf* étaient capables d'accueillir. Enfin, elle retourna dans la cabine du capitaine et tâcha de s'imaginer y vivant plus d'une semaine, voire un mois ; la petite pièce lui paraissait jusque-là pittoresque, mais, sur une plus longue durée, son exiguïté pouvait devenir oppressante. Elle trouva un prétexte pour passer la tête dans les quartiers de l'équipage, et battit aussitôt en retraite : non, elle ne voyait pas Sédric habiter là plus longtemps. À coup sûr, il s'opposerait à sa participation au voyage. Elle revint sur le pont et porta un regard inquiet vers l'amont du fleuve. À plusieurs reprises, Leftrin tenta d'engager la conversation sur ses besoins futurs, et, une fois, quand elle lui demanda non sans impatience quand elle verrait enfin les dragons, il expliqua que la berge où ils vivaient se trouvait à moins d'une heure de trajet par le fleuve, mais beaucoup plus loin si elle souhaitait passer par la cité, en empruntant passerelles et hisse-panier pour y parvenir. Elle refusa courtoisement cette dernière proposition et s'efforça de retrouver à la fois sa patience et son calme.

Elle aperçut Sédric avant qu'il ne la vît. Il arriva sur le quai à grands pas, son visage ordinairement amène fermé par une expression de désapprobation. Quand il leva les yeux et repéra Alise assise sur le toit du rouf, il prit une grande inspiration, puis monta à bord et rejoignit aussitôt la jeune femme. Sans la saluer, il

141

lança d'une voix sèche : « Quelles sont ces rumeurs ridicules que j'entends ? J'ai voulu nous louer des chambres, mais la propriétaire m'a demandé pour quoi faire, car elle avait appris que la dame de Terrilville venue étudier les dragons allait partir sur le *Mataf* remonter le fleuve avant la fin de la journée ! »

Alise s'aperçut avec étonnement qu'elle tremblait. Malgré ses railleries sournoises, Hest n'avait jamais élevé la voix devant elle, et, depuis des années qu'elle connaissait Sédric, elle ne l'avait jamais entendu s'exprimer d'un ton aussi sévère, où la colère vibrait sous la surface des mots. Elles crispa les mains sur ses genoux et s'efforça de parler calmement. « Effectivement, je me suis portée volontaire ; vois-tu, j'ai accompagné le capitaine Leftrin à une réunion du Conseil des Marchands de Cassaric et j'ai appris qu'ils avaient l'intention de déplacer les dragons pour les transplanter en amont du fleuve, nul ne sait où exactement, mais le Conseil tient à les évacuer immédiatement. Malta l'Ancienne était présente ; elle se désespérait de ne pouvoir les escorter, mais, quand j'ai dit que je le pouvais, elle a… »

Sédric interrompit le torrent de paroles. « Impossible. » Il avait le visage rouge. « Je n'arrive pas à y croire ! Mais qu'as-tu fait ? Tu quittes le bateau sans m'avertir, tu t'en vas seule avec cet homme, et maintenant tu te retrouves impliquée dans la politique du désert des Pluies et tu fais des offres que tu ne peux pas tenir ! Tu ne peux pas te lancer dans une expédition extravagante pour gagner une destination inconnue sans date de retour ! Alise, mais qu'est-ce qui t'a pris ? Ce n'est pas un jeu ! Il s'agit de s'en aller loin de toute habitation, peut-être loin de toute région explorée ; ces gens devront faire face à toutes sortes de dangers, sans parler de l'inconfort et des conditions primitives inhérents à ce genre de voyage. Tu n'es pas faite pour supporter de pareilles situations ! Tu n'as même aucune idée de ce que tu as proposé – ou bien tu peux l'imaginer, mais ça ne va pas plus loin ; la réalité t'échappe complètement. Et il faut aussi prendre en compte le facteur temps : l'été ne dure pas éternellement ; or nous n'avons pas emporté assez de vêtements ni pris les dispositions nécessaires pour un séjour prolongé dans le désert des Pluies. Tu n'as peut-être pas d'engagements sérieux à Terrilville, mais moi j'en ai ! Toute cette histoire est ridicule ! Et nous en retirer va nous mettre dans un terrible embarras ! Hest a des partenaires commerciaux ici, dans le désert des Pluies ; de quoi aura-t-il l'air quand on saura que sa propre femme s'est impliquée dans un projet qu'elle ne pouvait pas mener à bien et qu'elle a dû battre en retraite ? Mais à quoi pensais-tu donc ? »

Entre le moment où il avait commencé son sermon et celui où il l'acheva, un événement étrange se produisit : le tremblement qui agitait Alise se calma puis se renforça, et, dans le regard outré de Sédric, elle se vit telle qu'il la voyait, étourdie et protégée, vivant une aventure imaginaire avant de retrouver son existence dépourvue d'« engagements sérieux », ignorante de la réalité que Hest et lui affrontaient avec tant de compétence !

Et il avait peut-être raison, mais ce n'était pas la faute d'Alise : on ne lui avait jamais laissé accumuler les expériences dont elle avait besoin pour acquérir savoir et indépendance. Jamais. Cette pensée brûlait en elle comme du métal fondu, et soudain elle se résolut en une détermination glacée. Elle n'accepterait plus qu'on la laisse ou qu'on ne la laisse pas prendre ses décisions ; elle refusait de se soumettre encore à l'autorité d'autrui, et elle suivrait sa propre volonté, dût-elle en mourir – car mourir vaudrait assurément mieux que rentrer chez elle et finir ses jours sans avoir eu le droit de poursuivre son rêve.

Aussi, quand Sédric lui demanda à quoi elle pensait, elle répondit au pied de la lettre : « J'ai pensé que j'allais enfin étudier les dragons, comme Hest m'en avait fait la promesse ; c'était une des conditions pour que j'accepte de l'épouser : que j'aie le droit de venir ici les étudier. S'il avait tenu parole, j'aurais effectué ce voyage il y a des années et tout aurait été beaucoup plus simple. Mais, comme il a préféré négliger les termes de notre marché, voilà où nous en sommes ; et, pour moi, la seule façon de remplir sa promesse, c'est de suivre les dragons dans leur déplacement et de les étudier en chemin. » À bout de souffle, elle dut se taire.

Il la regardait fixement, la bouche entrouverte. Elle vit qu'il s'apprêtait à parler et le prit de vitesse. « J'ai donc signé un accord avec le Conseil des Marchands. Nous remonterons le fleuve à bord du *Mataf* pour trouver un nouveau site pour les dragons ; et, comme nous partirons cet après-midi, le capitaine Leftrin aura besoin d'une liste de fournitures qu'il ira nous acheter. Je m'occuperai de régler ces frais à notre retour à Trehaug. Je toucherai un salaire à bord du bateau, naturellement, si bien que j'aurai de quoi le payer ; et je lui demanderai évidemment qu'il prenne ses dispositions pour nous loger autrement, afin que nous fassions un voyage plus confortable. »

Elle entendait ces derniers mots comme une offre de paix, en espérant qu'ils retiendraient son attention et lui feraient accepter le reste, mais cela ne marcha pas.

« C'est de la folie, Alise ! Nous ne sommes pas préparés pour…

— Et nous ne serons pas préparés si tu ne te mets pas tout de suite à rédiger cette liste ! C'est bien le genre de travail que tu effectues pour Hest, n'est-ce pas ? Et c'est bien ce qu'il t'a demandé dc faire pour moi pendant ce trajet ? Alors fais-le. »

Là-dessus, elle s'était levée et l'avait planté là, sans un mot de plus. Elle était restée pantoise quand il avait exécuté ses ordres, et se sentait mal à l'aise en sa présence depuis lors au point de l'éviter, ce à quoi elle avait réussi, véritable exploit à bord d'un bateau. Quant à Leftrin, il avait accepté avec une bonne grâce surprenante de modifier leurs conditions de logement.

« J'y ai déjà réfléchi, ct le matériel arrive. Ça ne me dérange pas de laisser ma cabine pour un ou deux jours, mais, au-delà, ça ne va pas. Vous allez voir, on peut installer des cabines provisoires sur le pont. Je l'ai déjà fait pour du bétail, et ça n'est pas très différent pour des passagers. Le *Mataf* a été conçu pour être adaptable. Non, ne me regardez pas comme ça !

Vous verrez, ce sera même assez confortable pour monsieur de la Coquetterie, là-bas. » Et, avec un sourire éhonté, il avait indiqué de la tête Sédric qui faisait toujours grise mine.

Leftrin avait tenu parole. Alise n'avait pas remarqué jusque-là les fixations plantées dans le pont qui permettaient d'ériger des cloisons ; les cabines ainsi créées n'étaient ni spacieuses ni élégantes, à peine plus grandes que des boxes pour chevaux, mais elles fermaient, et, quand on y accrocha des hamacs et qu'on y déposa les bagages, Alise constata qu'elle pouvait arranger ses coffres pour se fabriquer un petit nid douillet. Elle disposait d'un coin où s'asseoir pour écrire et d'une lampe, sur laquelle Leftrin lui avait recommandé la plus extrême prudence. « Pétrole et flamme ne font jamais bon ménage à bord d'un bateau », avait-il dit. La cabine d'Alise partageait une cloison avec celle de Sédric, lequel, une fois toutes les parois montées, s'était aussitôt enfermé chez lui.

Et il n'en était sorti qu'au moment où la gabare avait quitté le quai de Cassaric pour jeter l'ancre, moins d'une heure plus tard, près de la berge boueuse où résidaient les dragons. Il paraissait en meilleure forme que précédemment : retrouver sa garde-robe, jouir de son intimité, faire la sieste et manger seul lui avaient apparemment rendu son énergie, sinon son charme. Il n'avait fait aucune réflexion à Alise sur la façon dont elle l'avait traité, mais son ton acerbe lui faisait comprendre qu'il ne lui avait pas pardonné. Elle secoua la tête et se détourna de lui ; elle règlerait la

146

question plus tard. Pour le moment, rien ne devait gâcher sa première vision des jeunes dragons.

« Ils sont énormes ! » Sédric paraissait effrayé. « Tu n'as tout de même pas l'intention d'aller te promener parmi eux !

— Bien sûr que si ; enfin, dans un moment. » Elle n'avait pas envie d'avouer qu'elle se sentait beaucoup plus en sécurité à les observer depuis le pont du *Mataf*.

Sur la plage, le dragon doré leva soudain la tête, et la petite silhouette à ses côtés s'agita. La créature se tourna vers la gabare et souffla bruyamment, les narines dilatées, puis elle roula pour se remettre sur ses pattes et s'avança lourdement vers la rive.

« Allons bon ! Que veut-il, celui-là ? » marmonna Leftrin, inquiet. Il regarda le nouveau venu approcher. L'animal, du haut de son long cou, considéra le *Mataf* avec curiosité, les yeux noirs et brillants ; il fit encore quelques pas puis avança la tête pour renifler le bateau. Sédric s'écarta du bastingage. « Alise », fit-il d'un ton d'avertissement, mais le capitaine n'avait pas reculé, et la jeune femme décida de l'imiter. À cet instant, le dragon donna doucement de la tête contre le flanc du bateau. Mataf ne bougea pas, mais aussitôt Souarge et Hennesic accoururent et se placèrent à côté de Leftrin tandis que Grand Eider, derrière eux, les dominait de sa masse et regardait le dragon d'un air mauvais. Grig, le chat roux du bord, se joignit à eux, bondit sur la lisse et fixa sur l'intrus un œil menaçant en agitant sa queue rayée et en proférant d'inintelligibles jurons de chat dans sa gorge. « Il n'y a pas de mal, dit Leftrin à mi-voix, et il posa une main apaisante sur le dos de l'animal furieux.

— Pas encore, fit Hennesie d'un ton amer.

— Y a-t-il un risque ? demanda Alise.

— Je ne sais pas », répondit Leftrin. Puis, comme la gardienne du dragon parvenait à la hauteur de la créature, il ajouta tout bas : « Je ne crois pas. »

Quelques instants plus tard, l'immense bête suivait paisiblement la jeune fille qui la ramenait à sa place au soleil. Alise, qui retenait sa respiration, poussa un grand soupir. « Regardez comme le soleil se reflète sur lui, et comme ses dessins sont délicats ! Quelles créatures extraordinaires ! Même malformées, elles restent incroyablement magnifiques. Naturellement, la reine, au bout de la berge, est la plus belle, mais c'est normal : les femelles de cette espèce portent toujours les couleurs les plus flamboyantes. D'après mes recherches, ces créatures peuvent se montrer autoritaires, voire arrogantes, mais, étant donné leur niveau d'intelligence, cette morgue est peut-être l'attitude normale d'un esprit supérieur. Regardez-la ! On dirait que ses écailles absorbent le soleil et qu'elle brille de l'intérieur. »

La dragonne bleue et son soigneur se trouvaient à bonne distance du bateau, une centaine de pieds au moins, et Alise était sûre que sa voix ne portait pas si loin ; pourtant, la créature étendue sur la boue durcie leva soudain la tête et observa la jeune femme un long moment de ses yeux de cuivre liquide ; puis elle dit : « Tu parlais de moi, Terrilvillienne ? »

Cinquième jour de la Lune du Grain

*Sixième année de l'Alliance Indépendante
des Marchands*

*De Detozi, Gardienne des Oiseaux, Trehaug,
à Kim, Cassaric*

A-t-il échappé à votre petite cervelle rabougrie que le message que vous avez reçu d'Erek contenait des informations sur une alimentation particulière propre à améliorer la santé et la longévité des pigeons ? Ne vous est-il pas venu à l'esprit qu'en joignant ce renseignement à une missive officielle confiée à un oiseau qui portait déjà un message, il faisait simplement preuve d'efficacité ? L'idée que lui et moi entretenons une correspondance privée est risible, étant donné que nous ne nous sommes jamais rencontrés. Si vous souhaitez porter cette lettre à l'attention des Conseils, ne vous en privez surtout pas : cela nous donnera à tous l'occasion de discuter de l'état navrant des nichoirs de Cassaric, de la mort de plus de vingt poussins prometteurs parce qu'un serpent a *pu pénétrer dans vos nichoirs, et des rumeurs selon lesquelles on sert avec une fréquence insolite des pigeonneaux à la table de vos parents depuis que vous avez pris vos fonctions.*

Detozi

4

Parmi les dragons

Mais comment avait-elle pu faire ça ? Il n'arrivait pas à y croire ! Cette femme n'était pas l'Alise Kincarron qu'il avait connue enfant ! Ce n'était même pas l'Alise Finbok avec qui il avait souvent dîné ces cinq dernières années. Il ignorait d'où sortait cette mégère, mais il se réjouirait de la voir disparaître. S'il n'avait pas été aussi important pour lui de l'accompagner quand elle irait voir les dragons de près, il ne l'eût jamais laissée aller aussi loin.

Il s'accouda près d'elle au bastingage ; à la gauche de la jeune femme, le répugnant capitaine Leftrin imitait la pose de sa voisine, si près d'elle qu'il la touchait presque, tandis qu'elle débitait ses fredaines énamourées sur les dragons. Bah, qu'elle en profite un jour ou deux ! Malgré la colère qu'il éprouvait à l'endroit d'Alise, il redoutait les tâches qui l'attendaient ; il l'accompagnerait à terre pour lui servir de secrétaire pendant qu'elle « s'entretiendrait » avec les énormes bêtes qui vivaient là ; bien vite, elle comprendrait ce

151

qu'elles étaient, et on n'en parlerait plus. À la pensée de l'inévitable désillusion d'Alise, un sentiment proche de la pitié l'envahit ; il avait été stupide de discuter lorsqu'elle lui avait exposé son idée extravagante de suivre le capitaine et les dragons dans leur voyage : il eût mieux fait de se taire et d'acquiescer. Il avait écouté Trell et son épouse parler des créatures, et il savait que l'aventure ne se déroulerait pas comme elle l'imaginait. Dans un jour ou deux, quand elle viendrait pleurer sur son épaule, déçue et dépitée, il serait prêt à la consoler et à trouver le moyen de les ramener tous deux chez eux ; il lui suffisait de prendre patience – et de se retenir de vomir en regardant cette limace de Leftrin la suivre partout.

Il leur jeta un nouveau coup d'œil oblique. Elle regardait le capitaine et souriait. Était-elle amoureuse de ce rat de rivière grisonnant ? Cela ne paraissait pas possible. Peut-être prenait-elle ses braiements de rire et ses compliments outrés pour le comble du charme rustique ? Après tout, Alise avait eu peu d'occasions de connaître, socialement parlant, beaucoup d'hommes différents ; peut-être était-ce précisément le côté rugueux de l'homme qui lui plaisait. Toutefois, il la connaissait assez bien pour savoir que Hest n'avait pas à craindre de la perdre ; même si elle n'était pas heureuse avec lui, elle était beaucoup trop collet monté pour songer à le tromper. Eh bien, qu'elle fasse un peu sa coquette, qu'elle se croie une femme d'expérience durant cet épouvantable voyage ! Mais comment pouvait-elle avoir envie de folâtrer avec un vieux phoque comme Leftrin ? Cela le dépassait. Il ne pouvait en rien se comparer à Hest et son élégance.

À la pensée de Hest, l'accablement le saisit à nouveau. Où était-il en cet instant, que faisait-il ? Avec qui partageait-il sa table et ses réflexions pleines d'esprit ? Quel port exotique l'avait-il attiré ? Quel fret insolite, extraordinaire, avait-il déjà acheté ? Sédric ferma les yeux un instant et vit Hest bourrer sa pipe après un repas raffiné dans un cadre luxueux. Se demandait-il ce que Sédric endurait à bord de sa gabare à remonter un fleuve infesté de moustiques ? Sans doute, et un petit rire lui échappait probablement chaque fois qu'il y songeait. Plus humiliant encore était d'imaginer Hest partageant son amusement avec Vollom, Jaf et ce fourbe de Reddin Cope ; il voyait d'ici Cope exécutant une de ses exaspérantes imitations : « Voici Sédric qui profite des moustiques. » Et ce petit avorton rondouillard de s'appliquer des claques, de sauter partout, et de se voir récompensé par le rire de Hest. Cette seule idée était intolérable, et il s'aperçut qu'il crispait les mâchoires ; avec un effort, il composa son visage. Toute cette aventure lamentable était le fait de Hest, qui lui faisait payer de façon excessive une faute ridicule : avoir parlé franchement, alors qu'il demandait seulement à son ami de se montrer plus doux avec son épouse. Pour sa peine, non seulement Hest l'avait exilé, mais Alise l'obligeait à l'accompagner encore plus loin dans cette jungle primitive.

Sans se soucier de la contrariété de Sédric, la jeune femme bavardait avec le vieux bouc à sa gauche, et, l'espace d'un instant, il suivit ses propos. « Regardez-la ; on dirait que ses écailles absorbent le soleil et qu'elle brille de l'intérieur. Elle est magnifique. »

Sédric acquiesça vaguement et la laissa divaguer. La plage ne méritait pas son nom, simple pente de boue piétinée et cuite par le soleil qui descendait jusqu'au bord de l'eau. Dans peu de temps, il y suivrait Alise en prenant des notes à sa demande, en contournant les bouses de dragon et les débris rejetés par le fleuve, et en abîmant sans doute définitivement ses bottes. Dès que l'équipage aurait fini d'amarrer le bateau, ou de jeter l'ancre, bref, de faire ce qu'il faisait, Alise voudrait aller à terre ; mieux valait qu'il se rende dans sa « chambre » pour y prendre son matériel.

« Oui, oui, je parlais de toi ! Tu es absolument splendide ! » cria Alise.

Sédric leva les yeux : la jeune femme paraissait transportée de bonheur. Sous ses innombrables taches de rousseur, elle avait les joues rouges, et elle plaquait ses mains sur sa poitrine comme pour y contenir son cœur affolé. Elle se tourna vers lui, et il vit dans son regard qu'elle avait complètement oublié leur désaccord. Béate, elle s'exclama : « Sédric, elle m'a parlé ! La dragonne bleue, elle m'a parlé ! »

Il parcourut des yeux les créatures reptiliennes qui paressaient ou marchaient sur la rive boueuse. « Quelle dragonne bleue ? demanda-t-il.

— La reine, la grande reine bleue. » On eût dit qu'Alise ne parvenait pas à reprendre son souffle.

D'une voix plus forte, elle lança : « Puis-je descendre à terre pour m'entretenir avec toi ?

— La reine ? Les dragons ont des rois et des reines ?

— La grande femelle bleue. » Elle s'exprimait d'un ton impatient. « Celle-là, là-bas, à côté de la fille avec le balai.

— Ah ! Et comment sais-tu que c'est leur reine ?

— Pas "leur" reine : "une" reine. Toutes les dragonnes sont des reines, comme toutes les chattes sont des reines. Et, maintenant, tais-toi, je t'en prie ! Je n'entends pas ce qu'elle dit quand tu parles ! »

La créature émettait un son qui évoquait un instrument à vent désaccordé, mais Alise paraissait enchantée par ce chant. Quand la dragonne cessa de meugler, le capitaine Leftrin eut l'air lui aussi fasciné. « Eh bien, descendons », dit-il.

La jeune femme se dirigeait déjà d'un pas pressé vers la proue ; elle se retourna. « Apporte ton carnet, Sédric, s'il te plaît ; prends tout ce dont tu auras besoin pour transcrire notre conversation. Vite !

— Très bien, je reviens. » Son propre cœur se mit à battre plus vite à la perspective de côtoyer enfin les dragons, et il gagna promptement le box que Leftrin avait fait monter pour lui et qui avait au moins résolu un de ses problèmes : entre les quatre cloisons grossières, il bénéficiait d'une certaine intimité et il avait accès à tous ses bagages. Il ouvrit le coffre qui contenait sa garde-robe, puis un des tiroirs qu'il renfermait ; il avait tout préparé le plus soigneusement possible dans l'espoir de faire face à toutes les situations. Il

sortit son écritoire et s'assit sur son lit pour l'ouvrir ;
le « lit » se résumait à une planche surélevée couverte
de couvertures plus ou moins propres pour la rendre
moins dure, mais il formait un siège convenable et
représentait une nette amélioration par rapport au
hamac qu'on lui avait bricolé auparavant.

Il vérifia rapidement le contenu de son bureau portatif. Il y avait des récipients pour des encres de
diverses couleurs, certains pleins, d'autres vides,
quelques plumes déjà taillées et d'autres entières, son
couteau, petit mais affûté, une solide réserve de
papiers de différents poids, et un carnet à dessin relié ;
dans une petite boîte, des fusains et des pinceaux.
Avec les pouces, il fit jouer deux petits loquets, et le
fond du casier à papier se détacha ; il l'ôta et découvrit
ses petits flacons à spécimens. Les plus grands, ainsi
que le gros sel, étaient dissimulés dans un autre
compartiment à la base du coffre à vêtements, mais,
pour l'excursion d'aujourd'hui, les premiers suffiraient.
Peut-être, s'il jouissait d'une chance extraordinaire,
aurait-il tout ce dont il avait besoin à leur retour à la
gabare.

Quant il revint sur le pont, les autres étaient déjà
partis. Quelle prévenance ! Réprimant son agacement,
il se rendit sur le côté du bateau ; une grossière échelle
de corde lui permit de gagner la terre ferme. Il eut un
peu de mal à descendre avec son écritoire sous le bras,
mais il n'était pas question qu'il la jetât dans la boue
desséchée – et, naturellement, nul ne vint lui proposer
de l'aider. Alise trottait déjà bien loin sur la plage,
toute seule ; ce scélérat de Leftrin n'avait pas jugé

utile de l'escorter et l'avait lâchée sur une rive grouillante de dragons. Comment pouvait-elle supporter cet homme ?

Il franchit d'un bond les derniers pieds qui le séparaient du sol ; l'impact fut plus dur qu'il ne s'y attendait et il faillit lâcher sa précieuse boîte, puis il s'accroupit pour retrousser le bas de son pantalon, en maugréant à l'idée du spectacle ridicule qu'il allait offrir, comme quelque cigogne affublée de bottes. Mais mieux valait cela que passer le reste de la journée avec les ourlets alourdis d'une boue pestilentielle.

Et c'était le mot : pestilentielle. On ne pouvait se méprendre sur l'odeur nauséabonde d'excréments qui en montait, et qui, combinée aux effluves malsains du fleuve et aux remugles humides de la jungle, faisait de l'air un épais bouillon puant. Heureusement, Sédric n'avait pas eu le temps de beaucoup manger ce matin, sans quoi son estomac se fût rebellé plus violemment. « Quelle belle région tu as choisie pour ton excursion, Alise ! fit-il tout bas. Te voici partie gambader dans la bouse de dragon avec ton rat de rivière. »

Il entendit un bruit semblable à un grondement bas et jeta des regards affolés de tous côtés. Non, il n'y avait pas de dragon à proximité : pourtant, il avait nettement perçu le rauquement menaçant d'une grande créature, et il avait la désagréable sensation d'être observé. Observé, voire regardé fixement, comme un chat regarde une souris. Encore une fois, il tourna sur lui-même et sursauta quand il se trouva soudain face à deux immenses yeux à l'expression furieuse. Son cœur

157

fit un bond dans sa poitrine, puis il comprit son erreur : les yeux le contemplaient du haut de l'étrave du bateau ; il ne les avait simplement jamais remarqués. Il se rappela qu'une vieille superstition voulait qu'on peignît ce genre d'ornement sur les navires pour les aider à trouver leur chemin. Les yeux posaient sur lui un regard empreint de mépris et de colère. Il réprima un frisson d'angoisse et se détourna de la hideuse décoration.

« Sédric ! Dépêche-toi, s'il te plaît ! »

Il leva les yeux et vit Alise qui le regardait par-dessus son épaule. Le capitaine Leftrin, à l'écart, discutait avec une délégation du désert des Pluies ; un de ses interlocuteurs tenait à la main un gros parchemin et paraissait parcourir avec lui une liste point par point. Le capitaine hocha la tête et partit d'un rire tonitruant tandis que l'autre gardait un visage fermé.

Alise venait de s'arrêter près des dragons, et elle regardait à présent Sédric comme un chien qui attend sa promenade, dans une attitude qui mêlait l'inquiétude et l'enthousiasme. Rien d'étonnant : la dragonne qu'elle avait choisie s'était dressée et la contemplait avec intérêt, beaucoup plus grande qu'elle ne l'avait paru depuis la gabare. Et bleue, très bleue : la peau de la créature étincelait, iridescente dans le soleil. Elle fixait sur la jeune femme des yeux immenses, au point de paraître disproportionnés par rapport à sa tête ; ils étaient d'un brun cuivré, avec une pupille en fente comme celle des chats ; mais, à la différence des félins, la couleur paraissait fondre et former des tourbillons autour de l'iris, ce qui donnait un effet étrange et perturbant. La bête poussa un cri guttural.

Alise se détourna de Sédric et se dirigea vers elle d'un pas pressé. « Oui, naturellement, je m'excuse de t'avoir fait attendre, belle parmi les belles. »

Si la créature avait été bien proportionnée et parfaitement formée, elle eût pu être belle, à la façon d'un taureau de concours ou d'un cerf, mais ce n'était pas le cas. Elle avait la queue trop courte pour son long cou, et elle avait les pattes rabougries. Les ailes qu'elle déployait paraissaient ridiculement réduites et sans force pour un animal de sa taille, et d'inégale longueur ; elles évoquaient à Sédric un parasol que le vent a retourné, jusqu'aux baleines trop fragiles et au tissu mal taillé. Le jeune homme se redressa, prit son écritoire sous le bras et alla rejoindre Alise en pataugeant dans la boue.

Une soudaine agitation le fit s'arrêter. Un petit dragon rouge avec un jeune garçon sur le dos courait lourdement sur la plage. « Ouvre les ailes ! criait son cavalier. Bats des ailes ! Il faut que tu essaies, Gringalette ! Donne tout ce que tu as. »

Et, en réponse, la créature mal formée déploya des ailes qui n'avaient même pas la même longueur ; toutefois, le dragon les agita docilement tout en courant. Son « vol » s'acheva aussitôt, quand il fonça droit dans le fleuve. Le garçon poussa un cri de consternation, puis il lança avec un rire dans la voix : « Il faut faire attention où tu vas, Gringalette ; mais ce n'était pas mal pour un premier essai. Il faudra persévérer, ma belle. »

Sédric n'était pas le seul à avoir observé le spectacle : dragons et gardiens ne bougeaient plus ; certains, parmi les humains, arboraient un sourire ravi, d'autres avaient l'air horrifié ; l'expression des dragons était indéchiffrable. Après tout, qui peut dire si une vache est amusée ou offusquée ? Alise, après être restée un moment immobile, apparemment effarée, repartit vers sa cible à pas pressés.

Les longues jambes de Sédric le portèrent rapidement à sa hauteur. Elle paraissait s'adresser à la dragonne. « Les mots ne peuvent exprimer ta splendeur. Quel bonheur de me trouver enfin en ta présence ! Pouvoir te parler comme je le fais dépasse mes rêves les plus fous ! »

L'animal lui répondit par un meuglement.

À cet instant, il fit attention à la jeune fille à côté de la créature. Son balai en rameaux de conifère sur l'épaule, elle n'avait pas l'air ravie de l'intrusion ; son visage fermé et ses yeux rétrécis accentuaient son aspect reptilien – car c'était la première impression qu'il avait eue d'elle. Une tête de lézard, eût-il dit de ses traits écailleux. Il avait cru ses mains crottées de boue, mais il se rendait compte à présent que ses doigts s'achevaient par d'épaisses griffes noires. Ses tresses sombres ressemblaient à des serpents entremêlés, et ses yeux scintillaient de façon anormale.

« Alise ! » fit Sédric sur un ton d'avertissement. Puis, comme elle ne réagissait pas, il reprit avec plus d'autorité : « Alise, arrête-toi ! Attends-moi.

— Eh bien, dépêche-toi ! »

Elle interrompit son trot, mais il sentit qu'elle n'attendrait pas longtemps. En deux enjambées, il la rattrapa, et, sous prétexte de la prendre par le bras, il la retint. « Sois prudente ! lui murmura-t-il en s'arrangeant pour se faire entendre entre les vocalisations de la dragonne. Tu ne sais rien de ces créatures, et la fille a l'air nettement hostile ; l'une ou l'autre pourrait bien se révéler dangereuse.

— Lâche-moi, Sédric ! Tu ne l'entends donc pas ? Elle dit qu'elle veut me parler, et le meilleur moyen de l'insulter et de la mettre en colère serait de ne pas répondre à sa requête. En outre, si je suis ici, c'est précisément pour m'entretenir avec les dragons, et toi aussi ! Alors, suis-moi, et, s'il te plaît, tiens-toi prêt à transcrire notre conversation. »

Elle voulut se dégager de sa poigne, mais il la retint et se pencha sur elle. « Alise, tu plaisantes ?

— Bien sûr que non ! Pourquoi crois-tu que j'aie fait tout ce voyage ?

— Mais… ce dragon ne parle pas, à moins que des meuglements ou des aboiements n'aient je ne sais quel sens pour toi. Que dois-je transcrire ? »

La perplexité qui s'afficha sur le visage d'Alise se mua en consternation puis, bizarrement, en pitié. « Oh, Sédric ! Tu ne comprends pas ce qu'elle dit ? Pas un seul mot ?

— Si elle en a prononcé un seul, je ne l'ai pas compris. Je n'entends que… ma foi, des grognements de dragon. »

Comme en réponse, la créature émit un grondement, et Alise pivota vers elle. « Je t'en supplie, laisse-moi m'entretenir un instant avec mon ami ; il ne comprend apparemment pas ce que tu dis. »

Quand elle croisa de nouveau le regard de Sédric, elle secoua la tête, désespérée. « Je savais que certains n'entendaient pas clairement ce que disait Tintaglia, et quelques-uns ne reconnaissaient même pas ses propos comme un langage, mais je n'avais pas imaginé une seconde que tu souffrirais de cette affliction. Qu'allons-nous faire, Sédric ? Comment pourras-tu noter nos conversations ?

— Vos conversations ? » Il avait tout d'abord été agacé en voyant Alise faire semblant de parler à l'animal, tout comme il s'agaçait quand certains s'adressaient à leur chien en l'appelant « mon vieux » et en disant « et comment va mon vieux copain ? ». Les femmes qui parlaient à leur chat le faisaient frémir d'horreur. Alise, elle, n'avait aucune de ces habitudes, et il avait cru que ses grandes déclarations à la dragonne relevaient d'une affectation nouvelle et malvenue. Mais l'entendre à présent soutenir que la bête parlait et compatir à son malheur, c'en était trop ! « Je les noterai comme je transcrirais tes entretiens avec une vache ou un arbre. Alise, c'est ridicule ! Je suis bien obligé d'accepter l'idée que Tintaglia possédait la capacité de se faire comprendre, mais cette bête ? Regarde-la ! »

La dragonne retroussa les lèvres puis émit un sifflement monotone. Alise devint toute rouge, et la jeune fille du désert des Pluies, près de la créature, se tourna vers Sédric. « Elle dit de vous dire que, même si vous ne la comprenez pas, elle comprend chacune de vos paroles, elle, et que le problème ne vient pas de sa façon de parler ni de vos oreilles, mais de votre esprit. Il y a toujours eu des humains incapables de comprendre les dragons, et ce sont généralement les plus prétentieux et les plus ignorants. »

La coupe était pleine. « Exprime-toi poliment quand tu t'adresses à tes aînés, jeune fille ; à moins qu'on n'enseigne plus ça dans le désert des Pluies ? »

La dragonne souffla brusquement, et Sédric prit de plein fouet la chaleur de son haleine et l'odeur de la viande à demi pourrie qu'elle venait d'avaler. Il se détourna avec une exclamation de dégoût.

Alise poussa un petit cri d'horreur et s'écria d'une voix implorante : « Il ne comprend pas ! Il ne voulait pas t'insulter ! Je t'en prie, il ne voulait pas t'insulter ! » Elle saisit son ami par le bras. « Sédric, tout va bien ? demanda-t-elle avec inquiétude.

— Cet animal m'a éructé au visage ! »

Elle partit d'un rire étranglé. Elle paraissait trembler de soulagement. « Éructé ? Tu as cru qu'elle rotait ? Dans ce cas, nous avons de la chance qu'elle s'en soit tenue là ; si ses glandes à venin étaient arrivées à maturité, tu serais en train de fondre. Ne sais-tu donc rien des dragons ? Ne te rappelles-tu pas le sort qu'ont connu les pirates chalcédiens qui attaquaient Terrilville ? Tintaglia n'a eu qu'à leur cracher dessus ; j'ignore ce que contenait sa salive, mais ça rongeait les armures, la peau et les os. » Elle s'interrompit, puis ajouta : « Tu as insulté la dragonne sans le faire exprès ; je crois que tu devrais retourner au bateau, tout de suite. Laisse-moi le temps de lui expliquer ce malentendu. »

La fille du désert des Pluies reprit la parole. Elle avait une voix rauque, d'un timbre étonnant et riche de contralto, et un regard argenté troublant et impérieux à la fois. « Gueule-de-ciel est d'accord avec la Terrilvillienne. Que vous soyez mon aîné ou non, elle dit que vous devez quitter le terrain des dragons, dès maintenant. »

Sédric se sentit encore plus offensé. « Je ne pense pas que tu aies le droit de me donner d'ordres ! » répliqua-t-il.

Mais Alise demanda au même instant : « Gueule-de-ciel ? C'est son nom ?

— C'est comme ça que je l'appelle », rectifia la jeune fille. Elle paraissait gênée de cet aveu. « Elle m'a expliqué que le nom d'un dragon se méritait et qu'il ne se donnait pas.

— Je comprends parfaitement, répondit Alise. C'est un domaine très particulier, et un dragon ne révèle pas son vrai nom à la légère. » Elle traitait la gardienne du dragon comme un enfant qui eût interrompu une conversation sérieuse entre adultes ; Sédric nota que cela ne plaisait pas à l'« enfant ».

Alise se tourna de nouveau vers l'immense reptile. La créature se trouvait à présent si près qu'elle les dominait tous. Ses yeux, semblables à du cuivre poli, scintillaient au soleil, braqués sur Sédric. La jeune femme dit : « Magnifique et gracieuse reine, j'aime- rais un jour mériter l'honneur d'apprendre ton vrai nom ; mais, en attendant, je me fais un plaisir de te donner le mien. Je suis Alise Kincarron Finbok. » Et elle alla jusqu'à faire une révérence, au risque de s'accroupir dans la boue. « J'ai fait le voyage depuis Terrilville pour te voir et te parler ; j'espère que nous aurons de longues conversations et que je pourrai en apprendre beaucoup sur toi et sur la sagesse des tiens. Il y a bien longtemps que l'humanité ne bénéficie plus de la compagnie des dragons, et le peu que nous savions de vous s'est hélas perdu ; j'aimerais y remédier. » Du geste, elle indiqua Sédric. « Je l'ai amené pour qu'il me serve de scribe et note tout ce que tu voudras partager avec moi. Je regrette qu'il ne t'entende pas, car, dans le cas contraire, je suis sûr qu'il constaterait aussitôt ton intelligence et ta sagesse. »

Nouveau grondement de la part de la dragonne. La jeune gardienne regarda Sédric. « Gueule-de-ciel dit que, même si vous la compreniez, vous ne mesureriez sans doute pas son intelligence ni sa sagesse, car toutes deux vous font manifestement défaut. »

Sa « traduction » se voulait insultante, à l'évidence. La fille reporta son regard gris-argent sur Alise quand celle-ci prit la parole. Si Alise se rendait compte de son animosité, elle n'y prêtait pas attention ; elle se tourna vers Sédric et dit à mi-voix mais d'un ton ferme : « Je te retrouverai sur le bateau, Sédric. Si ça ne te dérange pas, veux-tu bien me laisser ton écritoire ? J'essaierai peut-être de noter ce dont nous discuterons.

— Naturellement. » Il parvint à refouler toute amertume, tout ressentiment de sa réponse. Il y avait longtemps, il avait dû apprendre à s'exprimer courtoisement même après que Hest l'eut étrillé verbalement et en public ; ce n'était pas si dur : il lui suffisait d'oublier tout amour-propre. Mais il n'avait jamais imaginé devoir employer ce talent au service d'Alise. Il lui tendit brusquement le bureau portatif, et, quand elle le prit, il éprouva un certain plaisir à voir sa surprise devant son poids. Qu'elle se débrouille pour le porter toute seule ! songea-t-il, vindicatif. Qu'elle se rende compte du genre de travail qu'il était prêt à accomplir pour elle ; elle l'apprécierait peut-être davantage. Il se détourna d'elle.

Et son cœur manqua un battement : il y avait des choses dans l'écritoire dont Alise ne devait surtout pas avoir connaissance. Il revint en hâte auprès d'elle. « Tu auras du mal à porter l'écritoire ; je pourrais peut-être ne te laisser que quelques feuilles de papier, une plume et de l'encre ? »

Elle parut surprise de sa soudaine prévenance, et, il le comprit alors, elle savait qu'il se voulait grossier quand il lui avait remis le bureau portatif. Elle eut l'air pitoyablement soulagée quand il le lui prit des mains et l'ouvrit. Le plateau relevé lui cachait le contenu, mais, de toute façon, elle ne paraissait pas s'y intéresser. Comme il fouillait dans ses affaires, elle dit à mi-voix : « Je te remercie de ta compréhension, Sédric. Ce doit être dur pour toi, je sais, d'avoir fait un si long voyage pour t'apercevoir que la fortune t'en interdit la meilleure partie. Sache-le, ça ne te diminue en rien à mes yeux ; n'importe qui peut souffrir de ce défaut.

« — Ce n'est pas grave, Alise », répondit-il en tâchant de ne pas prendre un ton trop brusque. Elle le croyait vexé parce qu'il ne pouvait pas communiquer avec l'animal, et elle le plaignait. À cette idée, il faillit sourire, et il s'attendrit ; depuis combien d'années la plaignait-il lui-même ? Quelle étrange impression de se trouver de l'autre côté de la barrière ! Étrange, et bizarrement touchant qu'elle se montrât ainsi attentive à ses sentiments.

« Je ne manque pas de travail sur le bateau ; tu seras de retour pour le dîner, j'imagine ?

— Oh, bien avant, sans doute ! Je ne vais pas rester ici jusqu'à la nuit à la bombarder de questions, je t'assure ; je serai déjà contente si nous apprenons à nous connaître et à nous sentir à l'aise l'une avec l'autre aujourd'hui. Merci ; je m'efforcerai de ne pas gaspiller l'encre.

— Mais de rien, je t'en prie. À plus tard. »

Thymara observait l'échange entre l'homme bien habillé et la Terrilvillienne avec étonnement. Ils paraissaient bien se connaître ; étaient-ils mariés ? Ils lui rappelaient ses parents, le lien qui les unissait toujours et la distance qui semblait toujours les séparer ; ces deux-là avaient l'air de s'entendre à peu près aussi bien que son père et sa mère.

Elle éprouvait déjà de l'aversion pour eux ; pour l'homme parce qu'il n'avait aucun respect pour Gueule-de-ciel et qu'il était trop bête pour la comprendre, et pour la femme parce qu'ayant vu la dragonne elle voulait l'accaparer – et elle y réussirait sans doute, car elle savait comment la charmer. Gueule-de-ciel ne se rendait-elle donc pas compte que la Terrilvillienne essayait seulement de la flatter avec ses boniments fleuris et son extravagante courtoisie ? Elle pensait que la dragonne se fâcherait qu'on cherchât de façon si criante à gagner ses faveurs ; mais, au contraire, Gueule-de-ciel paraissait se délecter des compliments démesurés dont la femme l'abreuvait, et elle se couchait devant elle pour l'inciter à continuer.

En retour, la femme avait l'air complètement en extase devant la dragonne ; dès l'instant où elles s'étaient vues, Thymara avait senti l'attraction qu'elles exerçaient l'une sur l'autre, et cela l'irritait.

Non, c'était plus que de l'irritation : elle bouillait de jalousie, elle devait se l'avouer, parce qu'elle se sentait exclue. C'était elle qui devait s'occuper de Gueule-de-ciel, non cette citadine ridicule ; cette Alise ne saurait jamais procurer à manger à la dragonne ni la soigner. Avec sa chair molle et sa peau blanche, l'accompagnerait-elle par les hauts-fonds du fleuve et les avancées de la forêt ? Tuerait-elle pour la nourrir ? Se plierait-elle au pansage fastidieux dont Gueule-de-ciel avait manifestement besoin ? Sûrement pas ! Thymara avait passé le plus clair de la journée à nettoyer la dragonne jusqu'à ce que chacune de ses écailles brillât ; elle avait gratté la boue séchée de ses griffes et de leurs fourreaux, décroché à la main une légion de petits scarabées suceurs de sang du coin de ses yeux et de ses naseaux, et elle avait même déblayé une zone de terrain de la bouse fraîche et odoriférante qui l'encombrait pour que Gueule-de-ciel pût s'étendre sans se salir à nouveau.

Mais, dès l'instant où la Terrilvillienne lui avait lancé un ou deux compliments, la dragonne n'avait plus eu d'yeux que pour elle, comme si Thymara n'avait jamais existé. L'intruse l'eût-elle trouvée « magnifiquement scintillante » quelques heures plus tôt ? C'était peu probable. La dragonne se servait du labeur de Thymara pour attirer une nouvelle gardienne – mais elle constaterait bientôt qu'elle n'avait pas fait un bon choix.

Comme Tatou.

Cette réflexion la prit au dépourvu, et des larmes lui piquèrent soudain les yeux. Elle chassa de son esprit toute pensée de Tatou et de Jerde ; cette nuit-là, quand le jeune garçon avait quitté le feu de camp, imité par la jeune fille, elle avait cru qu'il avait besoin d'un moment de solitude ; mais, lorsqu'ils étaient revenus ensemble, elle avait compris qu'il n'était pas resté seul : il avait l'air parfaitement remis de son échange avec Graffe, et Jerde riait d'un commentaire qu'il venait de faire. Ils s'étaient assis côte à côte près du feu, et Thymara avait entendu la jeune fille interroger Tatou sur sa vie et lui poser toutes sortes de questions personnelles qu'elle-même avait toujours évitées de peur de paraître indiscrète. Jerde, elle, les avait posées avec un grand sourire, la tête penchée, et Tatou y avait répondu de sa voix grave et douce. Kanaï avait interrompu le cours des pensées de Thymara en la bombardant de spéculations sur le voyage, sur le menu du petit déjeuner et la possibilité de tuer un gallator avec une fronde. Graffe avait jeté un regard noir à Thymara, Tatou et Kanaï, puis s'était enfoncé dans la forêt, seul. Nortel et Boxteur avaient paru eux aussi de méchante humeur et échangeaient de petites réflexions acerbes, tandis que Harrikine prenait l'air morose et boudeur. Thymara n'y comprenait rien ; elle voyait seulement que l'atmosphère de camaraderie et de bonne volonté du groupe s'était dissipée plus vite que la fumée du bivouac.

Et, ce même soir, Tatou avait déroulé son lit à côté de Jerde sans même dire bonne nuit à Thymara. Et elle qui croyait qu'ils étaient amis, et bons amis ! Elle avait même eu la bêtise de s'imaginer qu'il avait accepté ce travail uniquement parce qu'elle en était. Pire encore, Kanaï avait jeté ses couvertures près des siennes après qu'elle eut fait sa couche pour la nuit ; or, malgré l'envie qui la tenaillait, elle ne pouvait guère se relever pour s'installer ailleurs ; il avait dormi à côté d'elle tous les soirs depuis leur départ de Trehaug. Même dans son sommeil, il parlait et riait encore, tandis que Thymara, quand elle s'endormit enfin cette nuit-là, fit des rêves inquiétants où son père la cherchait au milieu du brouillard.

En vain, elle s'efforça de revenir au moment présent et de s'intéresser à la conversation qui se déroulait près d'elle. La Terrilvillienne parlait à Gueule-de-ciel. « Adorable reine, te rappelles-tu l'expérience de tes ancêtres immédiats, la vie de ta magnifique mère ? Sais-tu quel bouleversement a secoué le monde pour provoquer la quasi-extinction des dragons et laisser l'humanité si longtemps dans sa solitude ? » Elle attendit la réponse, la plume prête à écrire. C'était écœurant.

Pis, Gueule-de-ciel se complaisait à ces flatteries et répondait à la femme par des énigmes qui ne révélaient rien. « Ma "mère" ? Si elle était présente, tu ne l'insulterais pas avec autant de légèreté ! Une dragonne n'est pas mère au sens où tu l'entends, petite créature allaitante ; nous ne nous attendrissons pas sur des bébés braillards et nous ne perdons pas notre temps à subvenir aux besoins de jeunes incapables de se débrouiller seuls. Nous ne sommes ni aussi désarmés ni aussi stupides que les humains à la naissance, ignorants de leur nature et de leur identité. Quelle ironie, n'est-ce pas, que vous viviez si peu de temps et que vous en passiez tant à croupir dans votre bêtise, alors que nous vivons l'équivalent de dizaines de vos existences, en sachant à chaque instant qui nous sommes et qui étaient nos ancêtres ! Tu le vois, un humain n'a aucune chance de comprendre les dragons. »

Thymara tourna brusquement le dos à la dragonne et à la Terrilvillienne. « Il faut que j'aille voir si je peux te trouver à manger », dit-elle sans se soucier d'interrompre la conversation, révoltante de toute façon ; la femme ne cessait de poser à Gueule-de-ciel des questions idiotes emballées dans des compliments dégoulinants de flagornerie, et la dragonne les évitait toujours en refusant d'y apporter de véritables réponses. Était-ce un comportement commun à son espèce, ou Gueule-de-ciel voulait-elle dissimuler son ignorance ?

C'était là une idée presque plus troublante que celle de Tatou trouvant Jerde plus intéressante qu'elle ; presque aussi contrariante, l'impression que ni la dragonne ni la Terrilvillienne ne s'étaient aperçues de son départ.

Elle traversa la boue cuite de soleil de la rive en direction des barques ; elle avait laissé ses affaires dans l'une d'elles. Elle jeta un regard à la grande gabare noire près de la plage. Le *Mataf* ; un bâtiment étrange, beaucoup plus camard et carré qu'aucun autre bateau de sa connaissance, avec des yeux peints sur la proue ; elle avait entendu dire qu'il s'agissait d'une vieille coutume, plus ancienne que les colonies du désert des Pluies, censée pousser le navire à prendre en charge sa propre sécurité et à éviter les dangers du fleuve. Ces yeux plaisaient à Thymara ; ils avaient une expression âgée et pleine de sagesse, comme ceux d'une vieille femme bienveillante au sourire compatissant, et elle espérait qu'ils guideraient bien la gabare pendant leur voyage le long du fleuve : ils auraient besoin de toute l'aide disponible pour mener à bien leur mission.

Elle prit sa lance et décida de tenter de pêcher, bien qu'apparemment les autres gardiens fussent déjà en train de parcourir les hauts-fonds en quête de poisson. Kanaï avait obtenu un petit résultat : il avait embroché un poisson de la taille de sa main. Il exécuta une danse de la victoire avec l'animal battant au bout de sa lance, puis il se tourna vers sa petite dragonne rouge qui le suivait comme un jouet au bout d'une ficelle. « Ouvre la gueule, Gringalette ! » lança le garçon, et elle obéit docilement. Il décrocha le poisson de son harpon et le jeta dans la bouche grande ouverte, mais la dragonne demeura béante. « Mais mâche donc ! Il y a de quoi manger dans ta gueule, alors mâche et avale ! » lui dit Kanaï, et, au bout d'un moment, elle obtempéra. Thymara se demanda si la créature était trop bête pour manger ce qu'on lui mettait dans la bouche, ou bien si le poisson était trop petit pour qu'elle le remarquât.

Elle secoua la tête : les gros poissons ne devaient pas se trouver là, dans l'eau chaude et lente, directement sous le ciel. Elle tourna le dos aux dragons et à ses amis pour se diriger vers l'autre extrémité de la clairière, là où les arbres plongeaient leurs racines tortueuses dans le fleuve ; des herbes rêches y poussaient, ainsi que des roseaux gris et des lanciers. L'eau, en montant et en descendant, avait laissé des branches et des feuilles mortes empêtrées dans les racines qui surplombaient le courant ; si Thymara avait été un poisson, c'est là qu'elle se fût protégée du soleil et des prédateurs. Elle décida de tenter sa chance.

Se déplacer sur les racines noueuses lui rappelait ses trajets dans la voûte de la forêt, et pourtant c'était très différent : là-haut, une chute pouvait entraîner la mort, mais les branches offraient d'innombrables occasions de se rattraper à un rameau ou à une liane ; à terre, il y avait des trous dans l'entrelacs des racines sous ses pieds, et le fleuve coulait en dessous, gris et acide, menaçant au mieux de lui provoquer une éruption cutanée, au pire de lui ronger la peau et la chair jusqu'aux os. Le risque existait aussi qu'elle tombât et se retrouvât complètement immergée, et, pire, de remonter pour découvrir la surface bloquée par les racines. Les arbres étaient sous ses pieds, comme ils l'avaient toujours été ; mais ils représentaient des dangers différents, et, curieusement, elle avait peine à se rappeler qu'elle avait le pied sûr et qu'elle était faite pour vivre dans le désert des Pluies.

La troisième fois que sa semelle glissa sur le bois, elle s'arrêta, réfléchit, puis s'assit, défit délicatement ses lacets et ôta ses bottes ; elle noua les lacets ensemble, accrocha ses bottes autour de son cou et reprit sa route en enfonçant les griffes des orteils dans l'écorce. Elle finit par trouver un site prometteur : les feuillages jetaient une ombre mouchetée sur l'eau ; une racine épaisse et tordue donnait refuge à des débris flottants tout en fournissant à la jeune fille une ouverture sur le fleuve ; les herbes et les branches mortes filtraient l'eau chargée de limon, si bien qu'elle était quasi transparente. Thymara s'installa de façon que son ombre ne tombât pas sur la surface de l'onde, leva son harpon et prit patience.

Il lui fallut quelque temps pour apprendre à déchiffrer l'eau. Elle ne voyait pas les poissons mais, au bout d'un moment, elle distingua leur ombre puis les tourbillons dans les sédiments indiquant leur passage. Son épaule s'endolorit à force de brandir la lance, et l'arme elle-même paraissait lourde comme un tronc d'arbre. Elle chassa la douleur de son esprit pour concentrer tout son être sur les tournoiements du limon. *Ça, ce doit être la queue, la tête doit être là – non, trop tard, il est de nouveau caché sous la racine. Le voici, le voici, le... Non, encore sous la racine. Le voilà, c'en est un gros ; attends, attends, et...*

Elle piqua violemment sa lance au lieu de la projeter. Elle la sentit toucher sa proie, et elle appuya de toutes ses forces pour l'immobiliser au fond du fleuve ; mais l'eau était plus profonde qu'elle ne l'avait cru, et elle dut se retenir à la racine pour éviter de tomber, tandis que le poisson, de grande taille, se tordait et bondissait au bout du harpon pour se libérer. Elle s'efforça de conserver l'équilibre tout en maintenant la bête au bout de la lance.

Quelqu'un la saisit par derrière.

« Bas les pattes ! » cria-t-elle, et elle donna un coup en arrière avec la hampe de son harpon, qui heurta violemment son agresseur. Elle entendit une brutale exhalaison puis un juron à mi-voix, mais elle ne se retourna pas, car le choc avait failli décrocher sa proie. Elle releva la pointe de la lance en bloquant la hampe sur sa hanche, et elle resta ahurie devant la taille du poisson qu'elle sortit de l'eau. Il se débattait avec frénésie, et chacun de ses mouvements l'enfonçait davantage sur l'arme qui finit par le transpercer complètement ; il glissa le long de la hampe jusqu'à Thymara.

« Ne le lâche pas ! Tiens bon ta lance ! cria Tatou derrière elle.

— Je l'ai », gronda-t-elle, agacée qu'il crût nécessaire de l'aider, mais il tendit la main par-dessus l'épaule de la jeune fille et s'empara du fût du harpon. À eux deux, ils le tinrent horizontalement tandis que le poisson s'agitait frénétiquement ; Tatou sortit un poignard et frappa durement l'animal derrière la tête du dos de la lame. Le poisson cessa aussitôt de bouger, et Thymara poussa un soupir de soulagement ; elle avait l'impression que son épaule allait se décrocher.

Sans lâcher la hampe de son arme, elle se retourna pour remercier Tatou et eut la surprise de constater qu'ils n'étaient pas seuls : l'ami de la Terrilvillienne, assis sur une butte formée par une racine, se tenait les mains crispées sur le ventre, le visage rouge sauf autour de ses lèvres pincées. Il la regarda, les yeux étrécis, puis dit d'une voix tendue : « J'essayais de vous aider ; je craignais que vous ne tombiez à l'eau.

— Que faites-vous ici ? » demanda-t-elle sans aménité.

Ce fut Tatou qui répondit : « Je l'ai vu pénétrer dans la forêt par là où tu étais partie, et je me suis dit qu'il te suivait ; alors je suis venu voir ce qu'il manigançait.

— Je suis capable de m'occuper de moi toute seule », répliqua-t-elle.

Tatou refusa de se vexer. « Je sais ; je ne suis pas intervenu quand tu lui as flanqué ta lance dans le ventre. Je t'ai seulement aidée avec le poisson parce que je ne voulais pas le voir s'échapper. »

Avec un soupir d'impatience, elle se tourna vers l'étranger. « Pourquoi m'avez-vous suivie ? » Tatou saisit la lance de part et d'autre du poisson avec un large sourire ; elle le laissa s'en charger mais le surveilla du coin de l'œil tandis qu'il déposait sa prise sur les racines entremêlées.

« Vous m'avez coupé le souffle », fit l'homme d'un ton plaintif, puis il parvint à inspirer profondément. Il se déplia légèrement, le rouge quitta un peu ses joues. « Je voulais vous parler ; je vous ai vue avec le dragon, celui qui intéresse Alise, et je souhaitais vous poser des questions.

— Comme par exemple ? » Un afflux de sang au visage la trahit. Il la voyait sans doute comme une demi-sauvage ; elle commençait à penser qu'elle l'avait mal jugé, mais elle n'avait nulle envie de s'excuser pour le moment. De fait, elle commençait à espérer l'avoir mal jugé ; plus tôt, elle avait remarqué son raffinement : elle n'avait jamais vu un homme aussi bien vêtu. À présent qu'il reprenait son teint normal, elle se rendait compte qu'il était extrêmement beau ; auparavant, alors qu'il parlait avec la Terrilvillienne, elle l'avait trouvé compassé et terriblement ignorant des dragons, ainsi que prétentieux et grossier quand il s'adressait à elle, et sa beauté n'avait paru qu'aggraver l'insulte, le pouvoir qui lui donnait l'autorité de la regarder de haut. Mais il l'avait suivie et avait tenté de l'aider ; en remerciement de quoi elle lui avait enfoncé la hampe de son harpon dans le ventre.

Il lui adressa un sourire pitoyable qui effaça nombre de ses péchés, et il dit : « Écoutez, nous sommes partis sur un mauvais pied, et je n'ai dû rien arranger en vous prenant par surprise. J'ai été grossier avec vous, mais reconnaissez que vous n'avez pas vraiment non plus fait preuve de courtoisie avec moi ; et vous avez une insulte d'avance sur moi : vous avez failli m'empaler avec le fût d'un harpon. » Il s'interrompit, prit une grande inspiration ; il avait retrouvé un teint quasi normal. « Pouvons-nous recommencer au début, s'il vous plaît ? »

Sans lui laisser le temps de répondre, il se leva, s'inclina devant elle et dit : « Ravi de faire votre connaissance ; je m'appelle Sédric Meldar, je viens de Terrilville et, ordinairement, j'officie comme secrétaire pour le Marchand Finbok de Terrilville. Mais, ce mois-ci, j'accompagne l'épouse du Marchand Finbok, Alise, comme chroniqueur et comme protecteur pendant qu'elle amasse des renseignements inédits et passionnants sur les dragons et les Anciens. »

Thymara se surprit à sourire alors qu'il n'avait pas dévidé la moitié de son discours : il s'exprimait d'un ton très solennel, et pourtant d'une façon qui disait qu'il ne prenait pas au sérieux son propre formalisme ni l'importance de son travail. Il était vêtu comme un prince, sans un cheveu de travers, mais son sourire et son attitude avenante invitaient Thymara à se sentir à l'aise avec lui. Comme s'ils étaient égaux.

« C'est quoi, un chroniqueur ? demanda Tatou à brûle-pourpoint.

— Je prends en note ce qu'elle fait, où elle va ; je résume ses conversations, et parfois, quand elle effectue des recherches, je transcris en détail ce qu'elle découvre ; ainsi, plus tard, elle pourra relire ce que j'ai écrit pour être sûre qu'elle n'a rien oublié. Je me débrouille aussi correctement au crayon et j'ai l'intention de faire des croquis des dragons et des dessins détaillés de leurs yeux, de leurs griffes, de leurs crocs, bref, de tout. Hélas, j'ai découvert aujourd'hui que je ne servirai pas à grand-chose à Alise en ce qui concerne ses entretiens, et, apparemment, j'ai offensé le dragon, si bien que je ne puis rester avec Alise pendant qu'elle l'étudie – et, même si j'avais pu rester, je n'aurais pas compris les réponses de l'animal.

— Gueule-de-ciel, corrigea Thymara. La dragonne s'appelle Gueule-de-ciel.

— Elle t'a dit son nom ? » Tatou était abasourdi.

Thymara s'agaça de cette interruption. « C'est celui que je lui ai donné, répondit-elle en lui lançant un regard noir. Tout le monde sait que les dragons ne révèlent pas tout de suite leur vrai nom.

— Oui, c'est ce que la mienne m'a dit aussi – mais elle ne m'a pas demandé de la baptiser. » Il eut un sourire benêt. « Elle est magnifique, Thymara, verte comme l'émeraude, verte comme le soleil à travers les feuilles, et ses yeux sont comme… non, je ne trouve pas de mot. Mais elle a un sale caractère ; quand je lui ai marché sur une patte sans le faire exprès, elle a menacé de me tuer et de me dévorer !

— Un instant, je vous prie. » C'était au tour de l'étranger de l'interrompre. « S'il vous plaît, tous les deux, vous dites parler avec les dragons ? Comme nous parlons en ce moment ? »

Mais Thymara ne considérait plus Sédric comme un parfait inconnu, et elle lui sourit. « Bien sûr.

— Ils articulent, les mots sortent et vous les entendez ? De la même façon que nous communiquons actuellement ? Alors, pourquoi entends-je des grondements, des meuglements et des sifflements là où vous entendez un langage ?

179

— Ma foi… » Elle hésita, se rendant compte qu'elle n'avait pas réfléchi à la manière dont elle « entendait » les dragons.

« Non, évidemment, intervint Tatou. Leur gueule n'a pas la bonne conformation pour articuler des mots comme nous. Ils font des bruits et, je ne sais pas comment, je comprends ce qu'ils disent, même s'ils n'emploient pas un langage humain.

— Vous a-t-il fallu longtemps pour l'apprendre ? L'avez-vous étudié avant l'expédition ? demanda Sédric.

— Non. » Tatou secoua la tête. « En arrivant, j'ai choisi mon dragon, je me suis approché de lui et je l'ai compris sans difficulté. C'est la femelle verte ; elle n'est pas aussi grande que les autres, mais je la trouve plus jolie ; et puis elle est rapide et, en dehors de ses ailes, je crois qu'elle est parfaitement formée. Elle a un tempérament un peu fougueux, et elle dit que les autres l'évitent parce qu'ils la jugent agressive ; d'après elle, c'est parce qu'elle court assez vite pour arriver avant tout le monde à la distribution de nourriture. Ils sont jaloux.

— Ou alors ils pensent que c'est une goinfre », intervint Thymara. Il était temps de reprendre l'initiative dans cette conversation ; après tout, Sédric n'avait pas suivi Tatou dans les bois pour lui parler, même s'il avait l'air à présent suspendu à ses lèvres. « Je comprends les dragons depuis leur naissance, dit-elle au Terrilvillien. J'étais là lorsqu'ils ont éclos, et, même quand ils ne me regardaient pas, je percevais leurs pensées alors qu'ils sortaient de leurs gangues, et je communiquais avec eux. » Elle sourit. « Un des nouveau-nés avait pris mon père en chasse, et j'ai dû lui expliquer qu'il ne se mangeait pas.

— Un dragon a voulu dévorer votre père ? » Sédric paraissait horrifié.

« Il venait de naître ; il n'avait pas l'esprit clair. » Elle plongea dans ses souvenirs. « Ils mouraient de faim à leur éclosion, et ils n'étaient pas aussi forts ni aussi bien formés qu'ils auraient dû l'être. Les serpents devaient être trop vieux et pas assez bien nourris, et leur gestation dans les cocons n'avait pas duré assez longtemps ; voilà pourquoi les dragons sont mal portants et ne peuvent pas voler.

— Enfin, pas encore », corrigea Tatou. Il eut un sourire malicieux. « Tu as vu Kanaï ; il est bien décidé à ce que son dragon vole. Il n'a pas toute sa tête, évidemment, mais, après l'avoir regardé faire, j'ai examiné les ailes de ma verte : elles ont les bonnes proportions ; elles sont seulement réduites et pas très vigoureuses. Elle m'a dit que les dragons grandissent tout au long de leur existence, de partout, du cou, des pattes, de la queue, et aussi des ailes ; donc, si je la nourris bien et qu'elle s'exerce régulièrement, ses ailes pousseront peut-être et elle pourra voler. »

Thymara le considéra avec ébahissement. Elle venait seulement d'accepter enfin les dragons tels qu'ils étaient, et elle n'avait pas imaginé qu'ils pussent encore devenir des dragons complètement développés. Elle songea aux ailes de Gueule-de-ciel ; elles lui avaient paru molles quand elle les avait nettoyées, et la dragonne n'avait guère fait d'efforts pour les déployer. La jeune fille avait l'impression qu'elle était restreinte dans ses mouvements, et une bouffée de jalousie l'envahit : se pouvait-il que la dragonne verte de Tatou sût un jour voler alors que Gueule-de-ciel restait plantée au sol ?

« Mais vous comprenez ce qu'ils disent mot pour mot ? » Sédric paraissait tenir à ramener la conversation sur ce sujet. Thymara acquiesça de la tête, et il demanda : « Alors, quand vous m'avez débité toutes ces horreurs, elles ne venaient pas de vous ? Vous traduisiez ce que le dragon essayait de me dire ? »

Elle se sentit soudain un peu honteuse de la façon dont elle s'était adressée à lui. « Je répétais exactement les propos de Gueule-de-ciel, répondit-elle avec un infime sentiment de culpabilité à l'idée de se défausser sur la dragonne de sa grossièreté.

— Dans ce cas, pourriez-vous me servir d'interprète ? Si je voulais lui parler, m'excuser de…

— Pas la peine. Je veux dire que vous pouvez vous adresser directement à elle : elle comprend parfaitement ce que vous dites.

— En effet, et c'est précisément ce qui m'a mis dans un mauvais cas vis-à-vis d'elle. Mais, si Alise lui pose une question et que la dragonne y donne une réponse, pourriez-vous me la traduire ? À voix basse, à l'écart, de façon à ne pas gêner la conversation ?

— Naturellement ; mais Alise – enfin, la dame – pourrait aussi s'en charger, ainsi que n'importe lequel des gardiens.

— Cela ralentirait son travail. Je songeais que si quelqu'un faisait office d'interprète pendant que la dragonne parle je pourrais tout noter. J'écris très vite, et, c'est vrai, n'importe quel gardien pourrait le faire (il regarda Tatou). Mais, étant donné qu'il s'agit de votre dragonne, il me paraîtrait logique de vous choisir. »

Elle appréciait qu'il parlât toujours de Gueule-de-ciel comme de « sa dragonne ». « Je dois pouvoir m'en occuper.

— Mais le ferez-vous ?

— Si je ferai quoi ? Rester à côté de vous pendant qu'elles discutent et vous traduire ce que dit la dragonne ?

— Exactement. » Il hésita puis reprit : « Je pourrais vous payer, si vous le souhaitez. »

L'offre était tentante, mais son père avait inculqué l'honnêteté à Thymara. « Je suis déjà payée pour mon temps, et je le consacre à Gueule-de-ciel ; je ne peux pas vendre mon temps deux fois, pas plus qu'une prune ; donc, je ne pourrais pas accepter votre argent, et il faudrait que je demande à Gueule-de-ciel si elle vous autorise à vous approcher d'elle et si ça ne la dérange pas que je vous répète ce qu'elle dit.

— Ah ! » L'idée qu'elle refusât d'être payée paraissait le décontenancer. « Voulez-vous bien lui poser la question, alors ? Je vous en serais redevable. »

Elle pencha la tête. « En réalité, c'est Alise Finbok qui me serait redevable, je pense : après tout, elle loue vos services pour effectuer ce travail, et, si vous pouvez le faire grâce à moi, ma foi… » Elle sourit. « Oui, c'est elle qui me sera redevable. » Cette perspective lui plaisait.

« Vous demanderez donc à la dragonne si je peux m'approcher d'elle ? Et si vous pouvez me traduire ses propos ? »

Thymara se pencha pour attraper son harpon de part et d'autre du poisson embroché, et elle poussa un petit grognement d'effort en soulevant sa lourde prise, puis elle répondit en désignant sa proie de la tête : « Allons lui poser la question tout de suite ; je crois avoir quelque chose qui la mettra dans de bonnes dispositions. »

Sixième jour de la Lune du Grain

Sixième année de l'Alliance Indépendante
des Marchands

De Kim à Detozi

Je crains que vous n'ayez pris ce qui n'était qu'un rappel du règlement pour une attaque personnelle. Voyons, Detozi, nous nous connaissons assez bien ; vous comprenez sûrement que j'obéissais seulement aux devoirs de ma fonction en vous remémorant les règles concernant les messages privés. Je ne suis pas de ceux qui courraient à un Conseil pour se plaindre d'une entorse aussi légère ; je pensais simplement qu'en vous rafraîchissant la mémoire sur ce point je vous éviterais une situation embarrassante et certains ennuis si vos écarts venaient à l'attention de quelqu'un qui aurait la mesquinerie de vouloir les réprimer. Cela s'arrêtait là. Par Sâ, je suis encore abasourdi que vous ayez pris mon avertissement avec autant de gravité ! Par égard pour notre amitié, j'oublierai les accusations sans fondement et les cruelles allégations de votre dernière missive.

Kim

5

Soupçons

Avant l'aube, Leftrin s'éveilla au creux d'un chaud cocon de satisfaction. La vie était belle. Il resta allongé dans le noir à profiter d'un long moment de calme avant de laisser son esprit énumérer les tâches qui l'attendaient. Mataf était parfaitement immobile, l'étrave sur la berge ; parfois, le capitaine avait l'impression que son bateau devenait plus pensif lorsqu'on le tirait à terre, comme s'il rêvait d'un temps révolu. Il sentait par instants la traction douce qu'exerçait le courant sur l'arrière de la gabare, mais, dans l'ensemble, elle ne bougeait quasiment pas. Il régnait un silence plus grand que quand elle était à l'ancre ou au mouillage, comme si Mataf somnolait sur la berge ensoleillée.

Du lit montait un doux parfum, celui de l'eau de toilette que portait Alise, mais aussi celui d'Alise elle-même. Il enfonça le visage dans l'oreiller et respira profondément, puis il sourit de sa propre bêtise : il était amoureux comme un gosse imberbe qui vient de

découvrir que les femmes sont merveilleusement différentes des hommes. Ce vertige qu'il avait manqué
dans sa jeunesse lui tournait aujourd'hui délicieu-
sement la tête et teintait chaque heure de ses journées.
À la pensée de sa frimousse parsemée de taches de
son, il sourit ; ses cheveux, de la couleur de la poitrine
d'un rouge-gorge, formaient des bouclettes autour de
son front là où ils échappaient à leurs épingles.
Lorsqu'elle lui prenait le bras parce que quelque chose
l'inquiétait ou lui faisait peur, il avait l'impression de
devenir plus grand et plus fort que jamais.

Leur histoire n'avait aucun avenir, il le savait de
tout son cœur douloureux ; quand il songeait à la façon
dont elle devrait s'achever, le désespoir l'envahissait.
Mais, pour le moment, ce matin-là, à l'aube du jour où
il allait l'emmener sur le fleuve pour un voyage qui
pouvait durer des semaines, voire des mois, il se sentait heureux et plein d'enthousiasme, et cette humeur
se propageait comme une vibration dans tout le bateau
jusqu'à l'équipage lui-même. Mataf serait très content
de se remettre en route. Leftrin regardait toujours
l'expédition comme une entreprise ridicule, un trajet
qui ne mènerait nulle part en compagnie de dragons
qui traînaient les pieds ; mais le Conseil offrait une
paie excellente, et le capitaine avait toujours rêvé de
conduire sa gabare et ses hommes au-delà des régions
explorées. Qu'une femme comme Alise non seulement
surgît dans sa vie mais lui fût donnée comme
compagne de voyage représentait un bonheur qu'il
avait peine à imaginer.

Il respira encore une fois son parfum, serra son oreiller dans ses bras, puis se redressa dans son lit. Il était temps d'affronter la journée ; il voulait partir tôt, mais il devait attendre la livraison des fournitures qu'il avait commandées pour assurer le confort d'Alise. Il se gratta la poitrine, prit une des chemises pendues aux crochets près de sa couchette et l'enfila ; il portait encore son pantalon de la veille. Il essuya une chope à café et la posa sur la table. De l'autre côté des hublots du rouf, le monde s'aventurait avec hésitation vers le jour ; les ombres profondes de la forêt environnante plongeaient encore le bateau et la berge dans l'obscurité.

Leftrin sentit une vibration légère puis une perception picotante qu'il connaissait : un étranger à Mataf se trouvait sur le pont de sa gabare. Il se leva sans bruit, et, d'un coffre à outils proche, sortit le lourd épissoir en bois dur qui servait à réparer les bouts les plus gros ; il le soupesa, sourit et se dirigea à pas de loup vers la porte, qu'il ouvrit doucement. L'air frais du matin afflua. Dans les hauts de la forêt, des oiseaux chantaient, tandis que, plus bas, les chauves-souris rentraient nicher pour la journée. Une fois sur le pont, il entreprit de parcourir sans bruit la gabare.

Il ne vit personne, mais, revenu à la porte du rouf, il découvrit par terre un petit manuscrit. La gorge nouée, il le ramassa ; le vélin était épais mais souple, et son odeur aigre et épicée évoquait un pays étranger. Il rentra dans sa cabine et ferma la porte. Une simple goutte de cire fermait le rouleau, sans cachet pour en désigner l'auteur. Il la fit sauter, ouvrit la missive et la lut à la lumière grisâtre qui tombait du hublot.

« Il n'y a pas de coïncidences ; c'est moi qui ai manœuvré pour vous donner votre position. Apportez votre soutien à celui que j'ai placé sur votre route ; vous le reconnaîtrez bientôt, et vous savez ce qu'il cherche. Il y a une fortune à la clé, et aussi le sang de ma famille. Si tout se passe bien, la fortune sera partagée avec vous ; si tout ne se passe pas bien, ma famille ne sera pas la seule à porter le deuil. »

Il n'y avait pas de signature, mais ce n'était pas nécessaire. Sinad Arich. Plusieurs mois auparavant, il avait transporté l'étranger jusqu'à Trehaug, et, dès l'accostage, le marchand chalcédien avait disparu ; il n'avait pas demandé à Leftrin de l'embarquer pour le trajet en sens inverse, et, deux jours après, une fois le *Mataf* chargé, Leftrin n'ayant aucune nouvelle de l'homme, ils avaient repris le fleuve. Le marchand n'avait laissé que peu de traces de son passage sur le *Mataf* : une chemise que Leftrin avait laissé tomber par-dessus bord, et quelques herbes à fumer qu'il s'était appropriées. Ses hommes n'avaient pas demandé ce qu'était devenu leur passager, et Leftrin n'avait pas fait de bruit autour de son départ de Trehaug. Les papiers de l'homme étaient en ordre et il avait payé son trajet : il n'aurait rien d'autre à dire si on l'interrogeait au sujet du marchand ; mais cela n'était jamais arrivé, et Leftrin avait cru pouvoir laisser cette mésaventure derrière lui.

Vain espoir ! Il eût voulu ne jamais avoir croisé la route de ce maudit marchand chalcédien, ou avoir trouvé le moyen de le jeter par-dessus bord un an plus tôt. Sinad Arich hantait ses cauchemars depuis qu'il l'avait rencontré ; mais, après tout ce temps, il pensait qu'il ne le reverrait jamais, que le Chalcédien avait cherché à l'utiliser à l'époque puis l'avait oublié.

Mais voilà ce qu'il en coûtait de traiter avec ces gens-là : une fois qu'ils avaient repéré une faiblesse chez quelqu'un, un point secret, ils se cramponnaient à lui et l'exploitaient jusqu'à ce qu'il en mourût ou se retournât contre eux et les tuât. Il crispa les mâchoires ; quelques instants plus tôt, il se réjouissait bêtement à l'idée de remonter le fleuve en compagnie de l'objet de sa fascination ; à présent, il se demandait qui d'autre partagerait son voyage et à quelles menaces il aurait à faire face. Aurait-il à tuer durant ce voyage ? Comment s'y prendrait-il ? Et comment le cacherait-il à Alise ?

Son humeur s'assombrit. Si elle savait la moitié de ce qu'il avait commis dans sa vie, elle refuserait toute relation avec lui ; la perspective de devoir lui dissimuler une partie de lui-même pour jouir de sa compagnie ne l'enchantait pas, mais il s'y plierait ; il ferait tout pour passer du temps avec elle. Il se trouvait déjà en position d'infériorité face à une dame de sa qualité ; simple batelier du désert des Pluies, il ne possédait rien d'autre que sa gabare ; or elle ne pouvait imaginer ce que le *Mataf* avait d'unique et de merveilleux, ni donc le voir comme représentant la fortune du capitaine. Dans ces conditions, que lui trouvait-elle ? Il travaillait dur et devrait sans doute trimer ainsi toute sa vie ; il ne possédait pas une belle résidence, il avait l'air d'un épouvantail à côté du gandin qui escortait Alise, et il ne portait pas de bijoux aux doigts. Avant qu'elle n'embarquât sur son bateau, il n'avait guère d'autre ambition que celle de faire ce qu'il avait toujours fait : convoyer du fret le long du fleuve, gagner de quoi verser un salaire à son équipage et se payer un bon repas quand son emploi du temps lui permettait de passer une soirée en ville. Il avait eu l'occasion de faire fortune en vendant la bille de bois-sorcier, et il eût pu être riche aujourd'hui, propriétaire d'un palais à Jamaillia ou en Chalcède. Il ne regrettait pourtant pas sa décision, la seule que sa morale lui autorisait.

Toutefois, était-il prêt à s'accommoder d'une si petite vie ? Il eût aimé avoir prévu qu'une femme comme Alise ferait un jour intrusion dans son existence ; il eût peut-être alors mis de côté de quoi l'impressionner. Mais qu'eût-il pu lui présenter qui pût rivaliser avec ce que son riche Terrilvillien de mari lui offrait ?

Il relut le message. Eût-il dû tuer le marchand chalcédien et le jeter par-dessus bord avant d'arriver à Trehaug ? Il se posait cette question sérieusement ; il n'avait tué qu'une seule fois, longtemps auparavant, à l'issue d'un jeu de hasard qui avait mal tourné et où on l'avait accusé de tricher. C'était faux, et, quand son adversaire et ses amis l'avaient prévenu qu'il n'emporterait pas ses gains vivant, il avait assommé l'un d'eux, tué le deuxième et fui le troisième. Il n'éprouvait nulle fierté de son acte ; il se sentait seulement du mérite à avoir survécu, et cette décision-là non plus, il ne la regrettait pas.

Aussi ne songeait-il au meurtre rétrospectif du Chalcédien qu'à titre d'hypothèse ; s'il s'était débarrassé de lui, il ne tiendrait pas sa missive menaçante dans la main, il ne s'interrogerait pas sur l'identité du traître parmi ceux qui l'accompagnaient, et il ne se demanderait pas si Arich avait ou non joué un rôle dans l'obtention du contrat juteux qui le liait aux Marchands de Cassaric. Et il songeait, tout en réduisant le rouleau de parchemin en petits morceaux qu'il jeta par le hublot, qu'il n'aurait pas à s'inquiéter de devoir commettre un geste qui risquerait de brouiller sa relation avec Alise.

« C'est l'heure !

— Debout, emballez vos affaires, et réveillez vos dragons !

— Levez-vous ! C'est l'heure de se mettre en route ! »

Thymara ouvrit les yeux ; l'aube lointaine grisaillait le ciel. Elle bâilla, et elle regretta brusquement l'aventure dans laquelle elle s'était lancée. Autour d'elle, elle entendait les autres gardiens ronchonner ; ceux qui les réveillaient étaient les hommes qui les avaient accompagnés depuis Trehaug. Leur mission s'achevait ce matin, et, apparemment, ils étaient impatients de s'en aller ; plus vite les gardiens entameraient leur voyage, plus vite eux-mêmes pourraient retourner chez eux.

Thymara bâilla de nouveau. Mieux valait qu'elle se levât si elle voulait manger un morceau avant le début de la journée. Elle n'avait jamais imaginé ce que des garçons étaient capables d'ingurgiter et à quelle vitesse avant de devoir partager une marmite avec eux. Elle se redressa lentement sur son séant, et elle sentit la morsure de l'air froid du matin malgré sa couverture.

« Réveillée ? » fit Kanaï. Depuis leur départ de Trehaug, il dormait aussi près d'elle qu'elle l'y autorisait ; un matin, elle l'avait trouvé pelotonné contre son dos, le bras autour de sa taille, et la tête appuyée contre elle. Elle avait apprécié sa chaleur corporelle, mais non les petits rires égrillards qui avaient accompagné son lever ; Kase et Boxteur les avaient taquinés sans pitié, tandis que Kanaï souriait d'un air crâne quoique hésitant, comme s'il ne savait pas exactement la raison de leur hilarité. Elle leur avait résolument tourné le dos en se disant que le besoin qu'éprouvait Kanaï de se trouver près d'elle se rapprochait plus du désir d'un chaton de dormir près d'un objet familier que d'une intention amoureuse ; il n'existait nulle attirance entre eux, ce qui n'eût d'ailleurs rien changé au comportement de Thymara : ce qui est interdit est interdit, elle le savait, et tous les autres aussi.

Mais en étaient-ils aussi persuadés qu'elle ?

Graffe avait clairement laissé entendre le contraire et comptait établir ses propres règles. Et Jerde ? Observerait-elle les lois sous lesquelles ils avaient grandi ?

Elle se frotta les yeux en s'efforçant de ne pas regarder qui dormait près de qui et de ne pas se demander ce que cela voulait dire ; après tout, il fallait bien dormir quelque part. Si Jerde étendait toujours ses couvertures à côté de Tatou, c'était peut-être qu'elle se sentait simplement en sécurité là ; et si Graffe trouvait toujours un prétexte pour engager la conversation avec Thymara quand les autres s'apprê-taient à dormir, c'était peut-être seulement parce qu'il la jugeait intelligente.

Elle lui un jeta un regard. Premier levé, comme d'habitude, il pliait déjà ses couvertures. Il dormait torse nu, et Thymara avait constaté avec surprise que bon nombre de garçons l'imitaient ; Jerde, qui avait des frères, s'étonnait de son ignorance, mais Thymara ne se rappelait pas avoir jamais vu son père à demi nu. Elle observa Graffe tandis qu'il se grattait les écailles du dos ; elle connaissait cette sensation de déman-geaison incessante : elle signifiait que les écailles devenaient plus dures et plus épaisses. Il courba légè-rement l'échine afin de les soulever et de pouvoir les gratter à la base. S'il se sentait gêné par l'étendue des stigmates qu'il portait, il n'en montrait rien, et on eût même dit qu'il cherchait à se faire admirer.

Elle se remémora les paroles qu'il avait prononcées le soir où il avait failli chasser Tatou. Il voulait établir ses propres règles, et il avait déjà commencé. Thymara était un peu étonnée de la facilité avec laquelle il avait pris la tête de leur groupe : il lui avait suffi de se comporter comme s'il était le chef. Les plus jeunes l'avaient aussitôt suivi, et seuls quelques-uns échap-paient à son emprise. Tatou était de ceux-là, et Thymara avait le sentiment que, si Graffe n'avait pas agi aussi vite ni étiqueté le jeune garçon comme exclu de façon aussi définitive, c'est lui qui fût monté à la première place ; lui-même le savait aussi, sans doute. Jerde faisait également partie de ceux qui regardaient Graffe avec méfiance, ou du moins avec réserve. *C'est parce que nous sommes toutes les deux des filles*, songea Thymara. *C'est à cause de sa façon de nous observer, comme s'il nous jaugeait.* Elle avait même constaté ce phénomène la première fois qu'il avait posé les yeux sur Sylve ; il l'avait manifestement rejetée comme trop jeune.

Il y avait quelque chose d'étrangement flatteur et aussi d'un peu effrayant à se sentir l'objet de son attention ; comme s'il avait lu les pensées de Thymara ou perçu son regard, il tourna soudain la tête vers elle. Elle baissa les yeux, mais trop tard : il savait qu'elle le dévisageait. Du coin de l'œil, alors qu'il s'étirait et faisait rouler ses épaules, elle le vit lui sourire. Elle se tourna vers Kanaï avant que Graffe eût le temps d'ouvrir la conversation. « Tu es réveillé ? Nous devons nous mettre en route aujourd'hui.

— Je suis réveillé, répondit le garçon. Mais pourquoi faut-il partir si tôt ? Les dragons ne vont pas apprécier de devoir bouger avant que la chaleur monte. »

Graffe répondit avant elle : « Parce que les braves gens de Cassaric sont pressés qu'on s'en aille. Une fois les dragons partis, ils installeront des pontons le long du fleuve, ici même, et ils répareront sans doute, ou reconstruiront convenablement, les écluses qu'ils avaient essayées de mettre en place pour les serpents. Bien conçus, ces biefs pourraient permettre à des bateaux de plus gros tonnage en provenance de Trehaug de parvenir jusqu'à la ville, et une navigation améliorée entraînerait une meilleure exploitation des produits exhumés de l'ancienne cité ; et les ouvriers pourraient aller et venir à leur guise, creuser plus profond et plus près d'ici en toute sécurité. Pour répondre plus directement à ta question, Kanaï, c'est une question d'argent ; plus vite on évacuera les dragons, plus vite les Marchands pourront cesser de payer pour leur entretien et recommencer à faire fortune avec la cité enfouie. »

Kanaï accueillit ces mots avec un froncement de sourcils et une légère moue qui indiquaient la réflexion. « Mais… pourquoi nous faire lever si tôt ? Ce n'est pas une matinée qui va changer grand-chose ! »

Graffe secoua la tête, marmonna quelques mots malsonnants et tourna le dos au jeune garçon. Une expression blessée passa fugitivement sur les traits de Kanaï, et Thymara, l'espace d'un instant, détesta le jeune homme avec une intensité qui la surprit.

« Allons manger quelque chose avant de nous mettre en route, proposa-t-elle. C'est le dernier jour où notre escorte donnera à manger aux dragons ; dès demain, c'est nous qui devrons subvenir à leurs besoins, en espérant qu'ils pourront aussi se débrouiller un peu seuls. »

À ces mots, Kanaï s'illumina. Il ne fallait pas grand-chose pour le rendre heureux ; Thymara n'avait même pas besoin de s'adresser à lui avec gentillesse : il suffisait qu'elle ne se montrât pas cruelle. Elle s'efforça de ne pas se demander quelle vie il avait connue pour qu'une attitude neutre passât auprès de lui pour de l'amitié. Avec un petit soupir, elle se mit à plier ses couvertures. Évidemment, même neutre, une réflexion attirait Kanaï, et elle aurait probablement droit à une journée complète en sa compagnie à écouter ses bavardages incessants.

« Je me demande comment on va nourrir nos dragons. À mon avis, ils devraient pouvoir se débrouiller un peu eux-mêmes, trouver des carcasses d'animaux morts et peut-être même attraper des gros poissons – ou des gros poissons morts, ce serait peut-être le plus facile pour eux. Ma Gringalette aime le poisson, et elle se moque qu'il soit vivant ou mort.

— Gringalette… C'est son vrai nom de dragonne ? » Tatou avait brusquement surgi derrière Kanaï, son paquetage déjà prêt sur le dos ; et il s'était rasé, ce qui signifiait qu'il était debout depuis quelque temps déjà. Il ne se rasait pas souvent, à peine une fois par semaine ; Thymara ne l'avait vu opérer qu'à une reprise depuis qu'ils avaient quitté Trehaug, et il n'avait pas l'air très sûr de sa technique ; accroupi, un petit miroir en équilibre sur un genou, il se raclait les joues à l'aide d'un rasoir pliant. Elle avait été surprise et avait pris conscience alors qu'elle le voyait encore comme un enfant et non comme un adulte. Elle jeta un coup d'œil discret vers Kanaï ; oui, elle les voyait tous comme des enfants, à l'exception peut-être de Graffe. Pourtant, maintenant qu'elle y songeait, Kanaï devait avoir à peu près le même âge qu'elle ; ce n'était donc

198

pas du tout un enfant – du moins jusqu'à ce qu'il répondît.

« Non, je ne crois pas qu'elle avait un nom avant que j'arrive ; mais elle m'aime bien et elle apprécie le nom que je lui ai donné, alors ça va bien. » Il se figea soudain, puis il eut un sourire indulgent. « Zut ! J'ai pensé trop fort à elle et je l'ai réveillée. J'ai intérêt à manger vite et à me rendre auprès d'elle : elle a faim ; et il faut aussi que je lui rappelle que nous partons aujourd'hui. Elle oublie très facilement. »

Il roula sa couverture en boule et la fourra dans son paquetage, puis il parcourut des yeux la zone où il avait couché ; il ramassa sa chemise de rechange, l'enfonça dans son sac, puis dit : « Au petit déjeuner, maintenant ! » et il se dirigea vers le feu de camp. Tatou et Thymara le suivirent du regard.

« Je trouve que Gringalette et Kanaï vont très bien ensemble », fit le jeune garçon avec un sourire. Il se baissa pour ramasser une chaussette que Kanaï avait laissé tomber. « Dommage qu'il soit aussi désordonné, ajouta-t-il, plus sérieux.

— Donne-la-moi, je la lui rendrai.

— Non, je m'en occupe, répondit-il d'un ton détaché. Je le rejoins de toute façon. Tu as raison : profitons de notre dernier repas gratuit. »

Thymara rangea sa couverture proprement pliée dans son paquetage puis vérifia rapidement qu'elle n'oubliait rien. Tous les autres commençaient à s'agiter, et elle remarqua que Graffe était en tête de file devant la marmite de gruau. Elle l'avait vu manger : il terminerait très vite et s'offrirait un

199

deuxième service avant même que certains n'eussent reçu le premier. Ses mauvaises manières agaçaient la jeune fille qui pourtant ne pouvait s'empêcher de se demander si elle n'était pas stupide de ne pas l'imiter ; quelques autres garçons avaient entrepris d'en faire autant depuis un jour ou deux. Kase et Boxteur en particulier singeaient tous ses faits et gestes, et elle les regarda avec inquiétude le suivre avec leurs bols pleins ; quand Graffe s'assit par terre pour manger, ils s'accroupirent de part et d'autre de lui. Elle remarqua soudain avec surprise que Nortel avait un œil au beurre noir et le visage tuméfié. « Que lui est-il arrivé ? demanda-t-elle.

— Il s'est pris le bec avec un autre garçon, répondit Tatou sans s'étendre. Que vont devenir les dragons que personne n'a pris en charge ? » Cette question détourna l'attention de Thymara qui observait Nortel.

« Comment ?

— Il y a deux dragons qui n'ont pas de soigneurs, tu as dû le remarquer. »

Leurs bols de gruau à la main, ils avaient pris place dans la queue derrière Nortel et Sylve ; celle-ci se retourna aussitôt pour se joindre à la conversation. « L'argenté et le tout sale, expliqua-t-elle.

— Je crois que, un peu nettoyé, il serait cuivré », fit Thymara. Elle avait en effet remarqué les deux isolés, et elle avait failli en choisir un quand elle avait eu l'impression que Gueule-de-ciel ne voulait pas d'elle. « Ils sont tous les deux en mauvais état », ajouta-t-elle, puis, avec un effort, elle dit tout haut ce qu'ils pensaient tout bas, elle le savait : « Sans gardiens pour les aider, ils n'ont guère de chances. Je ne suis même pas sûre qu'ils nous suivront lors de notre départ ; ils n'ont pas l'air très intelligents.

— Tu as raison, dit Tatou. J'ai vu l'argenté se blottir contre la gabare hier soir, comme si c'était un dragon ; il n'y était plus ce matin, alors il a peut-être fini par comprendre. N'empêche qu'il n'est pas futé ; mais ça m'étonnerait que le Conseil de Cassaric nous autorise à laisser des dragons derrière nous : ils seraient morts avant une semaine parce que personne ne viendrait les nourrir.

— C'est ignoble, fit Sylve. Il y a longtemps qu'on traite ces dragons avec cruauté. Mon pauvre Mercor dit n'avoir aucun souvenir d'une époque où humains ou Anciens les aient traités aussi mal. »

Nortel acquiesça de la tête sans mot dire. L'homme qui servait le gruau en déposa une louche dans son bol ; Nortel ne bougea pas, et, mécontent, l'homme lui en ajouta une petite portion. Sylve s'avança, tendit son bol au-dessus de la marmite et reçut sa part à son tour ; son bol dansa légèrement de haut en bas sous la charge.

« Ma foi, fit Tatou à contrecœur, si nous laissons ces deux-là nous suivre mais que nous ne fassions rien pour eux, nous les condamnerons à mort aussi sûrement que si nous les laissions ici mourir de faim.

— Ils ne peuvent pas survivre, intervint Alum, derrière Tatou dans la queue. Mon Arbuc ne brille peut-être pas par l'intelligence, mais il est rapide et en bonne condition physique ; c'est pour ça que je l'ai

201

choisi : parce que je pensais qu'il avait les meilleures chances d'arriver vivant au bout du voyage.

— La sage-femme aussi disait que je ne survivrais pas », répondit Thymara à mi-voix tandis qu'on remplissait son bol. Elle suivit Sylve vers un tas de biscuits secs disposés sur une serviette propre ; chacune en prit un puis poursuivit son chemin.

« On vit dans un pays brutal, qui exige des lois brutales, dit Alum, mais il paraissait moins sûr de lui que quelques instants plus tôt.

— Je m'occuperai du cuivré », fit Tatou à mi-voix. Les gardiens s'asseyaient en rond pour manger. « Je le nettoierai un peu et je le débarrasserai de ses parasites avant le départ.

— Je t'aiderai. » Thymara n'avait pas remarqué la présence de Jerde, mais elle était bien là, prenant place à côté de Tatou. Elle posa en équilibre son quignon de pain sur un genou, puis prit son bol dans une main et sa cuiller dans l'autre et se mit à manger.

« Je prendrai l'argenté », déclara Thymara sans réfléchir. Quelque chose lui disait que Gueule-de-ciel ne prendrait pas bien son initiative ; la dragonne risquait de se montrer jalouse des attentions qu'elle dispenserait à son congénère. Eh bien, qu'elle se rende compte par elle-même de ce qu'on ressent dans cette situation ! se dit la jeune fille, revancharde.

« Je te donnerai un coup de main pour lui panser la queue, intervint Sylve.

— Et moi je pourrai peut-être lui attraper du poisson », fit Kanaï en s'insinuant dans le cercle entre Tatou et Thymara, sans s'inquiéter de s'imposer. Il attaqua son gruau avec enthousiasme. « Je n'avais jamais de gruau pour le petit déjeuner, chez moi, reprit-il soudain, la bouche pleine. C'était trop cher ; alors on mangeait de la soupe ou du gâteau de courge. »

Presque tous les soigneurs étaient présents désormais, accroupis ou assis par terre, leur bol et leur quignon de pain à la main ; plusieurs d'entre eux hochèrent la tête.

« Nous, quelquefois, nous avions du gruau assaisonné de miel, dit Sylvc. Mais pas souvent, ajouta-t-elle, comme gênée d'avouer que ses parents avaient de tels moyens.

— Nous, c'était en général des fruits, les invendus de ce que mon père et moi avions cueilli la veille », fit Thymara, et une vague de nostalgie l'engloutit soudain. Elle parcourut les alentours du regard. Que faisait-elle ici, assisc sur le sol dur, à manger du gruau en attendant de remonter le fleuve ? L'espace d'un instant, toute la situation lui parut absurde, et elle eut l'impression que le monde tanguait autour d'elle quand elle mesura à quel point cllc était loin de chez elle et de ses parents.

« Thymara ? »

Elle faillit lâcher sa cuiller, surprise par cette voix d'homme derrière elle. Elle se retourna et vit Sédric qui se tenait, l'air gauche, en retrait du cercle, tiré à quatre épingles, environné d'une senteur proche de celle d'un parfum. « Oui ? répondit-elle bêtement.

— Je ne voudrais pas vous presser, mais il paraît que l'heure du départ est proche, et je me demandais si vous pourriez m'accompagner pour me tenir lieu d'interprète. Alise est déjà avec la dragonne… »

Il se tut, sans doute réduit au silence par l'expression de la jeune fille. Elle détourna les yeux et s'efforça d'apaiser la jalousie qu'elle éprouvait. Alise était déjà en train de parler avec Gueule-de-ciel ? Si tôt dans la journée ? La veille, quand Sédric et Thymara étaient revenus de la pêche, la lumière du jour disparaissait, et, comme la chaleur tombait, les dragons devenaient léthargiques ; lorsqu'ils arrivèrent aux côtés d'Alise et de Gueule-de-ciel, la dragonne souhaitait manifestement rester seule pour dormir. Avec un sourire forcé, Thymara songea que la fatigue ne l'avait toutefois pas empêchée d'avaler tout rond le poisson qu'elle lui apportait. Elle avait ressenti une grande satisfaction à voir la stupéfaction non dissimulée d'Alise devant la taille de sa prise, et son ahurissement devant la promptitude avec laquelle la dragonne l'avait engloutie. Tout en mangeant, Gueule-de-ciel avait donné l'autorisation à Sédric d'être présent quand Alise s'entretenait avec elle ; après quoi elle avait pris la direction de la zone de repos de ses congénères. Thymara avait souhaité bonne nuit à Sédric et à Alise, puis les avait suivis du regard tandis qu'ils regagnaient la gabare échouée.

Elle avait remarqué la façon dont la jeune femme prenait le bras de Sédric, dont lui-même transportait les affaires de sa compagne, et elle se demandait quelle conclusion en tirer. Il se disait l'assistant de la Terrilvillienne, mais elle sentait que leur relation ne s'arrêtait pas là. Étaient-ils amants ? À cette idée, un étrange frisson l'avait parcourue, suivi d'une vague de gêne : cela ne la regardait nullement ; chacun savait que les gens de Terrilville vivent selon leurs propres règles.

« Interprète ? » Graffe se leva d'un mouvement souple où l'on lisait du défi et qui attira l'attention de Sédric.

La question parut prendre le Terrilvillien au dépourvu, tout comme Thymara. « Elle affirme pouvoir m'aider à comprendre ce que dit la dragonne, afin que je puisse noter les conversations. » Comme Graffe le regardait sans répondre, Sédric poursuivit : « Apparemment, je présente une infirmité inhabituelle : quand un dragon parle, je ne comprends pas ; je n'entends que des bruits. Thymara m'a dit hier qu'elle pourrait peut-être m'aider – à moins que je ne la détourne de ses devoirs ? »

Il fallut à la jeune fille un moment pour saisir que l'attitude de Graffe avait conduit Sédric à croire qu'il avait en quelque sorte la mainmise sur elle et qu'il fallait lui demander la permission de l'emmener. Elle fourra le reste de son quignon dans sa poche et se leva, le bol vide. « Je n'ai pas d'autres devoirs pour l'instant, Sédric ; le temps de ranger mes affaires et je suis à vous.

— Tu ne viens pas de dire que tu t'occuperais de l'argenté ? Quelqu'un doit panser sa blessure et tenter de nouer un lien avec lui. »

Graffe s'exprimait comme un supérieur qui rappelle un subalterne à son devoir.

Elle lui fit face et s'exprima sans détour. « Je ferai ce que j'ai promis, mais à mon heure, Graffe. Tu n'es pas responsable de moi ni des dragons en général, et je ne t'ai pas entendu te porter volontaire pour en prendre en charge un deuxième. Seul Tatou s'est proposé. »

Elle voulait rabattre son caquet au jeune homme ; mais elle se rendit compte, trop tard, qu'elle venait de placer Graffe et Tatou en confrontation directe. Ce dernier se leva et fit rouler ses épaules comme pour les détendre ; peut-être était-il engourdi d'être resté assis trop longtemps, mais, aux yeux de Thymara, son attitude donnait l'impression qu'il se préparait à un combat. « C'est vrai, dit-il. Sylve, si tu as besoin d'un coup de main pour soigner l'argenté, fais-moi signe. Kanaï, ce serait bien si tu lui trouvais un poisson ou n'importe quoi d'autre à manger. Je vais aller dire bonjour à mon vert, puis j'irai examiner le cuivré pour voir ce qu'on peut faire pour lui. Accompagne Sédric, Thymara ; on pourra se débrouiller sans toi pour le moment. »

Elle vit le Terrilvillien regarder tour à tour Graffe et Tatou, et elle comprit soudain qu'il se demandait qui avait l'autorité dans le groupe sur elle. Une brusque colère la saisit, dirigée contre les deux jeunes garçons, et elle répondit d'un ton cassant : « Merci, Tatou, mais j'ai dit que je m'en occuperais, et je le ferai. Je n'ai besoin de l'aide ni de la permission de personne. »

À l'expression de son ami, elle comprit qu'elle avait parlé plus durement qu'elle n'en avait l'intention : elle souhaitait seulement affirmer son indépendance. Sa gêne s'aggrava lorsqu'elle vit l'air satisfait de Graffe, et elle serra les dents. En moins de deux jours, le léger béguin qu'elle éprouvait pour lui, alimenté par ses attentions envers elle, s'était mué en aversion profonde. Elle savait qu'il manipulait la situation, mais elle n'arrivait pas à se dépêtrer de ses ficelles ; à présent, tout le monde croirait à une mésentente entre elle et Tatou, mésentente qui n'existait pas, ou du moins dont elle ne voulait pas. Jerde baissait les yeux, mais Thymara savait qu'elle souriait ; Tatou, lui, se détournait avec raideur. Il ne restait plus à la jeune fille qu'à suivre Sédric. Même lui paraissait se rendre compte de la tension au sein du groupe alors qu'elle s'éloignait avec lui.

« Je ne voulais pas vous causer d'ennuis, fit-il.

— Vous n'y êtes pour rien », répondit-elle laconiquement. Elle prit une inspiration et secoua la tête. « Pardon, je m'exprime trop sèchement. Croyez-moi, vous ne m'avez causé aucun ennui ; c'est Graffe le problème, et Tatou aussi parfois. Comme Graffe se veut le chef des gardiens, il agit comme tel en espérant que les autres le suivront ; et ça me met en fureur de voir que certains s'y laissent prendre ! En réalité, on n'a désigné aucun responsable : nous sommes tous libres de faire notre travail comme nous l'entendons ; mais Graffe a un talent pour semer la discorde parmi ceux qui refusent de plier devant lui, comme Tatou et moi.

— Je comprends. » Et il hocha la tête comme s'il comprenait vraiment.

« D'ordinaire, Tatou et moi nous entendons très bien. Mais, depuis son arrivée, Graffe a l'air de prendre un malin plaisir à créer des tensions et à manipuler les autres. On a parfois l'impression que, s'il ne parvient pas à nous obliger à faire ce qu'il veut, il s'efforce de nous rendre le plus malheureux possible. J'ai tout d'abord cru qu'il m'aimait bien, mais en réalité il se comporte comme s'il ne supportait pas que j'aie un ami ; on dirait qu'il s'acharne à nous séparer, Tatou et moi. Pourquoi certains sont-ils ainsi ? »

Elle n'attendait pas de réponse, mais il parut choqué, comme si elle venait de lui poser une question d'une grande portée, et il dit d'une voix lente : « Peut-être parce que nous les laissons faire. »

Sédric avait l'impression d'avoir reçu un coup à l'arrière du crâne, et à deux reprises, d'abord à la vue de l'extraordinaire jeune homme qui paraissait disputer son droit de demander à Thymara de jouer les interprètes ; il n'avait jamais vu personne qui lui ressemblât, du moins sans voile ni capuche. La plupart des gens qui portaient d'aussi lourds stigmates du désert des Pluies se dissimulaient, mais pas Graffe. Défi aux coutumes ? Ou bien s'étaient-ils assez enfoncés dans la jungle et les gens du cru ne s'inquiétaient-ils plus de ce que pouvaient penser les étrangers ?

Son visage avait une allure nettement reptilienne, qui, bizarrement, donnait plus de force à sa présence ; ses yeux bleus brillaient comme des lapis-lazuli polis sous les fines écailles de ses sourcils ; ses traits austères évoquaient à Sédric ceux d'une statue, en dehors du fait qu'ils n'étaient pas en pierre. Il se rapprochait plus de l'animal qu'aucune autre personne de la connaissance de Sédric, et il avait presque eu l'impression de sentir son odeur, comme si Graffe matérialisait par un fumet la domination qu'il s'efforçait d'asseoir. Même sa voix possédait un timbre inhumain, un bourdonnement qui évoquait à Sédric un archet glissant sur des cordes noires. Les écailles le repoussaient mais la voix l'attirait ; pas étonnant que la jeune fille à ses côtés soit si agitée en sa présence : n'importe qui s'en fût ému.

Même Hest. Graffe et Hest se seraient heurtés comme des cerfs se battant pour un territoire. Comme cette pensée lui venait, la jeune fille avait posé une question qui avait suscité chez lui une brutale prise de conscience : Hest n'aimait pas qu'il fût ami avec Alise ; il ne voulait pas qu'il eût des conversations avec elle, ni même un avis sur elle : Alise était une part du passé de Sédric à laquelle celui-ci avait renoncé en laissant entendre que, si Hest l'épousait, cela pourrait mettre un terme à ses problèmes avec ses parents. Songer aux implications de cet abandon mettait Sédric mal à l'aise ; il écarta de son esprit les autres amitiés qu'il avait négligées en faveur de celle de Hest, et son père dont il s'était détaché en acceptant de travailler pour Hest au lieu de se débrouiller seul ou de suivre les traces paternelles.

Il s'efforça de revenir à l'instant présent, et jeta un regard à la jeune fille manifestement agacée qui l'accompagnait. « Je regrette de vous avoir créé des problèmes. »

Elle eut un petit rire de dérision. « Oh, vous n'avez rien fait de tel ! Ils sont inhérents à ce que je suis, et ils se sont multipliés quand j'ai signé le contrat pour le voyage, c'est tout. » Elle s'éclaircit la gorge et changea de sujet. « Pourquoi Alise s'est-elle levée si tôt ?

— L'impatience, sans doute. Une fois que nous nous mettrons en route, elle n'aura probablement plus guère de temps pour bavarder avec les dragons. » Sédric mentait : c'était lui qui avait réveillé Alise et lui avait suggéré de tenter une entrevue avant le début du voyage. Enthousiaste, elle était apparue toute habillée quelques minutes plus tard. Contre toute vraisemblance, il espérait qu'ils obtiendraient tous les deux ce dont ils avaient besoin avant le départ des dragons ; ses espoirs déclinaient à présent, mais une dernière possibilité s'offrait à lui : si les résultats de l'entretien de ce matin se révélaient aussi inintéressants que ceux dont elle lui avait fait part la veille, peut-être parviendrait-il à la persuader qu'elle en apprendrait davantage en restant quelques jours à Cassaric pour en étudier les ruines. Si la chance lui souriait, ils trouveraient peut-être un moyen d'entrer en contact avec le capitaine Trell et de revenir à bord du *Parangon*.

« Ou alors, elle disposera de plus de temps que nécessaire, répondit Thymara. J'ai l'impression que l'expédition durera plus longtemps qu'on ne nous l'a promis : je crois que personne ne sait où nous allons, et les gens de Cassaric s'en moquent bien du moment que nous emmenons les dragons ailleurs. »

Sédric songea qu'elle avait admirablement résumé la situation, mais préféra se taire et chercha un moyen d'amener la conversation sur un échange qu'il avait surpris plus tôt. Comme l'inspiration lui faisait défaut, il dit carrément : « Ainsi, en plus de la dragonne bleue, vous vous occuperez d'un argenté ?

— C'est ce que j'ai dit, oui », répondit-elle. Elle donnait l'impression de le regretter.

— D'après Tatou, il serait blessé ? À la queue, c'est ça ?

— Je ne l'ai pas examiné de près, mais, oui, il a comme une plaie là, et elle a l'air infectée. Les dragons sont pratiquement insensibles à l'acidité de l'eau du fleuve, comme les oiseaux et les poissons qui y vivent ; tant que leur peau reste intacte, ils n'ont pas de problème, mais l'eau attaque les lésions ouvertes. Il faut donc les nettoyer, les panser proprement et s'assurer, j'ignore comment, que l'argenté ne trempe pas sa queue dans l'eau si nous devons nous aventurer dans le fleuve, ce qui arrivera sans doute. »

Alise et la dragonne bleue marchaient le long de la berge ; la jeune femme paraissait minuscule à côté de l'immense créature. Sédric sut que Thymara les avait remarquées aussi, car elle pressa le pas ; aussitôt, il ralentit exprès, afin de la retenir : ce qu'il avait à lui dire ne devait pas parvenir aux oreilles d'Alise. « Je me suis toujours intéressé aux animaux et aux médicaments, et aux dragons en particulier ; je pourrais peut-être vous aider à soigner cette pauvre bête. »

Thymara lui retourna un regard étonné. « Vous ? »

Il fut un peu vexé de cette réaction. « Et pourquoi pas ?

— C'est que… enfin, vous ne les comprenez même pas quand ils parlent. Et puis vous êtes, euh… délicat ; propre sur vous, je veux dire, et j'ai du mal à vous imaginer en train de vous occuper d'un dragon couvert de boue et à la queue infectée. »

Il se plaqua un sourire sur les lèvres. « Vous ne me connaissez pas, Thymara ; vous vous apercevrez, je pense, que je recèle bien des surprises. » Là, il ne mentait pas !

« Ma foi, si vous tenez à vous rendre utile, c'est sûrement possible ; mais d'abord je dois m'occuper de vous traduire ce qu'Alise et Gueule-de-ciel se disent. Je ne pense pas que ça durera longtemps, parce qu'on va bientôt apporter à manger aux dragons, et je sais que Gueule-de-ciel voudra sa part autant que ses congénères ; mais, une fois leur repas terminé, j'irai examiner l'argenté pour voir ce que je peux faire pour lui.

— Parfait. Le temps de réunir mon matériel, je vous accompagne.

— Matériel ?

— Je dispose de quelques fournitures médicales que j'ai apportées en prévision de notre voyage, charpie, bandages, couteaux affûtés, alcool pour nettoyer les plaies. » Et pour conserver les spécimens. Avec un peu de chance, il aurait peut-être une fiole pleine d'écailles de dragon avant même de quitter la plage. Sédric adressa un sourire rassurant à la jeune fille.

212

Les relations avec les dragons se présentaient mal, Alise le savait, et un sentiment d'échec imminent l'accablait. Pourquoi avait-elle imaginé qu'elle n'aurait aucune difficulté à communiquer avec eux ? Pourtant, dans ses rêves, les grandes créatures sentaient une parenté avec elle à son arrivée, et elles lui ouvraient leur cœur et leurs souvenirs. Voilà un fantasme qui ne se réaliserait certainement pas.

« Peux-tu partager avec moi quelques-uns de tes souvenirs ancestraux ? » demanda-t-elle à la dragonne, à bout d'espoir car Gueule-de-ciel, comme l'appelait sa soigneuse, ne cessait d'éviter les questions qu'elle lui posait.

« Ça ne servirait sans doute à rien : tu es humaine, moi je suis un dragon ; selon toute vraisemblance, tu ne pourras jamais comprendre le moins du monde ce que c'est d'être comme moi, ni appréhender aucun de mes souvenirs. »

Encore une fois, elle anéantissait les illusions d'Alise, mais d'une voix bien modulée empreinte de courtoisie et de bienveillance ; ses yeux magnifiques formaient un tourbillon, et la jeune femme aspirait désespérément à former un lien avec elle. Elle savait qu'elle tombait sous le charme de la dragonne ; elle reconnaissait l'adoration non partagée et désespérante qu'elle éprouvait pour la créature, mais contre laquelle elle était sans défense. Plus la dragonne la traitait avec condescendance et l'insultait, plus elle avait envie de gagner sa considération, et son savoir sur le sujet n'y changeait rien : on peut étudier les phénomènes d'assuétude et devenir dépendant soi-même.

Elle fit une dernière tentative. « Crois-tu que tu répondras un jour à mes questions ? »

La dragonne la considéra sans répondre ; elle ne bougea pas et pourtant parut se rapprocher. Alise était envahie par un sentiment d'amour d'une mièvrerie absolue envers la créature ; elle connaîtrait un bonheur parfait si elle pouvait passer sa vie à son service. Elle avait eu raison de se rendre dans le désert des Pluies, et, si elle n'accompagnait pas la dragonne dans son périple le long du fleuve, sa vie n'aurait été qu'une tragédie absurde ; Gueule-de-ciel était le but de son existence, et aucune autre relation ne pourrait la satisfaire...

Avec la brutalité d'une poupée qui heurte le sol, Alise revint à la réalité de la berge sous le ciel d'été. « On apporte la nourriture », annonça la dragonne, et la jeune femme se sentit comme écartée. C'était bien le charme des dragons ; Gueule-de-ciel s'amusait avec elle. Elle ne pouvait le nier, et elle eût dû éprouver de la honte à s'y être laissé prendre ; mais elle n'éprouvait que du dépit et l'envie de regagner l'attention de la dragonne, sentiments qui faisaient désagréablement écho à ceux que Hest avait suscités naguère chez elle. Le souvenir de cette humiliation rompit enfin le charme ; elle se durcit, et elle se détourna de la grande créature. Aucun de ses rêves ne se réaliserait jamais, ni ceux de sa vie à Terrilville avec Hest, ni ceux, ridicules, de son voyage en compagnie des dragons. Elle décida soudain qu'il était temps de rentrer chez elle.

La dragonne se rendit-elle compte qu'elle avait perdu son adoratrice ? On eût pu le croire, car, alors qu'elle se dirigeait vers les brouettes de viande, elle fit halte brusquement et regarda Alise. Celle-ci détourna résolument les yeux. Non, elle ne retomberait plus sous son charme ; c'était fini.

« Oh, Sâ ! J'ai l'impression que nous arrivons trop tard. »

La voix de Sédric la fit sursauter, et elle s'étonna encore davantage de le voir en compagnie de la gardienne de Gueule-de-ciel. La jeune fille paraissait aussi mécontente de la voir qu'auparavant, à moins que l'imagination d'Alise ne lui jouât des tours : étant donné les modifications que le désert des Pluies avait apportées à ses traits, il était difficile de déchiffrer ses expressions.

« Gueule-de-ciel avait faim, et elle a préféré aller manger plutôt que répondre à mes questions », expliqua-t-elle sans nécessité. Elle jeta un regard à Thymara, regrettant sa présence, puis continua avec raideur, comme si une boule dans sa gorge privait ses propos de toute inflexion : « Sédric, j'ai pris conscience que tu avais raison, Brashen Trell et son épouse aussi, et même Hest : mes entretiens avec cette dragonne ne mènent à rien ; elle prend un malin plaisir à me faire obstacle. » Elle dut faire un effort pour prononcer les mots suivants : « Par ma faute, nous en avons vu de dures pour parvenir jusqu'ici ; j'ai étourdiment signé un contrat qui m'oblige à remonter le fleuve, et je me demande à présent si je retirerai de cette expérience un quelconque savoir sur les dragons. Cette créature est absolument… absolument…

— Exaspérante, acheva Thymara à mi-voix avec un petit sourire.

— Exactement ! » s'exclama Alise. Et, à sa propre surprise, elle rendit son sourire à la jeune fille.

« Eh bien, au moins, je sais maintenant que ce n'est pas qu'une impression de ma part. » Thymara hocha la tête et demanda timidement : « Ça veut dire que vous abandonnez et que vous retournez à Terrilville ? »

Les émotions conflictuelles qui passèrent sur le visage de Sédric n'échappèrent pas à Alise ; l'espoir, certes bien présent, mais aussi l'inquiétude. Sans lui laisser le temps de répondre, il dit : « Je comprends parfaitement que tu préfères ne pas entreprendre ce voyage, Alise. Nos affaires peuvent être empaquetées et déchargées de la gabare en très peu de temps ; mais, avant cela, j'ai promis à Thymara de l'aider à soigner un dragon blessé.

— L'argenté », murmura la jeune fille.

Alise les regarda tour à tour en s'efforçant de comprendre. À sa connaissance, Sédric n'avait jamais manifesté aucun intérêt ni affection pour aucun animal. Certes, il partageait en partie sa curiosité intellectuelle pour les dragons, mais elle ne l'avait jamais vu caresser un chien ni parler à son cheval ; et voici qu'il s'apprêtait à aider cette fille à panser un dragon ? Il y avait anguille sous roche, et elle eut soudain le sentiment de se trouver au bord d'un cours d'eau étrange, voire sinistre. Aurait-il des vues sur la jeune fille ? Elle était bien jeune, avec un aspect très insolite, et cette attirance serait très inconvenante.

Sans réfléchir, elle dit : « Je vous accompagne. Il n'y a peut-être que Gueule-de-ciel à se montrer aussi difficile. Tu as raison, Sédric, je ne devrais pas renoncer aussi aisément, surtout maintenant que j'ai donné ma parole au Conseil. Nous y allons ? »

Il eut l'air gêné. « Plus tard, peut-être. Il vaut mieux ne pas le déranger pendant qu'il mange.

— Au contraire, c'est peut-être le moment rêvé, répliqua la jeune fille. Pendant qu'il est distrait par son repas, nous pourrons peut-être examiner sa blessure.

— Mais il paraît qu'il ne faut jamais importuner un animal pendant qu'il se restaure ! protesta Sédric.

— Un animal ordinaire, peut-être, répondit Thymara ; mais il s'agit d'un dragon, et, malgré son air stupide, il lui reste peut-être une parcelle d'intelligence. Si je dois participer à ses soins pendant le trajet, plus vite j'apprendrai à le connaître, mieux ça vaudra.

— Alors, allons-y, dit Alise.

— Naturellement », fit Sédric d'une voix défaillante.

Sixième jour de la Lune du Grain

*Sixième année de l'Alliance Indépendante
des Marchands*

*De Detozi, Gardienne des Oiseaux, Trehaug,
à Erek, Gardien des Oiseaux, Terrilville*

*Copie du contrat entre le Conseil du désert des Pluies
de Cassaric et le capitaine Leftrin de la vivenef* Mataf,
*contenant une convention concernant Alise Kincarron
Finbok, spécialiste des dragons de Terrilville, avec
suggestion de laisser une copie de ce dernier document
aux Archives du Conseil pour Alise Kincarron Finbok. À
suivre, le détail des dépenses encourues.*

*Erek,
En ma qualité de Gardienne des Oiseaux de
Trehaug, j'ai le plaisir de vous annoncer que le pigeon
extraordinairement laid qui se vomissait dessus après
avoir mangé ses propres déjections s'est apparemment
guéri tout seul, et qu'il n'y a pas de danger de conta-
gion pour nos nichoirs. La miséricorde de Sâ est sur
nous !*

Detozi

6

Écailles

Sintara écarta Veras de son chemin et s'empara de la carcasse de daim des marais que lorgnait la petite verte ; celle-ci feula, la gueule pleine, puis fit mine d'attaquer la grande dragonne. Sintara ne lui prêta nulle attention : à quoi bon perdre son temps à se battre tant qu'il restait à manger ? Jamais depuis des mois les brouettes n'avaient apporté autant de viande, et tous les dragons avaient convergé vers elles pour former un demi-cercle d'immenses créatures affamées. Elle n'avait l'intention de s'arrêter de bâfrer qu'après avoir avalé la dernière bribe de venaison ; ensuite, elle irait faire une sieste digestive au soleil. Que les humains s'agitent et papillonnent en tous sens en criant qu'il était l'heure de partir : elle partirait quand elle serait prête, pas avant.

Tout autour d'elle, ses congénères mangeaient à grand bruit, os broyés, muscles arrachés, grognements d'effort des dragons qui se hâtaient d'engloutir le plus de viande possible. Les plus grands s'étaient frayé un chemin jusqu'au centre et s'emparaient des plus gros morceaux, tandis que les petits, repoussés à la périphérie, devaient se contenter d'oiseaux, de poissons et même de lapins.

Ce fut au moment où elle rejetait la tête en arrière pour faire descendre un quartier du daim qu'elle remarqua les humains attroupés autour d'un de ses semblables. L'intéressé, un argenté mal formé, s'efforçait de manger et ne prêtait nulle attention aux humains qui avaient saisi sa queue et l'étiraient sur toute sa ridicule longueur ; apparemment, il avait si faim que rien ne pouvait le distraire de son repas. Sintara se fût désintéressée du spectacle pour la même raison si elle n'avait pas observé que deux des humains en question lui appartenaient.

Elle avala sa bouchée puis laissa échapper un grondement de mécontentement ; elle envisagea d'intervenir mais décida finalement de continuer à se remplir le ventre tout en réfléchissant.

À sa propre surprise, elle avait commencé à apprécier les attentions des humains : elle trouvait flatteur d'avoir des serviteurs, même s'il ne s'agissait que d'humains d'une ignorance crasse ; ils ne savaient pas comment la louer convenablement, ils ne lui avaient pas apporté de présents, mais la plus jeune acquérait quelques talents en matière de nettoyage. La nuit précédente, Sintara avait dormi profondément, sans se réveiller une seule fois à cause des parasites suceurs de sang accrochés à ses naseaux et à ses oreilles ; et puis la jeune fille lui avait apporté un poisson, un gros tout frais pêché. Quant à la Terrilvillienne, elle faisait au moins des efforts pour s'adresser à elle avec le respect et la flatterie qui seyaient. Les dragons étaient trop intelligents pour être sensibles à la flagornerie, mais elle prenait plaisir à écouter compliments et mots caressants, qui indiquaient en outre que l'humain adoptait l'attitude déférente qui convenait.

Elle se réjouissait aussi d'être le seul dragon entouré de deux serviteurs. Mais voici qu'ils semblaient avoir déserté pour l'argenté à la cervelle vide, perspective tout à fait déplaisante. Elle aimait sentir les vibrations de jalousie entre les deux femmes qui se disputaient son attention ; Thymara avait pris grand plaisir à lui offrir son poisson, plaisir non seulement de servir la dragonne mais de la servir mieux qu'Alise ; et Sintara attendait avec impatience le moment de provoquer une concurrence plus vive entre elles. Contrariée, elle observa qu'elles collaboraient à présent, et se sentit insultée qu'elles fissent preuve de la même sollicitude envers l'argenté qu'envers elle. Le mâle inutile qui accompagnait Alise les avait rejointes.

Kalo avait profité de sa distraction pour planter les crocs dans une carcasse de chèvre pourtant plus près d'elle que de lui. Sintara poussa un feulement de colère et crocha l'autre extrémité du cadavre ; la prise n'en valait guère la peine : pourrie, elle se déchira en deux sans même qu'on eût besoin de tirer. Kalo avala sa bouchée puis dit : « Tu devrais inculquer le respect à ta soigneuse, ou tu vas la perdre. »

Sintara se sentit humiliée qu'il eût remarqué la défection de la fille. Elle s'apprêtait à aller la chercher, ainsi que l'autre humaine, mais à présent son amour-propre le lui interdisait. « Je n'ai pas besoin de soigneur, répliqua-t-elle.

— Naturellement, comme nous tous. Néanmoins, je ne laisserai personne me dépouiller du mien : il m'apporte trop de satisfaction. Tu as noté, évidemment, que c'est moi que le chef des humains a choisi ; ses semblables m'ont reconnu comme le chef des dragons, d'après lui.

— Vraiment ? Tant mieux pour toi ; dommage qu'aucun dragon n'en fasse autant ! » Et, vive comme un lézard, elle tendit le cou, saisit une carcasse de jeune cochon de fleuve qui gisait devant lui et l'attira à elle. Kalo se hérissa, et les aiguilles inachevées de sa crinière se dressèrent à demi. « Lamentable », fit-elle à mi-voix, comme si elle se parlait à elle-même. Elle posa les pattes sur le cochon, le réduisit en bouillie et l'avala d'une bouchée. Puis elle reprit : « Une des femelles qui s'occupent de moi possède une grande connaissance des dragons et des Anciens, ce qui lui vaut le respect de sa cité, et elle a décidé de nous accompagner par admiration pour moi ; et elle sait que, lorsque les dragons d'autrefois élisaient un chef, il s'agissait toujours d'une reine – comme moi.

— Comme toi ? Alors, à l'époque, il y avait aussi des dragons sans ailes ?

— Je n'ai peut-être pas d'ailes, mais j'ai des crocs ! » Elle ouvrit grand la gueule, menaçante.

En face d'eux, de l'autre côté du cercle, Mercor leva lentement la tête. Depuis qu'on l'avait nettoyé, ses écailles d'or scintillaient sous le soleil ; sur les côtés de son long cou, des motifs subtils marquaient peut-être l'emplacement de faux yeux à l'époque où il était serpent. Il n'était pas aussi grand que Kalo ni Sintara ; pourtant, quand il se dressa, il irradiait l'autorité. « On ne se bat pas, dit-il calmement, comme s'il avait le droit de leur imposer sa volonté. Pas aujourd'hui, alors que nous sommes si près de quitter ce site et d'entamer notre voyage pour retrouver ce que nous étions, ce que nous devons devenir.

— Comment ça ? » demanda Sintara d'une voix tendue. À part elle, elle se réjouissait de cette interruption : elle n'avait aucune envie de se battre alors qu'il restait à manger.

Mercor croisa son regard. Il avait des yeux d'un noir brillant, comme des blocs d'obsidienne sertis dans ses orbites ; elle ne put déchiffrer son expression. « Je veux dire que nous commençons aujourd'hui notre voyage de retour à Kelsingra. Fouille ta mémoire, et tu comprendras peut-être.

— Kelsingra », répéta Kalo d'un ton sceptique. Sintara soupçonnait que lui aussi était soulagé de l'intervention de Mercor ; toutefois, il ne pouvait l'avouer et reportait donc son dédain sur le mâle doré.

« Kelsingra, oui », répondit Mercor ; il courba le cou et huma la terre en quête de déchets de viande. Les humains avaient apporté à manger plus que d'habitude, peut-être en guise de cadeau d'adieu ou pour se débarrasser d'éventuels surplus qu'ils gardaient en réserve ; quoi qu'il en fût, les dragons avaient tout dévoré rapidement, et Sintara pensa qu'elle n'était pas la seule à avoir encore faim. Elle eût aimé se rappeler la sensation de satiété ; elle ne l'avait jamais connue dans cette vie.

« Kelsingra, fit soudain Veras, et, alentour, d'autres dragons levèrent la tête.

— Kelsingra ! » trompetta Dente à son tour, et elle fit un tel bond que ses pattes avant quittèrent le sol ; ses ailes battirent l'air spasmodiquement mais en vain, et elle les replia brusquement, comme honteuse.

« Kelsingra ! » reprirent en chœur les deux orange, comme si ce nom les emplissait de joie.

Mercor releva la tête, les parcourut tous du regard et déclara d'un ton solennel : « Il est temps de partir. Nous sommes restés trop longtemps ici, parqués comme des animaux de boucherie. Nous avons dormi là où on nous a relégués, mangé ce qu'on nous a fourni, accepté comme destin cette ombre d'existence. Les dragons ne vivent pas ainsi, et, pour ma part, je refuse de mourir ainsi ; si je dois périr, que ce soit en dragon. Allons-y. » Il se tourna et se dirigea vers les hauts-fonds du fleuve. Pendant un moment, les autres le regardèrent sans réagir, puis, brusquement, certains lui emboîtèrent le pas.

Et, sans réfléchir, Sintara les suivit.

D'aspect, l'entaille à la queue du dragon argenté provenait d'un coup de griffe d'un de ses congénères qui avait déchiré la chair. Thymara se demandait si la blessure était volontaire ou s'il s'agissait seulement d'un accident survenu durant la bousculade quotidienne pour la nourriture ; elle se demandait aussi à quand elle remontait. Longue comme son avant-bras, la plaie se situait près de la jonction de la queue et du corps ; un bourrelet de chair de part et d'autre de la déchirure béante indiquait qu'elle avait tenté de se fermer mais s'était rouverte. Elle n'était pas belle à voir, et sentait pire encore ; des mouches, certaines grosses et bruyantes, d'autres petites et nombreuses, tournoyaient autour de la plaie et s'y posaient.

Alise et Sédric, pourtant les aînés de Thymara, se tenaient en retrait comme des enfants timides et attendaient qu'elle agît. L'argenté ne paraissait leur prêter aucune attention ; à une extrémité du croissant de viande le long duquel s'attroupaient les dragons, il s'emparait des morceaux à sa portée puis reculait d'un demi-pas pour les manger. La jeune fille eût aimé avoir de quoi l'occuper plus longtemps afin qu'il se tînt tranquille. Il saisit un grand volatile, le jeta en l'air, le rattrapa et l'avala tout rond. Elle devait agir vite : quand il n'y aurait plus rien à manger, rien ne la distrairait plus.

Sédric avait pris sa mallette de pansements et de pommades et l'avait ouverte par terre, prête à servir. Thymara, elle, avait apporté, plus prosaïquement, un seau d'eau propre et un chiffon. Chacun attendait que l'autre fît le premier geste, et la jeune fille se sentait comme un messager qui a oublié les paroles qu'on le paie pour répéter. Elle se détourna de ses compagnons et se demanda ce qu'elle ferait si elle était seule, comme elle pensait l'être.

Enfin, non : elle s'attendait à la présence de Tatou, ou au moins de Sylve ou de Kanaï, et elle se jugeait à présent bien bête d'avoir pris sur elle de soigner l'infortuné dragon argenté : Gueule-de-ciel suffisait amplement à l'occuper, et elle n'avait pas le temps de se charger en plus de cette créature sans cervelle. Elle écarta cette réflexion de son esprit et réprima durement ses doutes. Elle posa une main douce sur la peau crottée du dragon, loin de la blessure. « Coucou ! » fit-elle à mi-voix.

Il tressaillit légèrement à son contact mais ne réagit pas autrement. Elle se retint de regarder ses compagnons : elle n'avait nul besoin de leur approbation ni de leurs conseils. Elle appuya plus fermement la main, et il ne s'écarta pas. « Écoute, dragon, je veux te soigner. Nous allons bientôt remonter le fleuve pour vous trouver un site où vous installer ; mais, avant que nous nous mettions en route, je tiens à examiner ta plaie. Elle a l'air infectée, et je voudrais la nettoyer puis la panser. Ça fera peut-être un peu mal, mais il faut en passer par là, je crois, sinon l'eau du fleuve te rongera la chair. Tu permets que je m'en occupe ? »

Le dragon tourna la tête vers elle ; une moitié de carcasse pendait de sa gueule. Thymara ne savait pas de quel animal il s'agissait, mais il puait atrocement et elle pensait que l'argenté ferait mieux de s'abstenir de le manger ; mais, avant qu'elle eût le temps de l'avertir, il leva la tête, ouvrit grand les mâchoires et engloutit sa proie. La jeune fille sentit son estomac se soulever, puis elle se répéta que de nombreux prédateurs se nourrissent de charognes ; elle ne devait pas laisser ce spectacle la démonter.

Le dragon la regarda de nouveau. Il avait les yeux bleus, mélange d'azur et de pervenche qui tournoyait lentement. Il émit un grondement interrogateur, mais elle ne perçut aucun sens précis. Elle chercha une étincelle d'intelligence dans son expression, autre chose qu'une acceptation bovine de sa présence. « Dragon d'argent, me permets-tu de t'aider à guérir ? » demanda-t-elle à nouveau.

Il baissa la tête, se frotta le mufle sur sa patte avant pour se débarrasser d'une section d'intestin qui pendait du coin de sa gueule ; il se gratta les naseaux en reniflant, et Thymara remarqua, accablée, que des parasites infestaient ses narines et ses oreilles ; il faudrait l'en débarrasser aussi. Mais, d'abord, la queue. Le dragon ouvrit la gueule, révélant une longue mâchoire pleine de crocs luisants ; il paraissait placide, voire absent, mais, si elle lui faisait mal, ces crocs risquaient de la tuer.

« Je commence », dit-elle à l'argenté et à ses compagnons. Prenant sur elle, elle se tourna vers les Terrilvilliens et ajouta : « Tenez-vous prêts. Il ne réagit guère à ce que je lui dis, et je ne le sens pas plus intelligent qu'un animal ordinaire ; du coup, j'ignore comment il réagira quand j'examinerai sa queue ; il risque de s'en prendre à moi – ou à nous tous. »

Sédric parut dûment inquiet, mais Alise serra les dents d'un air décidé. « Il faut faire quelque chose pour lui », répondit-elle.

Thymara plongea son chiffon dans le seau d'eau et l'essora au-dessus de la plaie ; l'eau coula dans la blessure puis courut en un ruisselet sale le long de la queue, emportant quelques asticots et dérangeant une nuée d'insectes, petits et grands, qui s'élevèrent, bourdonnèrent puis se reposèrent aussitôt. Elle n'avait guère fait que nettoyer la surface de la plaie, mais au moins le dragon n'avait pas tenté de la mordre ; elle rassembla donc son courage et appuya doucement le chiffon sur la blessure. La peau de la créature ondoya, mais le dragon ne gronda pas. Thymara passa délicatement le tissu sur la zone atteinte, ôta une couche de crasse et de parasites et dénuda la déchirure à vif au milieu ; alors elle plongea le chiffon dans le seau, le rinça, le tordit, puis l'appliqua plus fermement sur la plaie. Des croûtes se détachèrent, et soudain un liquide nauséabond sortit de la blessure.

Le dragon renifla brusquement et tourna vivement la tête pour voir ce qu'on lui faisait ; quand il la projeta vers Thymara, celle-ci crut sa dernière heure arrivée, et elle ne trouva même pas le souffle nécessaire pour crier.

Mais la créature s'intéressait à la plaie suppurante : elle posa les naseaux sur l'enflure et se mit à en exprimer le pus ; elle y passa un moment, commençant par une extrémité de la plaie et appuyant du museau jusqu'à l'autre bout. L'odeur était épouvantable, et les mouches bourdonnaient, surexcitées. Thymara ferma les narines autant qu'elle le put, en se cachant le nez du dos de la main. « Au moins, il essaie de nous aider », dit-elle, les dents serrées.

Tout à coup, le dragon se désintéressa de sa blessure et se remit à manger ; Thymara en profita pour mouiller à nouveau son chiffon et nettoyer le pus qui sourdait de la plaie. Elle rinça le linge à trois reprises, puis finit par craindre que l'eau contenue dans le seau ne fût aussi sale que la sanie qu'elle s'efforçait de laver.

« Tenez, servez-vous de ceci. »

Elle se retourna. Sédric, la mine sombre, lui tendait un couteau à lame mince. Elle regarda l'objet sans comprendre : elle s'attendait à un pansement ou à de la pommade. « Pour quoi faire ? demanda-t-elle.

— Il faut exciser la chair bourgeonnante, puis refermer la blessure, peut-être en la cousant, sinon elle ne guérira pas convenablement.

— La chair bourgeonnante ?

— Les bourrelets gonflés, d'aspect dur, qui bordent la plaie ; il faut les ôter pour pouvoir bander la blessure lèvre contre lèvre et permettre à la chair de se suturer.

— Je dois trancher dans la chair du dragon ?

— C'est impératif. Regardez-la, toute sèche et épaissie : elle est morte, en réalité. La plaie ne peut pas guérir ainsi. »

Thymara avala sa salive, l'estomac dans la gorge. Il avait raison. Sur sa main tendue, au milieu d'un linge propre et soigneusement plié, reposait le couteau brillant.

« Je ne sais pas comment m'y prendre, dit-elle.

— Pas plus que nous ; mais il faut le faire. »

Elle prit le couteau et tâcha de le tenir fermement, puis elle cala sa main libre sur la queue du dragon. « J'y vais », dit-elle, et elle posa prudemment la lame le long du bourrelet de chair qui ceinturait la plaie. L'acier, très affûté, s'enfonça quasiment sans effort ; elle regarda sa propre main découper la peau tendue du bord de la plaie, qui se détacha comme celle, flétrie, d'un fruit desséché, couverte de boue et d'écailles. Le couteau dégageait une chair rouge sombre d'où sourdait lentement le sang en gouttelettes brillantes, mais le dragon continuait à manger en reniflant bruyamment, comme s'il n'éprouvait nulle douleur.

« C'est ça, dit Sédric d'une voix basse mais enthousiaste. C'est bien. Otez encore ce morceau-là, et je vous en débarrasserai. »

Elle obéit sans remarquer la dextérité avec laquelle il saisit le bout de chair dans sa main gantée. Alise se taisait, absorbée par le spectacle ou très occupée à ne pas regarder ; Thymara n'avait pas le temps de vérifier : elle avait retiré la chair enflée de tout un côté de la plaie. Elle reprit son souffle, prit à nouveau son courage à deux mains et commença de trancher sur l'autre bord.

Un tremblement parcourut le dragon. Elle se figea, la lame affûtée enfoncée dans le bourrelet caoutchouteux. Sans tourner la tête vers elle, il poussa un sifflement grave. « Combat. » Elle entendit à peine le mot, prononcé avec une inflexion enfantine, sans force.

Thymara y perçut aussi de la peur, sans savoir si elle était le jouet ou non de son imagination.

« Combat ? demanda doucement Alise. Combat contre quoi ?

— Pardon ? fit Sédric, surpris.

— Combat… ensemble, combat. Non, non. »

232

Thymara ne bougeait pas plus qu'une statue. Elle commençait à croire que l'argenté n'avait d'autre intelligence que son instinct, et l'entendre parler la laissait stupéfaite.

« Pas combattre ? dit Alise comme si elle s'adressait à un petit enfant.

— Combattre quoi ? demanda Sédric. Qui se bat ? »

Interruption malvenue. Thymara prit une grande inspiration pour se calmer et répondit tout bas : « Ce n'est pas à vous qu'elle parle. Le dragon a dit quelque chose d'inintelligible, et c'est la première fois que nous l'entendons parler. Alise tente d'entrer en communication avec lui. » Elle reprit son souffle, revint à sa tâche et fit glisser sa lame acérée le long de la chair tendue le long de la plaie.

« Concentrez-vous sur vos gestes, lui conseilla Sédric, et elle lui sut gré de son soutien.

— Comment t'appelles-tu ? murmura Alise. Comment t'appelles-tu, adorable argenté, dragon à la couleur des étoiles et de la lune ? » Elle mit une musique enjôleuse dans sa voix, et Thymara perçut un changement chez le dragon ; il ne répondit pas mais parut écouter.

« Que fais-tu ? » demanda soudain Tatou dans le dos de la jeune fille. Elle sursauta, mais sa main n'hésita pas.

« Ce que j'ai dit : je m'occupe de l'argenté.

— Avec un couteau ?

— Je retire la chair bourgeonnante avant de panser la plaie. » Elle éprouva une petite satisfaction à se rappeler le terme correct. Tatou s'accroupit près d'elle et observa son travail avec attention.

« Il y a encore pas mal de pus ici. »

L'agacement la saisit un instant, comme s'il l'avait critiquée, mais il poursuivit : « On va nettoyer ça encore une fois ; je vais chercher de l'eau propre.

— Oui, s'il te plaît », dit-elle, et elle sentit son départ. Elle continua de tailler soigneusement dans le muscle, et de nouveau, alors que le bourrelet de chair desséchée auquel s'accrochaient des écailles tombait, Sédric le rattrapa et le fit disparaître. Quand elle lui rendit le couteau, elle s'aperçut qu'elle avait les mains tremblantes. « Je crois qu'il vaut mieux nous arrêter en attendant d'avoir lavé la plaie », fit-elle.

Sédric rangeait quelque chose dans sa mallette à gestes rapides et méticuleux, comme s'il y attachait plus d'importance qu'à soigner le dragon. Thymara perçut une forte odeur de vinaigre et entendit des tintements de verre. « Sans doute », répondit-il.

La jeune fille avait repoussé la voix murmurante d'Alise à l'arrière-plan de sa conscience, mais elle tendit soudain l'oreille. « Mais tu voudrais aller quelque part, c'est ça ? Dans un bel endroit. Où, petit dragon ? Où ? »

Il répondit par un mot inintelligible. Mais Thymara prit soudain conscience que ce n'étaient pas des mots qu'elle entendait de sa part : c'était son esprit qui imposait cette référence. Le dragon ne « disait » rien : il pensait fortement à un souvenir. Elle se rappela un éclair de soleil brûlant sur son dos écailleux, une odeur de poussière et de fleur de citronnier qui accompagnait

234

un air lointain de musique percussive et le bourdon léger d'une cornemuse.

Aussi brusquement qu'elle était apparue, l'image sensorielle s'effaça, laissant un vide en Thymara. Il existait un lieu accueillant, plein de chaleur, d'amitié et d'abondance, un lieu dont le nom s'était perdu au cours du temps.

« Kelsingra. »

Ce n'était pas l'argenté qui avait parlé, mais au moins deux autres dragons, et ce fut comme un cadre se plaquant sur un tableau, un tableau qui regroupait et renfermait les images que le dragon s'efforçait de transmettre. Kelsingra : ainsi se nommait ce lieu dont il rêvait. Un frisson le parcourut et Thymara le sentit soudain changé, confirmé, comme consolé.

« Kelsingra, répéta Alise d'une voix apaisante. Je connais Kelsingra ; je connais ses fontaines bondissantes, ses vastes places ; je connais ses degrés de pierre et les larges portes de ses édifices, le fleuve bordé de prairies herbues, le puits à l'eau d'argent ; les Anciens aux robes fluides et aux yeux d'or accueillaient les dragons à leur atterrissage dans le fleuve. »

Les paroles d'Alise alimentaient la conscience naissante du dragon. Sans réfléchir, Thymara posa la main sur le dos de la créature, et, un fugitif instant, elle perçut sa présence, comme si sa main avait effleuré celle d'un inconnu dans la foule d'un marché ; ils ne communiquaient pas par des mots mais ils partageaient une même nostalgie.

« Mais pas ici ! » s'exclama-t-il d'une voix plaintive. Et Alise murmura : « Non, mon joli, bien sûr. Kelsingra : c'est là qu'est ta place ; c'est là qu'il faut t'emmener.

— Kelsingra !

— Kelsingra ! »

Les cris des autres dragons qui acquiesçaient prirent Thymara par surprise. Accroupie près de l'argenté, elle se releva et constata que les grandes créatures avaient fini de se restaurer ; l'une d'elles se dressa brièvement sur les pattes arrière, rugit « Kelsingra ! » et retomba avec un choc sourd.

La jeune fille se tourna vers Sédric et s'aperçut qu'encore une fois il n'avait entendu qu'une moitié de conversation ; elle lui expliqua rapidement : « Les dragons veulent se rendre à Kelsingra, la ville dont Alise parle à l'argenté ; il s'agit d'une cité des Anciens dont ils ont apparemment tous le souvenir. »

Elle sentit une agitation et vit un autre dragon lever brusquement la tête, se retourner et se diriger vers le bord du fleuve. « Ils ont fini de manger ; mieux vaudrait panser la queue de celui-ci et préparer nos affaires ; la gabare ne va sûrement pas tarder à nous avertir de notre départ. Les envoyés de Cassaric nous ont dit ce matin qu'ils voulaient que nous nous mettions en route le plus tôt possible. »

Comme si ces paroles leur avaient donné le signal, les dragons s'en allèrent les uns après les autres vers le fleuve. C'était la première fois que Thymara les voyait se déplacer d'un pas aussi décidé. La main posée sur l'argenté, comme si cela pouvait le retenir, elle regarda Tatou qui revenait avec un seau d'eau. « Tu crois qu'ils vont seulement boire ? » lui demanda-t-elle, comme s'il connaissait la réponse. Elle avait déjà vu les dragons s'ébattre dans le fleuve et même boire son eau, ce qui eût été fatal à un humain.

Mais il suivit d'un œil aussi perplexe qu'elle les grandes créatures qui s'éloignaient. « Peut-être. »

Avant qu'il eût le temps d'ajouter autre chose, l'argenté leva la tête haut, regarda ses congénères, et Thymara perçut chez lui un frémissement excité qui se transmit partout en elle. « Kelsingra ! » beugla-t-il soudain dans une explosion de sons et d'émotion qui fit tourner la tête à la jeune fille. Même Sédric recula en titubant, les mains sur les oreilles – et bien lui en prit, car le dragon s'écarta brusquement de Thymara et se lança à la poursuite de ses semblables ; sans égard pour les humains, il passa au milieu d'eux, manquant de peu Tatou qui bondit de côté en bousculant Alise. Sous le choc, la Terrilvillienne tomba lourdement par terre. Thymara s'attendait à l'entendre pousser un cri de douleur, mais non : elle reprit son souffle et lança : « Sa queue ! Nous ne l'avons pas pansée ! Sédric, détourne-le ! Ne le laisse pas entrer dans le fleuve !

— Tu as perdu la tête ? Pas question que je barre le passage à un dragon en pleine course ! » Pétrifié, il serrait sa mallette médicale sur sa poitrine.

« Pas de mal ? » demanda Thymara à la jeune femme en se précipitant vers elle. Tatou était déjà agenouillé près d'Alise. Sédric mit rapidement un genou en terre et ouvrit sa mallette ; Thymara s'attendait à ce qu'il en sortît des bandages, mais il parut seulement en vérifier le contenu, inquiet d'éventuels dégâts.

« Sédric, je t'en prie, rattrape-le, arrête-le ! L'eau va ronger sa chair ! »

Il referma sa mallette avec un claquement et suivit des yeux les dragons qui s'éloignaient. « Alise, personne ne peut arrêter cette créature, ni aucun de ses semblables. Regarde-les : on dirait une nuée d'oiseaux qui s'envolent. »

Ils n'étaient pas les seuls que le brusque départ des dragons avait pris au dépourvu : Thymara entendit les autres gardiens pousser des cris d'étonnement et d'inquiétude ; sur toute la berge boueuse, les humains couraient derrière leurs dragons en les appelant et en échangeant des questions. Sur la gabare, un homme lança un avertissement à un autre à terre en tendant le doigt vers les grandes créatures.

Alise se redressa sur son séant avec un gémissement et se frotta l'épaule. « Vous êtes blessée ? demanda Thymara.

— Un peu meurtrie, mais rien de plus grave, je pense. Qu'est-ce qui lui a pris ? Qu'est-ce qui leur prend à tous ?

— Aucune idée.

— Et ils ne s'arrêtent pas, intervint Tatou d'un ton effaré. Regardez-les. »

Thymara avait cru qu'arrivés au bord de l'eau ils feraient halte, habitués depuis si longtemps à vivre entre la forêt et le fleuve qui la bordait ; mais les dragons de tête s'enfoncèrent dans les hauts-fonds et entreprirent de remonter le courant. Sans hésiter, les plus petits et les plus malformés les imitèrent, et même l'argenté et le cuivre crotté suivirent le troupeau dans l'onde grise et opaque.

« Aide-moi à me relever ! lança Alise à Sédric. Il ne faut pas les lâcher !

— Tu crois qu'ils commencent leur voyage, comme ça ? Tout de suite ? Sans réfléchir, sans rien préparer ?

— Tu sais, ils n'ont pas grand-chose à emballer », répondit la Terrilvillienne en éclatant de rire à sa piètre plaisanterie. Assise par terre, elle réprima un hoquet de douleur et crispa la main sur son épaule ; puis elle prit une inspiration hachée et s'écria : « Sédric, cesse de me regarder avec des yeux ronds ! Oui, ils s'en vont ! Tu n'as rien senti ? Ils ont crié "Kelsingra !" et ils se sont tous mis en branle brusquement. Ils vont nous planter là si nous ne nous dépêchons pas.

— Quelle tragédie ce serait ! fit Sédric d'un ton mi-figue mi-raisin, mais il tendit la main à son amie pour l'aider à se relever.

— Vous croyez qu'ils connaissent le chemin à suivre ? demanda Tatou avec curiosité. Parce que j'ai bien entendu le nom de la cité, mais c'est comme si on me parlait d'un pays imaginaire ; on en dit beaucoup de choses, mais finalement personne ne sait rien de concret sur Kelsingra.

— Moi, si, répliqua Alise avec une calme assurance. J'en sais même beaucoup, encore que je ne puisse prétendre en connaître la localisation précise, sinon qu'elle se trouve quelque part le long du fleuve, ou peut-être sur un de ses affluents. Mais les dragons doivent en savoir davantage grâce à leurs souvenirs ancestraux ; à mon avis, ils seront nos meilleurs guides.

— J'aimerais être sûr de ce qu'ils se rappellent exactement, murmura Tatou. Mon petit dragon vert a l'air d'ignorer pas mal de choses.

— Lesquelles, par exemple ? » demanda Alise.

Tatou se sentait manifestement mal à l'aise sous le regard de la Terrilvillienne. « Bah, des trucs bizarres. Je lui parlais tout en la pansant, mais comme elle n'avait pas grand-chose à dire, je bavardais de tout et de n'importe quoi. Je lui ai demandé si elle se rappelait l'époque où elle était serpent, et elle a répondu que non ; et puis je lui ai dit que j'avais vu l'océan il y a bien des années, et elle a voulu savoir ce qu'était l'océan. C'est très bizarre ; elle sait qu'elle descend d'un serpent, mais le fleuve est la seule étendue d'eau qu'elle se rappelle. » Il hésita comme devant un aveu difficile, puis poursuivit : « Je crois qu'elle ne se souvient de rien en dehors de son existence actuelle.

— C'est… troublant », acquiesça Alise. Elle observait les dragons, la mine soucieuse.

Thymara ne tenait pas en place. « Il faut les suivre. »

L'homme de la gabare, le capitaine Leftrin, accourait vers eux. « Alise ! cria-t-il. Sédric ! Embarquez ! Il faut nous mettre en route le plus vite possible ; le bateau est prêt au départ !

— J'arrive tout de suite », répondit Alise. Mais Sédric secoua la tête d'un air las : « Pourquoi nous hâter ? Ils remontent le courant ; à mon avis, on aurait peine à perdre la piste d'autant de dragons le long de la berge.

— Ce raisonnement tiendrait si le fleuve ne se composait que d'un seul cours d'eau, dit Thymara, mais il a de nombreux affluents, certains saisonniers et peu profonds, d'autres qui sont de véritables rivières, et il est impossible de savoir lequel les dragons emprunteront. »

Le capitaine arriva près d'eux alors qu'elle se taisait, essoufflé par sa course. Thymara l'avait seulement croisé une fois, mais il lui plaisait déjà : c'était un homme habitué au travail ; cela se voyait à son visage buriné, à ses mains adroites et même à ses vêtements élimés. Il l'avait regardée en face en s'adressant à elle, et il n'avait eu aucune réaction de recul la première fois qu'il avait vu les gardiens des dragons. Il était trop tôt pour qu'elle pût dire qu'elle lui faisait confiance, mais elle n'avait pas le sentiment qu'il tromperait quiconque de façon volontaire, et c'était une qualité qu'elle appréciait. Il tira un mouchoir orange vif de sa poche et essuya son visage couvert de sueur avant de déclarer : « La gamine a raison ; c'est tout le problème de cette expédition. En remontant le fleuve à partir de Cassaric, on peut se retrouver dans dix endroits différents. Malheureusement, on n'a cartographié que trois ou quatre de ces trajets, et encore, les cartes ne sont pas fiables ; les chenaux navigables en bateau plat une année sont ensablés l'année suivante.

— Pourtant, j'ai vu de mes yeux des cartes du fleuve du désert des Pluies, répondit Sédric ; j'en ai vu à vendre dans les marchés de Chalcède. Elles valent très cher, et on ne les propose pas à tout le monde, mais elles existent.

— Ah oui ? » Leftrin eut un sourire malicieux. « J'imagine que les mêmes échoppes vendent des cartes indiquant où trouver l'île au trésor d'Igrot le pirate, ou les meilleurs ports des îles aux Épices. » Il secoua la tête. « Ce sont des faux, je regrette. Les gens savent qu'il y a un marché pour ces trucs-là, et ils sont prêts à fabriquer de toutes pièces ce qu'ils n'ont pas. Mais ne vous faites pas de reproches : j'ai même vu des marins expérimentés s'y laisser prendre. »

Le Terrilvillien le regarda. « Alors comment saurons-nous où nous devons aller ? »

Le sourire du capitaine s'élargit encore. « À mon avis, la meilleure solution, c'est de suivre les dragons. »

Sédric avait les mains moites. Tout se déroulait à merveille jusqu'à présent ; il disposait dans sa mallette de deux morceaux de chair de dragon avec la peau et les écailles, un dans un bocal rempli de vinaigre et hermétiquement bouché, l'autre dans un coffret avec du gros sel, le couvercle solidement fermé par une lanière ; il espérait qu'au moins une des deux méthodes de conservation fonctionnerait. Il avait préparé ses deux récipients plusieurs semaines auparavant, avant d'embarquer pour le voyage ; quand il avait compris que Hest ne plaisantait pas, qu'il allait l'obliger à escorter Alise dans le désert des Pluies, il avait décidé de profiter de l'occasion pour trouver un moyen d'échapper à une existence qui commençait à lui peser. De notoriété publique, le duc de Chalcède, désespéré, était prêt à payer n'importe quelle somme pour les ingrédients capables de le guérir de ses maux et de prolonger son existence ; Sédric s'était juré d'être celui qui les lui fournirait.

Et il avait réussi.

Mais il se trouvait désormais déchiré entre le triomphe et la consternation. Il avait tout ce qu'il lui fallait pour changer son destin ; dès son retour à Terrilville, il pourrait contacter Bégasti Cored. Quand Sédric lui avait exposé son idée, l'homme avait montré un grand empressement à servir d'intermédiaire, à pourvoir à son voyage et à lui obtenir une audience avec le duc. Les morceaux de chair qu'il avait récupérés ne lui apporteraient pas seulement la fortune : ils lui permettraient le changement complet de vie dont il rêvait.

Pour la première fois, il aurait de l'argent, de l'argent à lui, gagné grâce à ses seuls efforts – non celui de son père, ni celui de sa famille, ni même les gages excessifs que Hest lui versait pour ses services : son argent, dont il pourrait disposer comme bon lui semblerait. Les rêves qui avaient lentement pris forme dans son cœur au cours des quatre dernières années exigeaient de sortir à grands cris. Avec la somme qu'il récolterait, il pourrait quitter Terrilville en emmenant Hest, et ils iraient vers le sud, à Jamaillia, non, plus loin encore, dans des pays qu'il ne connaissait que par leurs noms exotiques. Il existait des havres où deux hommes pouvaient vivre comme ils l'entendaient, sans questions, sans condamnation ni scandale. La richesse que ces bouts de dragon lui rapporteraient leur permettrait de s'y rendre, loin de leurs parents, loin de leur passé, de s'acheter un avenir débarrassé de tout secret.

Sédric osait à peine considérer la pensée qui s'ensuivait. Sa fortune lui permettrait de s'acheter un avenir où Hest et lui seraient égaux. Depuis trop longtemps, il dépendait entièrement de son ami sur le plan financier, et cette inégalité pesait de plus en plus cruellement sur leur relation. Hest n'était plus seulement autoritaire : il devenait durement dominateur ; si Sédric disposait d'une fortune personnelle, il lui manifesterait peut-être plus de respect.

Il avait ce dont il avait besoin ; il ne lui restait plus qu'à rapporter son trésor à Terrilville et à entrer en contact avec Bégasti, et le plus tôt serait le mieux. Il devrait effectuer un long voyage par voie de mer pour se rendre en Chalcède, mais il refusait de confier son bien à un autre qu'à lui-même ; plus vite il livrerait la marchandise, mieux cela vaudrait. Le vinaigre et le sel étaient d'excellents moyens de conservation pour de nombreux types de légumes et de viandes, mais on ne les avait jamais essayés sur la chair de dragon ; en outre, les morceaux que la jeune fille avait excisés n'étaient pas de la meilleure qualité, et il avait l'intention, lorsqu'il aurait un moment de solitude, de les débarrasser de leurs asticots et de les nettoyer ; il détacherait les écailles et les rangerait à part de la chair. Mais l'important était de les rapporter à Terrilville le plus vite possible, et une randonnée de plusieurs jours le long d'un fleuve à la suite d'un troupeau de dragons imbéciles n'entrait pas dans ses plans.

« Alise », dit-il, plus sèchement qu'il ne le voulait, et elle se détourna du capitaine Leftrin, les sourcils levés. Tout le monde les regardait, mais Sédric s'exprima comme s'ils étaient seuls. « Tu ne nourris tout de même pas l'illusion de participer à cette folle entreprise ? Tu as bien dû te rendre compte à présent que tu ne gagneras rien à suivre les dragons : ils t'adressent à peine la parole, et ce qu'ils disent n'a aucun intérêt. Il est temps de reconnaître que tu as appris tout ce que tu pouvais apprendre, Alise. Nous ne pouvons pas embarquer à bord du bateau du capitaine Leftrin, sans quoi nous nous engageons pour des semaines, voire des mois, et nous ne pouvons nous le permettre ni l'un ni l'autre. Il faut admettre que nous ne tirerons rien de plus de ces créatures. » Il prit un ton plus amène. « Tu as atteint le but que tu t'étais fixé, et ce n'est pas ta faute s'il n'est pas à la hauteur de tes espoirs. Je regrette, Alise, mais il est temps de rentrer chez nous. »

Elle le considéra d'un air abasourdi, et elle ne fut pas la seule ; Leftrin le regardait comme s'il avait perdu la raison. Les deux jeunes gens du désert des Pluies échangèrent un coup d'œil, et Tatou déclara soudain : « Je crois qu'on ferait bien d'aller nous occuper de nos dragons, Thymara et moi », maladroit prétexte pour éviter d'être témoins d'une querelle ; néanmoins, la jeune fille saisit la balle au bond avec soulagement et acquiesça vivement de la tête ; ils s'éloignèrent ensemble d'un pas rapide.

Alise garda le silence encore un moment, attendant manifestement qu'ils ne pussent plus l'entendre, et Sédric eut l'impression de la voir organiser ses objections sous une forme polie ; ils se disputeraient, certes, mais courtoisement et avec calme, comme des gens civilisés.

Mais ces finesses ne faisaient pas partie de l'éducation de Leftrin, à l'évidence. Le visage enflammé, il prit une grande inspiration, s'efforça de se maîtriser, puis dit tout à trac : « Mais qu'est-ce qui vous prend ? Elle ne peut plus reculer : elle est la seule à posséder des renseignements sur Kelsingra. Et puis elle a donné sa parole ; elle a signé un contrat ! Elle ne peut pas revenir sur sa promesse.

— Cette affaire ne vous regarde pas », répliqua Sédric ; il avait haussé la voix malgré lui. Il se sentait insulté, tant par l'opposition de Leftrin que par sa prise de parti pour Alise. Il aurait déjà du mal à la ramener à Terrilville ; si elle croyait avoir un allié en Leftrin, cela compliquerait encore la tâche.

« Si, elle me regarde, rétorqua le capitaine. J'étais là quand Alise a conclu son marché avec le Conseil. Vous croyez que j'aurais accepté ce voyage si elle n'avait pas dit qu'elle connaissait la cité et qu'elle existait bel et bien ? J'ai signé le contrat uniquement parce qu'elle devait nous servir de guide, non seulement pour nous conduire à bon port mais aussi pour y amener les dragons. »

Sédric se tourna vers Alise, mais elle préférait manifestement laisser Leftrin s'exprimer à sa place ; cela ne l'empêcha pas de s'adresser à elle. « Tu as peut-être entendu parler de la cité, mais, pour autant, tu ne sais pas où elle se trouve. Allons, reprends ton calme et ta raison, Alise ; tu es une chercheuse, non une aventurière, et même le dragon avec lequel tu arrives à t'entretenir ne t'a strictement rien appris ; quant à l'argenté et au cuivré de Tatou, ils ne paraissent pas présenter grand intérêt comme sources d'information. Si tu es honnête avec toi-même, tu reconnaîtras que tu glanerais plus de renseignements en passant une semaine à visiter la cité souterraine de Trehaug : tu disposerais là d'un véritable trésor de matériel à étudier et à traduire. Pourquoi ne pas y retourner avec moi et t'atteler à une tâche qui non seulement accroîtra ta connaissance des Anciens et des dragons mais te vaudra un respect mérité de la part de ceux qui en savent le plus sur ces créatures ? » Même s'il devait perdre quelques jours à Trehaug pour apaiser Alise, cela vaudrait mieux que se lancer dans une expédition inconsidérée dans des régions inexplorées ; une fois à bord de la gabare et en route vers l'amont, il serait très difficile de faire demi-tour, hormis avec le bateau ; or ce vieux bouc entêté de capitaine refuserait certainement de changer de cap avant d'avoir tenté d'aller au bout du voyage. « Tu cours de grands risques, Alise, reprit-il, à bout d'arguments. Comment pourrais-je t'accompagner, comment pourrais-je te laisser partir ? Vous avouez tous ignorer où vous vous rendez, combien de temps il faudra, et même si cette cité existe. Ce voyage est une folie. » Il affermit sa résolution et acheva son discours sur ces mots : « Nous ne partons pas, c'est tout. »

Jamais il n'avait parlé sur ce ton à Alise ; elle le regarda un long moment sans rien dire, le menton tremblant, et il crut qu'elle allait éclater en sanglots. Il ne voulait pas la faire pleurer, seulement lui faire entendre raison. Elle jeta un coup d'œil à Leftrin. Le batelier avait croisé les bras sur sa poitrine, le visage de marbre ; même le chaume qui lui couvrait les joues paraissait hérissé. Sédric songea qu'il ressemblait à un molosse indigné.

Quand la jeune femme reporta son regard sur lui, il vit que ses taches de rousseur avaient rosi. D'une voix basse, non stridente, elle répondit d'un ton obstiné : « Tu peux faire comme bon te semble, Sédric. Ainsi que tu le dis, cette entreprise est ridicule, et je ne discuterai pas avec toi sur ce sujet. Tu as raison, c'est de la folie, mais j'irai quand même. »

Il demeura pétrifié tandis qu'elle se détournait. Elle tendit la main, comme si elle voulait se déplacer à tâtons, et soudain Leftrin fut là, lui offrant son bras ; elle posa les doigts sur sa manche crasseuse et s'éloigna en compagnie du capitaine, pendant que Sédric les suivait du regard, l'air abasourdi. La précieuse mallette qui renfermait les morceaux de dragon serrée sur sa poitrine, il s'interrogeait ; la colère lui commandait de suivre les conseils d'Alise : l'abandonner et rentrer seul chez lui, la laisser se débrouiller avec sa décision et affronter le désastre qu'elle appelait avec tant d'empressement.

Mais c'était impossible ; il ne pouvait pas retourner à Trehaug et encore moins à Terrilville sans elle, ni se présenter devant Hest, même avec une fortune en écailles et en chair de dragon dans ses bagages ; il faudrait du temps pour les transformer en argent, du temps et de la discrétion ; or, il ne pourrait être plus indiscret que revenir à Terrilville sans l'épouse de Hest. Il serait incapable d'expliquer cette absence, et cela attirerait sur lui une attention à laquelle il devait au contraire échapper à tout prix.

Il se rendit compte brusquement qu'Alise et le capitaine arrivaient près de la gabare. On détachait les amarres, et les hommes aux avirons attendaient le signal pour la repousser dans le fleuve. Sédric parcourut la berge des yeux : les dragons avaient disparu. Au bord de l'eau, les gardiens tiraient des barques dans le courant. En très peu de temps, il ne resterait sans doute plus personne. « Alise ! » s'écria-t-il, mais elle ne tourna même pas la tête ; le bruit de l'eau et le vent incessant emportèrent sa voix. Avec un juron, il se dirigea vers le bateau aussi vite qu'il l'osait. « Alise, attends ! » cria-t-il en la voyant commencer à gravir l'échelle suspendue à la proue, et il se mit à courir.

SEPTIÈME JOUR DE LA LUNE DU GRAIN

*Sixième année de l'Alliance Indépendante
des Marchands*

*De Detozi, Gardienne des Oiseaux, Trehaug,
à Erek, Gardien des Oiseaux, Terrilville*

Ci-joint un étui scellé des Conseils des Marchands
de Trehaug et de Cassaric, contenant un décompte des
premières dépenses dues à la préparation de l'expédition visant à déplacer les dragons, avec en regard la
part de Terrilville desdites dépenses.

Erek,
*Votre missive concernant le coût et la disponibilité
d'un sac de pois d'un quintal pour améliorer la santé
des oiseaux de Trehaug ne m'est toujours pas parvenue. Veuillez me renvoyer ces informations.*

Detozi

7

Courants

Les dragons ne s'étaient pas arrêtés en arrivant au bord de l'eau ; certains avaient plongé dans les hauts-fonds ; d'autres avaient tenté de suivre la berge jonchée de bois flotté jusqu'au moment où les taillis débordant des sous-bois et les débris rejetés par le fleuve les avaient forcés à s'enfoncer dans le courant, mais tous avançaient d'un pas régulier et obstiné vers l'amont.

Les gardiens, y compris Thymara, s'étaient précipités sur leurs canoës pour les suivre. Égoïstement, la jeune fille espérait faire équipe avec Tatou : il était costaud, il avait l'expérience de la navigation en barque, et elle savait qu'il ferait sa part d'efforts, voire davantage. Mais Jerde se tenait sur la rive près d'une des petites embarcations, et elle appela le jeune garçon en agitant joyeusement les mains. « J'ai déjà embarqué ton sac à dos, lambin ! Allons-y ! Ton dragon vert était un des premiers à se jeter à l'eau.

— Excuse-moi, Thymara, marmonna-t-il en rougissant.

— T'excuser de quoi ? » demanda-t-elle, mais une seconde trop tard pour qu'il l'entendît : il courait pousser le canoë de Jerde dans l'eau. Toutes les autres embarcations ou presque étaient déjà pleines et s'éloignaient du rivage, chacune emportant deux ou trois soigneurs ; Kanaï se trouvait seul, l'air désolé, dans l'unique embarcation qui restait. Son visage s'éclaira quand il vit Thymara. « J'ai l'impression qu'on va voyager ensemble ! » lui lança-t-il, et, malgré sa contrariété, elle acquiesça de la tête. Les « excuses » de Tatou cognaient encore dans sa poitrine ; il se rendait compte que sa grossièreté exigeait qu'il s'excusât, mais cela ne l'avait pas empêché de rejoindre Jerde, ce rat d'écume.

« Attends, je vais chercher mon équipement », dit-elle à Kanaï, et elle courut jusqu'au bivouac abandonné, prit son paquetage et retourna au canoë. Elle poussa l'embarcation à l'eau tandis que le garçon, assis dedans, tenait sa pagaie prête à servir ; puis elle sauta à bord sans toucher l'eau, ce qui fit danser follement l'esquif, mais elle réussit à ne pas se mouiller les pieds. Elle prit sa pagaie enduite de cire et propulsa le canoë vers des eaux plus profondes ; une paire d'avirons de rechange se trouvait sous ses pieds, et, comme cela lui était souvent arrivé déjà, elle se demanda combien de temps leurs rames résisteraient à l'acidité du fleuve, et combien de temps tiendrait leur embarcation. L'eau ne menaçait pas trop ces derniers temps, gris sombre. Comme tous les enfants du désert des Pluies, elle savait qu'elle devenait dangereuse quand elle prenait une teinte laiteuse ; alors, celui qui y tombait risquait de graves brûlures et la cécité. L'eau grise qui filait le long du bord aujourd'hui ne ferait guère plus que la piquer, mais il valait tout de même mieux en éviter le contact.

C'était la première fois qu'elle faisait équipe avec Kanaï dans un canoë, et, à sa grande surprise, il se révéla compétent et capable de pagayer en rythme avec elle ; il leur fit adroitement contourner des obstacles, troncs flottants et bancs de boue, tandis qu'elle fournissait la plus grande partie de la propulsion. Ils serreraient la rive et demeuraient à l'ombre des arbres penchés, là où le courant était le moins fort, et ils ne tardèrent pas à rattraper leurs compagnons. Thymara remarqua que Graffe s'était joint à Boxteur et à Kase dans une des plus grandes embarcations ; ils ne ramaient pas à l'unisson, et Graffe se servait principalement de sa pagaie comme gouvernail. Kanaï et elle les rattrapèrent puis les doublèrent sans effort, ce qui procura à Thymara un petit frisson de satisfaction. Son compagnon lui adressa un regard malicieux, et elle sentit son humeur s'alléger sans raison.

Les canoës des autres gardiens formaient une colonne brisée devant eux. Sylve et Lecter partageaient une embarcation, Houarkenn et Harrikine une autre ; Alum et Nortel paraissaient s'accorder à merveille à la pagaie, et Tatou et Jerde, en tête, menaient le groupe, bien que ce ne fût nullement nécessaire : la piste des dragons était évidente, tant dans les hauts-fonds que sur la berge boueuse ; ils avaient écrasé les buissons dans la fange et, dans l'eau, leurs profondes empreintes soulevaient un nuage plus sombre que le courant environnant.

« Ils se déplacent drôlement vite, tu ne trouves pas ? fit Kanaï d'un ton enthousiaste.

— Pour le moment, oui, mais ça m'étonnerait qu'ils tiennent l'allure très longtemps », répondit-elle tout en pagayant. Les dragons creusaient rapidement l'écart, et Thymara s'ébahissait de leur vitesse ; elle pensait que les petits esquifs n'auraient aucun mal à rester à leur hauteur, mais, chaque fois qu'elle levait les yeux du fleuve, les dragons avaient pris encore un peu d'avance. Même l'argenté et le cuivré, tout lourds qu'ils fussent, suivaient le train de leurs congénères ; elle observa que l'argenté tenait sa queue hors de l'eau et elle espéra qu'il s'en tiendrait à cette attitude, tracassée de n'avoir pas fini de le panser, et encore plus que Gueule-de-ciel fût partie sans même lui adresser la parole. Apparemment, la reine bleue ne lui accordait guère d'importance.

« Tu as vu ton dragon aujourd'hui ? » demanda-t-elle à Kanaï. Elle commençait à prendre le rythme pour pagayer ; bientôt, elle le savait, elle aurait mal aux bras, puis ils s'habitueraient à l'exercice, et tout irait bien pendant quelque temps. Ce qu'elle redoutait, c'était le moment où ils redeviendraient douloureux, car, malgré la souffrance, elle devrait continuer à ramer jusqu'à ce que le groupe s'installât à terre pour la nuit. Les quelques jours de voyage en canoë avaient endurci tous les gardiens et leur avaient enseigné les rudiments de la navigation à rames, mais elle avait le pressentiment qu'elle aurait encore beaucoup plus mal avant de s'être complètement habituée à ce mode de déplacement. Elle appuya plus encore sur sa pagaie.

« Bien sûr, répondit Kanaï entre deux efforts. Après le repas, je suis allé panser Gringalette, puis on a fait nos exercices d'envol et enfin je l'ai regardée manger. Ça m'a rendu furieux : les gros prennent les meilleurs morceaux et elle n'a pas de quoi se remplir le ventre autant qu'eux. À notre halte de ce soir, il faudra que je lui attrape un poisson ou autre chose ; mais je crois que ça va poser un problème : si les dragons continuent d'avancer à cette allure et nous obligent à pagayer sans cesse pour rester à leur hauteur, quand trouverons-nous le temps de chasser ou de pêcher pour eux ?

— En principe, il y a des vivres pour nous à bord de la gabare et de la viande séchée pour eux. Mais ils ne tiendront peut-être pas longtemps cette cadence ; ils s'arrêteront sans doute dans quelques heures, et ça nous donnera l'occasion de chasser. » Elle secoua la tête. « Nous ignorons encore beaucoup de choses sur eux ; nous apprendrons au fur et à mesure.

— J'ai vu les chasseurs embarquer sur le bateau hier ; ils doivent nous aider à fournir de la viande fraîche aux dragons tous les jours.

— Je ne les ai pas vus, mais je suis contente qu'ils soient arrivés avant le départ des dragons. Mais, s'ils se trouvent sur la gabare, derrière nous, comment vont-ils chasser ?

— Très bonne question. Tiens, qu'y a-t-il devant nous ? »

Elle plissa les yeux à cause des reflets du soleil sur l'eau. « On dirait un gros tronc qui pointe du fleuve, avec tout un tas de bois bloqué contre lui. »

Kanaï eut un sourire malicieux. « Il va falloir passer par le milieu du fleuve, en plein courant, pour le contourner.

— Non. Rapprochons-nous de la rive ; si nécessaire, on portera le canoë sur la berge.

— Tu as peur ? » Cette idée paraissait ravir le garçon ; quand elle lui jeta un coup d'œil, il la regarda d'un air radieux. Quand il souriait, tous ses aspects étranges s'effaçaient et il ne restait qu'un jeune garçon d'une grande beauté ; néanmoins, elle refusa son défi d'un signe de la tête.

« Oui, j'ai peur, dit-elle d'un ton catégorique. Et il n'est pas question d'aller en plein courant tant que je ne sais pas mieux diriger le canoë. »

Mais elle avait soudain le sentiment de n'avoir pas fait une si mauvaise affaire en faisant équipe avec Kanaï.

Leftrin attendit qu'Alise eût embarqué avant de gravir lui-même l'échelle. Il devait s'occuper de terminer le chargement de la gabare puis de la renflouer. Personne ne s'attendait à voir les dragons décamper à une telle allure : à l'origine, le *Mataf* devait ouvrir la route, suivi par les soigneurs dans leurs embarcations pour guider et encourager les grandes créatures. Mais à présent elles se trouvaient bien loin en amont, et les derniers canoës ne tarderaient pas à disparaître dans un tournant du fleuve, tandis que lui-même restait sur la berge en compagnie d'une cargaison de viande séchée, de biscuits de voyage, de porc salé et de feuille-de-pain en saumure que ses hommes embarquaient. Si un des jeunes gardiens chavirait, il ne pourrait rien pour lui ; or, d'après ce qu'il avait vu d'eux, il fallait s'attendre à des accidents.

Mais, pour le moment, il devait se borner à s'inquiéter pour eux jusqu'à ce que les vivres eussent été rangés à fond de cale ; ensuite, il devrait remettre la gabare à flot et commencer à remonter le courant. Il s'efforça de chasser Alise de ses pensées : ce n'était pas le moment de s'imaginer assis dans la coquerie à prendre le thé et à bavarder tranquillement avec elle. Quelle fierté elle lui avait inspirée en tenant tête à Sédric quand il avait voulu la forcer à renoncer à son aventure ! Inébranlable, elle avait gardé un visage impassible pendant qu'ils retournaient au bateau, et il grimpait à présent l'échelle derrière elle en se demandant s'il aurait l'occasion de lui dire à quel point elle l'avait impressionné.

Mais, comme il parvenait sur le pont, il se trouva non seulement devant un tas de caisses qui attendaient d'être descendues dans la cale mais aussi devant trois inconnus tranquillement installés sur elles. Alise restait pétrifiée à côté de l'échelle, dos au bastingage, et le capitaine se plaça instinctivement entre elle et les hommes. D'un coup d'œil, il examina leurs affaires : lances, arcs, dont un puissant pour les tirs à grande distance, un filet soigneusement plié, plusieurs carquois pleins de flèches. Du matériel de chasse. Il devait donc s'agir des hommes qu'il attendait, des chasseurs engagés par le Conseil. L'un d'eux se tourna vers lui avec un large sourire, et il reconnut alors Carson. Il s'était laissé pousser la barbe. Le solide gaillard lui tendit une main calleuse en disant : « Ça t'étonne de me voir ici, je parie ! Ou tu t'attendais à me trouver ici, au contraire. Comme c'est précisément le genre d'entreprises mal bricolées qui nous tombent dessus, ce n'est sûrement pas un hasard si on a signé tous les deux. »

C'étaient des mots simples comme en échangent deux vieux amis, mais l'accablement saisit soudain Leftrin, et il voulut croire à tout prix que ce salut ne cachait nul sous-entendu, que le choix de ces propos ne relevait que d'une coïncidence. Pourvu que Carson ne fût pas celui que le message lui disait d'attendre ! Pas Carson ! Avec un sourire forcé, il demanda : « Et pourquoi attendrais-je un pochard comme toi sur mon pont tout propre ?

— Parce que, ivre ou à jeun, je suis le meilleur chasseur qu'on ait jamais vu le long de ce fleuve, et tu vas avoir besoin de nous pour empêcher ces dragons de s'entre-dévorer ou de bouffer ton équipage. Je te présente Davvie, jeune archer prometteur qui a encore bien besoin de quelques coups de pied où je pense de temps en temps ; c'est mon neveu, mais que ça ne te retienne pas quand il s'agit de lui botter le fondement. Quant à ce gaillard, c'est Jess, que je ne connais que de ce matin, mais qui a l'air de se croire capable de tenir ma cadence ; je ne tarderai pas à lui remettre les idées en place. »

Le premier était un jeune homme à l'air aussi inexpérimenté qu'un Terrilvillen mais avec les épaules d'un bon archer ; il ressemblait beaucoup à son oncle, dont il avait les cheveux châtains et indisciplinés et le regard sombre. Il serra la main de Leftrin et le regarda dans les yeux avec un sourire franc. Si Carson mijotait un mauvais coup, son neveu en ignorait tout, le capitaine en eût mis sa main à couper. Néanmoins, il rendit à Davvie un regard grave et lui dit sévèrement : « Tu vois Skelli, le mousse avec une longue natte noire dans le dos ? Eh bien, il a peut-être l'air d'une fille, mais ce n'en est pas une : c'est mon mousse et ma nièce. Donc, en ce qui te concerne, ce n'est pas une fille. »

Davvie prit l'expression intimidée que Leftrin attendait, mais Carson secoua la tête avec un petit sourire. « De ce côté-là, je peux t'assurer que tu n'auras pas de problème avec Davvie », dit-il, tandis que le jeune homme baissait le nez en rougissant.

Jess, lui, était un homme d'âge plus mûr, grisonnant, aux yeux gris, qui avait écouté, les sourcils froncés, la présentation ironique de Carson et n'adressa qu'un hochement de tête sec à Leftrin ; celui-ci se prit aussitôt d'aversion pour lui et sa méfiance s'éveilla. Il ne lui tendit pas la main, et Jess ne parut pas remarquer cette impolitesse.

Carson demanda de but en blanc : « Et si tu me présentais en m'expliquant au passage ce qu'une jolie fleur comme celle-ci fait sur ta vieille péniche puante ? »

Aussi incroyable que cela pût paraître, Leftrin avait oublié la présence d'Alise derrière lui. Il lui jeta un regard, puis reporta son attention sur Carson avec un sourire malicieux. « Ma péniche puante ? Elle sentait très bon avant ton arrivée, Carson. Alise Finbok, j'ai le regret de vous présenter un vieil ami, Carson Lupskip, chasseur, fanfaron et ivrogne, pas nécessairement dans cet ordre. Carson, voici Alise, qui nous accompagne en tant que spécialiste des dragons et des Anciens, fraîchement arrivée de Terrilville et toute prête à nous faire profiter de ses conseils et de son savoir pendant le voyage. »

Il pensait faire sourire l'intéressée, mais elle baissa la tête et déclara brusquement d'une voix sourde : « Vous voudrez bien m'excuser : j'ai quelques affaires à régler avant le départ. » Et, sans lui laisser le temps de réagir, elle se dirigea vers sa cabine, y pénétra et referma la porte derrière elle ; il devait y faire noir et chaud, mais elle ne ressortit pas ; malgré sa maigre connaissance des femmes, Leftrin supposa qu'elle voulait s'isoler pour pleurer. Quel idiot ! Il eût dû se douter que la confrontation avec Sédric la bouleverserait, et il se réjouissait que l'ami d'Alise ne les accompagnât pas : elle surmonterait ses inquiétudes beaucoup plus vite s'il était absent. Il mourait d'envie de la rejoindre pour la consoler, à condition naturellement qu'elle le lui permît, mais il ne le pouvait pas alors que les trois nouveaux venus encombraient son pont de leur matériel et de leur personne. Quand il se retourna vers Carson, son ami posait sur lui un regard entendu.

« Elle est spécialiste d'autre chose que des dragons ? demanda-t-il d'un ton taquin.

— Je n'en sais rien », répliqua sèchement Leftrin avant de s'efforcer d'adoucir sa réponse. « Bienvenue à bord, Carson ; nous aurons peut-être un moment ce soir pour rattraper le temps perdu. Pour l'instant, trouvez-vous tous les trois un coin dans le rouf et rangez vos affaires là où elles ne gêneront personne. Souarge ! Tout le fret a été embarqué ? Parce qu'à la vitesse où ces dragons se déplacent, nous aurions intérêt à les suivre sans tarder.

— Ils ne tiendront pas longtemps cette allure, intervint Carson ; d'ici cet après-midi… »

Le chasseur se tut brusquement, le regard fixé derrière le capitaine. Leftrin se retourna et découvrit Sédric qui grimpait maladroitement l'échelle, sa mallette serrée d'un bras contre sa poitrine. « Qu'est-ce que c'est que ça ? demanda Carson à mi-voix, un sourire s'élargissant lentement sur ses lèvres.

— Oh, lui ? » Leftrin tâcha de garder un ton neutre pour répondre à l'oreille de son ami : « Il suit Alise comme un toutou, censément pour la protéger.

— Ça doit être malcommode, murmura Carson.

— Ferme-la », répondit le capitaine avec émotion.

Davvie s'était précipité vers l'échelle et tentait d'aider Sédric en le débarrassant de sa mallette ; mais l'autre lui jeta un regard noir et franchit tant bien que mal le bastingage sans lâcher l'objet. Sur le pont, il se redressa, épousseta ses habits, puis se dirigea vers le capitaine et dit sèchement : « Où est Alise ?

— Dans sa cabine. Nous allons bientôt nous mettre en route ; vous feriez bien de rassembler vos affaires si vous voulez descendre à terre avec elles. » Leftrin avait gardé un ton monocorde.

Le Terrilvillien le regarda fixement ; il ne grinça pas des dents, mais ses mâchoires se crispèrent. « Je ne descends pas à terre », dit-il d'une voix grinçante. Il tourna le dos à Leftrin et lui lança d'un ton entendu par-dessus son épaule : « Je ne laisserais jamais Alise toute seule sur cette gabare. »

Avec vous, ajouta mentalement Leftrin en réprimant un sourire amusé. *Ce petit crapaud visqueux voulait dire qu'il ne voulait pas laisser Alise seule avec moi, mais il n'en a pas eu le cran.* Tout haut, il répondit : « Elle ne serait pas seule, vous savez ; elle ne risquerait rien avec nous. »

Sédric lui jeta un regard. « Elle est sous ma responsabilité », fit-il d'un ton catégorique ; puis il ouvrit la porte de sa petite cabine, la franchit et la referma aussi sèchement qu'Alise. Leftrin s'efforça de repousser la déception qui l'envahissait.

« Il n'aboie pas trop fort pour un chien de garde », observa Carson d'un air espiègle. Leftrin lui fit les gros yeux, et le sourire de l'autre s'élargit encore. « J'ai l'impression qu'il n'a pas trop la tête à son rôle de chaperon ; peut-être qu'il a d'autres choses qui lui occupent l'esprit.

— Enlève ton matériel de mon pont. Je n'ai pas le temps de m'occuper de toi : j'ai un bateau à renflouer.

— En effet, répondit Carson en acquiesçant de la tête, en effet. »

La cabine était obscure et sentait le renfermé. Assise par terre, Alise regardait le plafond en planches sans le voir. Elle n'avait pas le courage d'allumer une bougie, et monter dans le hamac dépassait ses forces. La petite pièce, qui lui paraissait jusque-là accueillante et audacieusement pittoresque, lui évoquait à présent une cabane d'enfant – et elle-même se sentait comme un enfant qui se cache, redoutant la discipline qui s'abattra tôt ou tard sur lui.

Pourquoi avait-elle défié Sédric ? D'où lui venaient ces bouffées de témérité, et pourquoi leur cédait-elle alors qu'elle savait ne pouvoir revenir sur ses menaces ? Elle partirait sans lui, naturellement ! Elle remonterait le fleuve sur un bateau plein de matelots et d'autres individus mal dégrossis pour une destination inconnue – et que se passerait-il à son retour ? Leftrin s'apercevrait que Hest refusait de couvrir les dettes qu'elle avait contractées après avoir quitté son chaperon, et, même si elle accroissait ses connaissances pendant le voyage, elle serait déshonorée à Terrilville et à Trehaug ; elle ne serait plus chez elle nulle part. Elle songea à ce que Hest ferait sans doute de son bureau et de ses documents en apprenant qu'elle s'était enfuie : il vendrait les manuscrits anciens, probablement à Chalcède, et brûlerait ses traductions. Non, se dit-elle soudain avec amertume, il les vendrait sans doute à l'encan en même temps que les parchemins. Même furieux, Hest ne laissait jamais passer l'occasion de faire un profit.

Elle serra les dents de rage impuissante, et des larmes lui piquèrent les yeux. Se rendrait-il compte de la valeur de ses recherches et de ses notes ? Ou bien quelque collectionneur les achèterait-il pour les fourrer au fond d'une bibliothèque sans mesurer ce qu'il possédait ? Ou, pire, quelqu'un s'approprierait-il son travail, se servirait-il à son propre bénéfice de ce qu'elle avait laborieusement appris sur les Anciens et les dragons ?

Insupportable pensée ! Elle ne pouvait abandonner son travail à une fin aussi ignominieuse ! Elle ne pouvait ruiner sa vie de façon aussi infantile, par pur caprice ! Elle devait rentrer, il n'y avait pas d'autre solution.

À cette idée, une boule lui obstrua la gorge, et elle s'abandonna un moment à une violente crise de larmes. Elle pleura comme elle n'avait pas pleuré depuis des années, laissant les sanglots monter et la suffoquer. Sa détresse faisait tanguer le monde autour d'elle. Quand enfin le déchaînement se calma, elle eut la sensation d'avoir réchappé d'un accident, d'une chute brutale ou d'une volée de coups. Ses cheveux étaient plaqués par la sueur, son nez coulait, et la tête lui tournait. Dans la pénombre, elle se releva, parcourue de douleurs, chercha à tâtons une chemise dans sa garde-robe et s'en servit pour s'essuyer le visage, sans se soucier de la salir. Quelle importance ? Plus rien n'avait d'importance. Elle trouva un bout de chemise sec et s'essuya de nouveau, puis la jeta par terre, désolée, et poussa un grand soupir. Ses larmes s'étaient taries, versées sans plus de résultat que d'habitude. L'heure de se rendre était venue.

On frappa timidement à la porte. Elle porta aussitôt les mains à son visage et, par réflexe, se tapota les joues puis lissa ses cheveux. Il ne fallait pas qu'on la vît ainsi. Elle s'éclaircit la gorge et s'efforça de prendre une voix ensommeillée. « Qui est-ce ?

— Sédric. Puis-je te parler, Alise ?

— Non, pas maintenant. » Elle avait refusé avant même d'avoir eu le temps de réfléchir. Sa profonde tristesse se réveilla brutalement et se mua soudain en fureur ; un nouvel étourdissement la saisit, et elle tendit la main pour se rattraper au bureau qu'elle n'utiliserait jamais. Un moment, le silence régna de l'autre côté de la porte, puis la voix de Sédric lui parvint à nouveau, sèchement correcte.

« Je regrette, mais je dois insister, Alise. J'ouvre la porte.

— Non ! » s'exclama-t-elle, mais en vain : il tira le battant, et un rai de l'éclat de l'après-midi pénétra dans la cabine. Instinctivement, elle s'en écarta et détourna le visage. « Que veux-tu ? demanda-t-elle, puis elle enchaîna : J'emballe mes vêtements dans ma garde-robe. Je serai bientôt prête à partir. »

Sans pitié, il ouvrit grand la porte. Elle se baissa pour ramasser le corsage qu'elle avait laissé tomber et s'arrangea pour lui tourner le dos ; mais elle perdit l'équilibre et faillit choir. En deux enjambées, il fut près d'elle, lui prit le bras et la retint. Elle se raccrocha à lui, les deux mains sur son avant-bras, et leva les yeux vers lui. « La tête me tourne, avoua-t-elle, le souffle court.

— Ce n'est que le mouvement de la gabare sur l'eau », dit-il. À cet instant, elle se rendit compte que le bateau se déplaçait. Derrière Sédric, elle vit le défilé majestueux des arbres immenses qui passaient le long de la gabare, et son vertige se réduisit soudain au doux tangage du plancher sous ses pieds. Il disparut.

« Nous sommes en route », fit-elle d'une voix étonnée, agrippée au bras de Sédric, les yeux fixés sur la berge qui défilait lentement. Elle n'arrivait pas à y croire : elle avait bravé son ami, et elle avait gagné ; la gabare l'emmenait sur le fleuve.

« C'est exact, répondit-il sèchement.

— Je regrette », dit-elle ; puis elle s'interrogea : elle n'éprouvait aucun regret, et pourtant elle ne pouvait s'empêcher de s'excuser. Depuis quand était-ce devenu une seconde nature chez elle de demander pardon lorsqu'elle désirait quelque chose pour elle-même ?

« Nous sommes deux dans ce cas », répliqua Sédric. Il inspira longuement, et elle prit conscience de sa proximité, presque comme s'il la tenait dans ses bras. Elle sentait son odeur, le parfum épicé qu'il portait, le savon dont il se servait, et elle s'étonna de reconnaître ces fragrances ; elles évoquèrent brutalement l'image de Hest, et elle recula. Les deux hommes employaient-ils les mêmes huiles parfumées ? Elle fronça les sourcils, perdue dans ses pensées.

Il interrompit ses réflexions d'une voix grave et empreinte de regret. « Alise, c'est de la folie. Nous

nous embarquons pour un voyage sans destination précise, dans un territoire dont on n'a jamais réussi à dresser la carte. Nous serons partis des semaines, voire des mois ! Comment peux-tu faire ça ? Comment peux-tu tourner le dos à toute ton existence ? »

Elle se sentit se pétrifier de l'intérieur, puis elle fut saisie d'une joie qui lui tournait la tête autant que les mouvements du bateau. Il avait raison : elle avait renoncé à tout. Au bout d'un moment, elle retrouva sa langue. « Tourner le dos à mon existence, Sédric ? Mais je la quitterais à toutes jambes si je le pouvais ! Les heures passées à mon bureau à gribouiller avec ma plume, à vivre une vie fondée sur des événements qui datent de plusieurs siècles, les repas du soir que je prends seule, le lit où je me couche seule ! »

Son ton acerbe parut le démonter. « Mais rien ne t'oblige à dîner seule », dit-il maladroitement.

L'amertume desséchait la bouche d'Alise. « Ni à me coucher seule, sans doute. Mais, quand on se marie, on s'attend à être accompagnée de son époux dans ces occasions. Quand Hest m'a demandé de l'épouser, j'ai cru bêtement que je ne connaîtrais plus jamais la solitude ; je pensais qu'il serait là, à mes côtés.

— Hest est à tes côtés quand il le peut. » Sédric s'exprimait d'un ton hésitant, sans doute parce qu'il mentait et le savait. « C'est un Marchand, Alise, ce qui implique de longs voyages sans lesquels il ne saurait se procurer les marchandises particulières qui lui rapportent de quoi t'offrir l'existence dont tu jouis.

— Tu ne comprends pas, Sédric », fit-elle, interrompant le chapelet d'arguments qu'elle avait entendus tant et tant de fois de la bouche de Hest au cours de leurs premières années de vie commune, ce nœud coulant de phrases qui se resserrait peu à peu et lui démontrait inéluctablement l'égoïsme dont elle faisait preuve en lui reprochant de l'abandonner la nuit des semaines durant. « Ce n'est pas tant ses déplacements trop fréquents qui me chagrinent – je m'y suis faite et il ne me manque pas ; mais sais-tu ce qui me fait le plus horreur aujourd'hui, Sédric ? Le fait que je me réjouisse quand il s'en va. Non que j'aime la solitude, encore que j'y aie acquis une grande tolérance, et même que je m'en accommode très bien. Je ne pense pas à lui pendant ses absences, je ne me demande pas avec quelle femme il se trouve ni comment il la traite. » Elle se tut brusquement. Elle avait promis à Hest de ne plus jamais l'accuser de mensonge ni de l'accabler de ses soupçons ; Sédric était présent ce jour-là et avait entendu sa promesse. Elle pinça les lèvres.

Ses paroles avaient mis Sédric mal à l'aise ; elle le sentit se déplacer légèrement, comme s'il souhaitait s'éloigner d'elle mais ne savait pas comment se dépêtrer gracieusement de la situation. Dans un éclair de conviction, elle sut ses soupçons fondés : Hest fréquentait quelqu'un d'autre, Sédric était au courant et il éprouvait de la culpabilité à protéger son ami. Elle décida soudain de le libérer de ce sentiment. « Ne t'inquiète pas, Sédric : j'ai promis de ne plus jamais poser de questions et je m'y tiendrai. Je ne me demande plus si d'autres femmes à Terrilville savent combien il fréquente peu notre lit. Si Hest leur plaît, qu'elles en profitent ; je suis lasse de ses paroles blessantes, de son cœur de pierre et de ses mains sans douceur. »

Sédric se raidit. « Ses mains sans douceur ? répétat-il d'une voix étranglée. Est-ce qu'il te... Alise, il ne... Hest t'a-t-il frappée ? » Il paraissait horrifié.

« Non, reconnut-elle dans un murmure. Non, il ne m'a jamais frappée ; mais il y a de nombreuses manières de se montrer violent avec une femme sans la frapper. » Elle songeait à la façon dont il lui serrait durement le bras quand il souhaitait s'en aller d'une soirée de divertissement et qu'elle n'avait pas répondu tout de suite à son désir poli de rentrer à la maison ; elle songeait à la façon dont il lui prenait parfois des objets des mains, sans les arracher mais en les lui ôtant des doigts comme il l'eût fait à un enfant irréfléchi. Elle refusait de penser à ses mains posées sur ses épaules ou ses bras, si durement crispées qu'elle en avait parfois des bleus, comme si elle risquait de s'enfuir alors qu'elle n'avait jamais résisté à ses tentatives pour la féconder.

Sédric s'éclaircit la gorge et s'écarta d'elle. « Je connais Hest depuis longtemps, dit-il avec raideur. Il n'est pas méchant, Alise ; il est seulement... » Il s'interrompit, cherchant ses mots.

« Il est seulement Hest, enchaîna-t-elle. Il est dur ; il a la main et le cœur durs. Il ne me frappe pas : ce n'est pas nécessaire. Il est cinglant et cruel quand on le contrarie, il peut m'humilier d'un seul regard, il peut me lapider à coups de mots sans cesser de sourire, comme s'il ne se rendait pas compte du mal qu'il me fait – mais il le sait très bien, je suis bien obligée de le reconnaître : il mesure parfaitement les coups qu'il me porte et leur fréquence. »

Elle se détourna de l'expression effarée de Sédric et regarda la berge qui défilait. « Je n'ai pas de regrets, dit-elle. Je n'ai aucun regret de t'avoir contredit et je ne regrette pas que nous remontions le fleuve. Je sais qu'il s'agit d'une entreprise folle et risquée, et j'ai peur : peur du voyage, peur de ce que je devrai affronter à mon retour, mais je ne regrette pas cette aventure. Je ne tourne pas le dos à mon existence, Sédric : je saisis l'occasion d'avoir une vie à moi pendant un petit laps de temps. En revanche, je regrette de t'entraîner avec moi ; je sais que tu ne te lancerais jamais dans un périple de ce genre, et je suis navrée que Hest m'ait confiée à toi. Mais j'avoue être ravie que tu sois revenu à bord ; si je dois partir dans cette folle entreprise, je ne vois pas quel meilleur compagnon emmener. »

Elle le sentit chercher une réponse. Elle avait tenu des propos qui le mettaient mal à l'aise, qu'il n'eût sans doute jamais dû entendre à propos de son employeur. Elle s'efforça d'en éprouver du regret, mais en vain ; elle espérait seulement que cela n'affecterait pas le lien qui existait entre eux. Elle avait presque envie qu'il la prît dans ses bras, ne fût-ce qu'un instant, comme un ami. Elle fouilla ses souvenirs : à quand remontait la dernière fois qu'on l'avait embrassée avec affection ? Elle se rappela l'étreinte rapide que lui avait donnée sa mère lors de son départ ; mais un homme ?

Jamais.

Sédric lui saisit les mains et les pressa doucement avant de les relâcher, puis il s'efforça d'adopter un ton badin : « Je dois sans doute prendre ça pour une consolation, mais je n'y arrive pas. »

Ses paroles étaient acerbes, mais, lorsqu'elle se tourna vers lui, elle vit sur son visage un sourire bienveillant, qui s'effaça néanmoins vite, comme s'il n'avait pas la force de le tenir. Il secoua la tête et dit : « Je dois ranger mes affaires dans ma cabine ; apparemment, je vais devoir y loger plus longtemps que prévu. »

Il sortit aussi rapidement que la bienséance l'y autorisait et regagna d'un pas vif son logement en s'efforçant de ne pas avoir l'air de fuir, même si c'était le cas.

Il referma la porte de la pièce minuscule derrière lui. Plus tôt, il avait ouvert les fentes de ventilation en haut d'une des cloisons – il refusait de les considérer comme des fenêtres, trop hautes et trop étroites pour fournir une vue convenable sur l'extérieur. Cependant, elles laissaient entrer un flux d'air frais, quoique piqué de la puanteur du fleuve, et une lumière brouillée. Un reflet de l'eau dansait au plafond de la cabine exiguë. Sédric s'assit sur son coffre et fixa sur la porte un regard absent. Sa mallette avec son précieux contenu était posée par terre, une fortune en produits de dragon, et voici qu'il devait remonter le fleuve et s'éloigner de tout profit, de toutes les raisons qu'il avait de rêver de profit. Il espérait que le vinaigre et le sel conserveraient la chair : elle représentait sa dernière, sa meilleure chance de vivre une vie dépourvue de mensonges. Il enfouit son visage dans ses mains et se retira au fond de lui-même.

Hest, oh, Hest ! Qu'avons-nous fait à Alise ? À quels tourments ai-je participé ?

Les mains dures de Hest.

Il ne voulait pas y songer mais ne pouvait pas s'en empêcher ; il ne voulait pas imaginer les mains de Hest sur le corps d'Alise. Il savait que son ami devait coucher avec elle, faire son possible pour engendrer un enfant, mais il refusait de songer à l'aspect pratique de la chose, de se demander si Hest se montrait tendre et passionné avec elle. Il ne voulait pas savoir, il ne voulait pas agiter ses sentiments à ce sujet. Quelle importance ? Cela n'avait rien à voir avec Hest et lui.

Mais jamais il n'eût cru que Hest ferait preuve de cruauté ni de violence avec elle. Pourtant, c'était logique : Hest était ainsi ; il avait des mains fortes, avec de longs doigts et des ongles courts, parfaitement entretenus. Sédric ne voulait pas penser à ces mains agrippant les épaules d'Alise, à ces ongles s'enfonçant dans sa chair en y laissant de petites marques en demi-lune qui deviendraient des bleus au matin, il le savait. Par réflexe, il porta ses propres mains à ses épaules et les serra ; il y avait des semaines que Hest n'y avait pas laissé de bleus. Cela lui manquait.

Affligé, il se demanda s'il manquait à Hest ; non, sans doute : il avait traité Sédric avec un mépris implacable durant les derniers jours qu'ils avaient passés ensemble. En même temps, il avait veillé à ce que son secrétaire s'occupât des invitations pour les amis qui l'accompagneraient dans son prochain voyage commercial ; il n'était pas seul en cet instant, et, à coup sûr, il ne pensait pas du tout à Sédric. Reddin ! Ce fichu Reddin, qui ne cachait pas l'intérêt qu'il portait à Hest ! Reddin, avec sa petite bouche potelée au sourire affecté, avec ses petites mains toujours en train de rectifier sa coiffure bouclée ! Reddin était avec lui.

Une grosse boule monta dans sa gorge et le suffoqua. Pleurer lui eût fait du bien, mais il n'y arrivait pas ; ce qu'il éprouvait était au-delà des larmes. *Hest. Hest !* « Hest. » Il prononça le nom à voix haute, et le réconfort que cela lui apporta lui fit l'effet d'un coup de poignard. Lui seul connaissait vraiment Sédric, lui seul le comprenait, et il l'avait chassé, envoyé exécuter une mission ridicule avec son épouse qu'il n'aimait pas, son épouse qu'il saisissait de ses mains dures, ces mêmes mains énergiques qui avaient tenu Sédric par les épaules et l'avaient attiré dans une étreinte tendue et désespérée.

Sédric n'était alors qu'un adolescent qui commençait à peine à se raser, malheureux comme les pierres, en conflit avec son père, incapable de se confier à sa mère ni à ses sœurs – incapable de se confier à quiconque. Avec amertume, il songea que Hest avait parfaitement réussi à le renvoyer aujourd'hui à sa solitude, cette solitude qu'il avait autrefois rompue. Était-ce ce qu'il voulait prouver ? Qu'il pouvait le ramener là où il l'avait trouvé tant d'années auparavant ?

Leur première rencontre avait eu lieu à une réunion de Marchands, lors d'un mariage d'hiver. La future épousée avait dix-sept ans, et son fiancé était son ami Prittus, un voisin un peu plus âgé que lui qui lui avait enseigné, sur l'insistance de son père, la langue chalcédienne. Il s'était toujours montré gentil et patient avec Sédric, et ses cours se déroulaient dans une atmosphère plus amicale et agréable que ceux de son autre précepteur, sur le chiffre, l'histoire et les rudiments de la navigation. Ce dernier était un maître embauché par plusieurs familles Marchandes pour instruire leurs fils, un véritable ogre ; et ses élèves, quand ils n'échangeaient pas de grossières moqueries entre eux, lançaient des réflexions ironiques sur la diction précise de Sédric lorsqu'il récitait ou faisait un exposé ; il détestait ces cours et redoutait le mépris et les railleries de ses condisciples, et il s'étonnait d'y avoir appris quoi que ce fût. Mais Prittus n'était pas comme les autres ; il s'intéressait à son élève et lui trouvait des lectures propres à retenir son attention. Ces heures passées avec Prittus étaient chères à Sédric.

Il avait donc écouté son ami réciter ses promesses de mariage avec une déception morose. Prittus n'aurait désormais plus le temps d'enseigner à Sédric : il allait emboîter le pas à son père dans le commerce des épices et affronter tous les soucis d'un jeune homme qui doit subvenir aux besoins de son épouse. La seule île amicale que connût Sédric sombrait dans son océan de solitude.

Prittus se tenait droit dans sa robe verte de Marchand, et la lumière des bougies allumait des reflets brillants dans ses cheveux noirs. Les vœux prononcés, il s'était tourné vers la jeune fille à côté de lui et l'avait regardée avec un sourire que Sédric connaissait bien ; elle avait rosi de bonheur. Il lui avait tendu les mains, elle y avait posé ses doigts menus, et Sédric avait dû se détourner, jaloux jusqu'à la suffocation de cette félicité qui lui resterait à jamais interdite. Le couple s'était avancé face aux invités, et les applaudissements avaient déferlé sur lui comme le ressac d'une mer paisible.

Sédric n'y avait pas participé. Quand on avait cessé d'applaudir, il avait fini son verre de vin pétillant et l'avait posé sur une des tables encombrées de plats ; la salle n'était qu'un tournoiement de gens souriants qui parlaient entre eux et s'empressaient de présenter leurs vœux aux nouveaux mariés. Près de la porte, quelques jeunes gens bavardaient joyeusement. Il surprit au passage un commentaire paillard sur la nuit qui attendait Prittus et les petits rires entendus qui s'ensuivirent. Il s'était frayé un chemin parmi eux en s'excusant et avait franchi la porte de la Salle des Marchands bondée pour aller chercher un peu d'air frais à l'extérieur ; il n'avait même pas pris la peine d'enfiler son manteau, car il souhaitait sentir la brise sur son visage ; sa froidure s'harmoniserait à son humeur.

Un orage menaçait, hésitant entre la pluie glacée et les flocons de neige humide ; le vent soufflait par rafales qui s'éteignaient puis renaissaient pour chasser à nouveau le grésil, et les nuages lourds changeaient l'après-midi en crépuscule, mais Sédric n'en avait cure. Quittant l'abri du profond auvent de la Salle, il avait longé les voitures rangées le long du trottoir et leurs conducteurs emmitouflés et, dans l'obscurité grandissante, s'était aventuré dans le parc soigneusement entretenu qui entourait le bâtiment.

Les jardins étaient tristes et déserts à cette saison ; la plupart des arbres avaient perdu leurs feuillages, et la bise que rien n'arrêtait soufflait durement. Des feuilles mortes couvraient les allées de gravier ; un bosquet de conifères se dressait près d'un jardin de simples montés en graine, et Sédric se dirigea instinctivement vers la protection de la petite pinède. Sous ses branches, le vent l'atteignait à peine. Il leva les yeux vers le ciel glacial en quête d'une étoile visible à travers les nuages, mais n'en vit aucune. Il baissa la tête et essuya la pluie qui mouillait ses joues.

« Pleurer à un mariage ? Quel idiot sentimental ! »

Il s'était retourné, abasourdi. Jamais il n'eût imaginé que quelqu'un d'autre pût se promener dehors par ce temps, et il fut encore plus étonné en reconnaissant Hest ; le jeune homme faisait partie du groupe près de la porte et avait dû le suivre. Sédric connaissait son nom et sa réputation, mais guère davantage. Le riche et populaire Marchand fréquentait des cercles nettement plus élevés que ceux dont Sédric avait l'habitude. Pourquoi lui avait-il emboîté le pas dans l'obscurité ? Son long manteau bleu foncé paraissait noir dans la lumière faiblissante ; son col relevé encadrait son visage.

« Ce n'est que la pluie. Je suis sorti m'éclaircir la tête ; j'avais un peu trop bu. »

Hest l'avait écouté en silence, avec un petit sourire moqueur. Il avait haussé ses sourcils au dessin parfait pour lui reprocher son mensonge.

« Je ne pleure pas, avait ajouté Sédric, sur la défensive.

— Vraiment ? » Hest s'était approché de lui sous l'averse de neige fondue – c'était de la neige à présent, dont les gros flocons se prenaient dans sa chevelure sombre. « Je vous ai vu observer l'heureux couple, et j'ai songé : "Voilà un amoureux malheureux qui regarde ses rêves lui tourner le dos." »

Sédric le surveillait, méfiant. « Je connais à peine la jeune fille, avait-il dit. Prittus était mon précepteur, et je suis ici pour lui présenter mes vœux.

— Comme tous les invités, avait répondu Hest, affable. Notre cher ami Prittus entre dans une nouvelle étape de sa vie ; il endosse les responsabilités d'un chef de famille, et ses amis qui l'aiment et ne veulent que son bonheur le verront beaucoup moins à partir de maintenant. » La lumière du jour s'effaçait du ciel, et l'ombre des conifères assombrissait encore l'après-midi d'hiver. Les couleurs disparaissaient, et le visage de Hest devenait un ensemble de méplats et de surfaces noires. Ses lèvres ciselées dessinaient un sourire. « Quelle matière Prittus vous enseignait-il ? demanda-t-il.

— Le chalcédien. Selon mon père, tout Marchand doit savoir parler cette langue sans accent, or Prittus la possède comme sa langue maternelle ; il a eu lui-même un professeur chalcédien. »

Hest s'arrêta à moins d'un bras de distance. « Le chalcédien ? » Son sourire s'élargit et découvrit ses dents régulières. « Oui, je partage l'avis de votre père. Tout Marchand doit connaître cette langue. D'aucuns affirment que les Chalcédiens resteront éternellement nos ennemis, et je dis que c'est une excellente raison pour en apprendre le plus possible à leur sujet, non seulement leur langage mais aussi leurs coutumes. Anciens adversaires ou non, ils sont nos partenaires commerciaux, nous échangeons des biens avec eux, et ils sont prêts à escroquer les plus vulnérables. Mais il vous faudra plus que la maîtrise de la langue : on peut comprendre ce que disent les gens dans un autre pays, mais si l'on ne connaît pas les coutumes, on se révélera toujours comme un étranger, au risque de se voir rejeté. N'êtes-vous pas d'accord ?

— Si, sans doute. » Le grand Marchand était probablement ivre. Il se tenait si près de Sédric que ce dernier sentait son haleine alcoolisée.

Ses yeux sombres parcouraient le visage de Sédric de façon déconcertante. Il se passa la langue sur les lèvres et reprit : « Bien, voyons votre accent ; dites-moi quelque chose en chalcédien.

— Pardon ?

— Ce n'est pas du chalcédien. » Hest eut un sourire espiègle. « Essayez encore.

— Que désirez-vous que je dise ? » Sédric se sentait pris au piège. L'autre se moquait-il de lui ou cherchait-il à mieux faire connaissance ? Sa conversation oscillait sur le fil du rasoir entre sarcasme et amitié.

« Ça, c'est bien ; oui, dites : "S'il vous plaît, monsieur, que désirez-vous ?" »

Il lui fallut quelques instants pour effectuer mentalement la traduction. Quand il la récita, les mots sortirent avec fluidité, mais Hest secoua la tête, un pli contrarié aux lèvres. « Ah, Sâ ! Pas comme ça. Il faut ouvrir la bouche davantage ; ce sont des gens très volubiles.

— Pardon ?

— Recommencez, mais avec la bouche plus ouverte ; avancez les lèvres. »

Hest se moquait de lui, il en était sûr désormais. Il répondit sèchement : « J'ai froid. Je vais rentrer dans la Salle des Marchands. »

Mais, comme il passait près de lui, l'autre avait brusquement tendu la main et l'avait saisi par l'épaule. Hest l'avait obligé à se tourner vers lui si brutalement que Sédric avait failli le heurter. « Redites-le, avait-il fait d'un ton aimable, dans la langue que vous voudrez. Dites : "S'il vous plaît, monsieur, que désirez-vous ?" »

Ses doigts s'enfonçaient dans la chair de Sédric à travers le tissu de la robe de cérémonie qu'il avait enfilée pour l'occasion. Il avait voulu se dégager. « Lâchez-moi ! Que voulez-vous ? » avait-il lancé, mais Hest avait répondu en lui agrippant l'autre épaule ; il l'avait alors tiré si fort à lui qu'il avait failli le décoller du sol, et Sédric s'était retrouvé poitrine contre poitrine face à lui, qui le regardait dans les yeux.

« Ce que je veux ? Humm ! Ce n'est pas exactement comme me demander ce que j'aimerais, mais je m'en contenterai. Vous devriez vous demander ce que vous voulez pour vous, Sédric ; avez-vous déjà osé vous poser cette question, sans même parler d'y répondre ? Parce que, pour moi, la réponse est évidente : c'est ceci que vous voulez. » D'une main, il prit Sédric par le devant de la robe juste sous le menton tandis que, de l'autre, il le saisissait par les cheveux. Il se pencha, et sa bouche dure se plaqua sur les lèvres de Sédric comme s'il s'apprêtait à le dévorer, ses mains dures l'attirant à lui. Sédric avait été trop abasourdi pour résister, même quand Hest avait changé de prise pour coller son corps contre le sien. Une brusque chaleur l'avait envahi, un désir qu'il ne pouvait dissimuler ni réfuter. L'haleine de Hest sentait l'alcool, et sa joue, pourtant rasée de frais, râpa contre celle de Sédric quand celui-ci tenta de s'écarter. Il reprit son souffle tant bien que mal, suffoqué par le baiser et l'envie violente qu'il en avait. Il posa ses mains sur la poitrine de Hest et poussa, mais sans aucune force ; l'autre le retint sans mal, et son petit rire bas devant les faibles efforts de Sédric vibra en eux, de poitrine à poitrine. Il rompit enfin le baiser mais resta plaqué contre Sédric et lui souffla à l'oreille : « Ne t'inquiète pas. Débats-toi autant que tu penses devoir te débattre ou que tu en as besoin, je ne te laisserai pas gagner. C'est inéluctable, ça se passera comme tu en as toujours rêvé. Il faut seulement que quelqu'un te prenne en main.

282

— Lâchez-moi ! Êtes-vous fou ou ivre ? » Sédric s'exprimait d'une voix incertaine. Le vent soufflait plus fort mais il s'en rendait à peine compte.

Sans effort, Hest lui immobilisa les bras le long du corps. Plus grand et plus fort, il souleva Sédric sans lui faire quitter le sol, mais d'une façon qui le prévenait qu'il en était capable. Il pressa son corps contre le sien et dit, les dents serrées : « Ni fou ni ivre, Sédric ; seulement plus franc que toi. Je n'ai pas à demander : "S'il vous plaît, monsieur, que désirez-vous ?" C'était écrit en grosses lettres sur ton visage pendant que tu regardais l'heureux couple ; tu ne lorgnais pas la mariée, mais Prittus. Et je te comprends ; il est très beau. Mais tu ne l'auras jamais, et moi non plus ; aussi devrions-nous peut-être nous contenter de qui nous reste.

— Mais je ne lorgnais personne ! J'ignore ce que... » La bouche de Hest se plaqua sur la sienne pour l'embrasser goulûment, sans douceur, lui meurtrissant les lèvres jusqu'à ce que Sédric cédât et s'ouvrît à lui ; il poussa un petit gémissement involontaire, et Hest rit. Soudain, il se dégagea d'un pas ; Sédric faillit alors tomber et recula en trébuchant. Le bosquet obscur paraissait danser autour de lui en un large cercle ondoyant. Il avait porté le dos de sa main à sa bouche et goûté le sel du sang sur ses lèvres. « Je ne comprends pas, dit-il d'une voix défaillante.

— Vraiment ? » Hest sourit à nouveau. « Je crois que si. Tout sera plus simple quand tu te l'avoueras. » Il se rapprocha et Sédric ne bougea pas ; il tendit les bras pour le saisir, et Sédric ne s'enfuit pas. Hest s'était emparé de lui de ses mains dures, fortes et compétentes, et l'avait attiré à lui.

Sédric ferma les yeux alors, les rouvrit et les referma de nouveau en songeant à ce souvenir. Chaque instant de cette folle soirée sous le ciel froid et orageux restait gravé dans sa mémoire et définissait ce qu'il était. Hest avait raison : tout était devenu plus simple quand il s'était avoué ses véritables désirs.

Implacable, Hest l'avait taquiné, blessé, puis apaisé, calmé ; il s'était montré rude puis doux, durement exigeant puis suavement exhortant. L'orage soufflait autour d'eux, faisait danser les arbres, mais le froid ne les atteignait pas. L'épais tapis d'aiguilles sous les rameaux bas des conifères dégageait une douce odeur quand ils les écrasaient sous leur poids, et le manteau de Hest les couvrait tous les deux. Le souffle des bourrasques avait balayé le temps, la famille et les attentes du monde.

Peu avant l'aube, Hest l'avait déposé devant l'allée qui menait à la résidence de ses parents, et il était rentré chez lui, claudiquant, les vêtements crottés et déchirés, décoiffé, la bouche meurtrie. Il avait dormi aussi longtemps que son père l'y autorisait, et, plus tard dans la journée, debout devant son père dans son bureau, il avait raconté qu'en état d'ébriété il avait trébuché et fait une chute dans un ruisseau avant de revenir, par un long détour, à la maison. Il avait mal dans tous les muscles et il avait les lèvres gonflées. Trois longues journées durant, il avait erré sans bruit dans la demeure, ou se terrait dans sa chambre, dévoré de honte quand il ne revivait pas chaque seconde de sa disgrâce, les yeux perdus dans les ombres, tiraillé entre le regret et la concupiscence.

Le matin du quatrième jour, l'invitation de Hest à une promenade à cheval était arrivée. La grande enveloppe gorge-de-pigeon qui portait son nom écrit d'une main large contenait un billet rédigé par Hest sur du papier gris. Le père de Sédric avait été heureusement étonné de constater que son fils avait une relation qui pouvait le promouvoir très haut socialement, et il avait envoyé son épouse vérifier que sa veste et son pantalon fussent présentables. Il avait prêté une monture à son fils, la seule respectable que possédât la famille, et juste avant le départ de Sédric, il lui avait conseillé de ne pas être le premier à quitter la rencontre, voire, si cela paraissait convenir à Hest, d'y participer le plus longtemps possible.

Hest avait apprécié l'idée que Sédric s'incrustât : c'était le seul invité de la sortie, et la promenade n'avait duré que le temps de parvenir à une petite ferme abandonnée qui appartenait aux parents de Hest. Toutes les pièces de la chaumine branlante étaient poussiéreuses hormis une chambre luxueusement arrangée et dotée d'une cave à alcools bien fournie.

Au cours des semaines suivantes, il avait vite compris que les « sorties à cheval » de Hest n'avaient guère à voir avec l'équitation, et, un temps, Hest avait rempli tout son univers ; lumière, couleurs et sons semblaient plus vifs en sa présence. Le grand jeune homme le plongeait dans un monde de tentations, d'assouvissements, le dépouillait de toute peur et de toute inhibition, et lui enseignait de nouveaux appétits en remplacement des désirs nébuleux qu'il n'avait jamais osé affronter. Sédric sourit involontairement à ces souvenirs. Ils avaient souvent dîné ensemble, et partagé des soirées avec les amis de Hest. Ah, les amis de Hest ! Quelle éducation il avait reçue auprès d'eux ! Marchands fortunés, certains jeunes, d'autres plus âgés, certains célibataires, d'autres mariés, et tous partisans d'une vie adonnée aux plus grands plaisirs que leur permettait leur richesse. Leur hédonisme l'avait sidéré, et leur recherche effrénée des plaisirs de toutes sortes l'avait scandalisé ; quand il avait exprimé ses réserves devant Hest, ce dernier avait éclaté de rire. « Nous sommes des Marchands, Sédric, de naissance et d'éducation ! Nous gagnons notre argent en apprenant ce que veulent les autres et en le leur fournissant au meilleur prix ; nous découvrons donc ce qui est le plus désirable, et nous le voulons pour nous-mêmes – et, avec l'argent que nous empochons, nous l'achetons. Voilà toute la raison d'être de nos activités : gagner de l'argent pour l'utiliser. Où est le mal là-dedans ? Pourquoi nous échiner si nous ne profitons pas de nos gains ? »

Sédric n'avait su quoi répondre.

Hest avait pris le jeune homme en main, lui avait appris comment se coiffer, quelles couleurs porter, quelle coupe de veste, où acheter ses bottes. Quand le budget modeste de Sédric ne lui permettait pas de suivre les goûts de son ami, ce dernier lui donnait les vêtements demandés, puis, comme le père du jeune homme s'interrogeait sur ces largesses, Hest avait fini par inventer un poste de secrétaire afin que

Sédric pût vivre avec lui. Il avait transformé sa vie – non, il avait transformé Sédric lui-même. Celui-ci n'avait pas seulement découvert le plaisir d'un bon vin et d'un rôti bien cuisiné, mais aussi appris à attendre ce genre de traitement à sa table ; il ne tolérait plus une veste mal coupée. Et à présent qu'allait-il advenir de lui ? Si, à son retour, il constatait que Hest l'avait remplacé ? Sédric ferma les yeux et s'efforça d'imaginer une existence sans Hest. Sans sa fortune, sans son style de vie, il pouvait le concevoir ; mais sans le contact de Hest ?

La gabare dansait dans le courant, Sédric en prit conscience. L'équipage était aux avirons ; peut-être avait-on hissé la voile si le vent était favorable. Le bateau et ses déplacements restaient un mystère pour lui ; il lui paraissait impossible de faire remonter un fleuve à un objet d'aussi grandes dimensions, et pourtant le *Mataf* avançait régulièrement.

Avec Sédric à son bord.

Il ne baisserait pas les bras. Il prendrait exemple sur l'entêtement d'Alise et le dépasserait. Elle comptait profiter sans états d'âme de l'occasion qui s'offrait à elle ? Eh bien, lui aussi ! Que Hest se demande donc où ils se trouvaient et pourquoi ils ne revenaient pas à la date prévue ! Quelques doutes et quelques inquiétudes ne lui feraient pas de mal ; et, à coup sûr, son existence deviendrait beaucoup moins confortable sans épouse ni secrétaire pour s'occuper des détails désagréables de la vie quotidienne.

Quant aux ambitions de Sédric, ma foi, elles se réaliseraient peut-être mieux qu'il ne l'avait espéré. S'il devait escorter les gardiens et leurs dragons, cela lui fournirait les ouvertures nécessaires pour récolter encore plus de matériel. Il se redressa lentement puis s'accroupit par terre ; en bas du coffre qui contenait sa garde-robe se dissimulait un tiroir secret. Hest avait fait fabriquer le meuble à façon afin d'assurer la sécurité des marchandises exceptionnelles et de l'argent qu'elles rapportaient, mais il n'eût jamais imaginé l'usage qu'en faisait aujourd'hui Sédric.

Ce dernier l'ouvrit et examina les deux bocaux en verre qu'il avait remplis ce jour-là ; dans la pénombre, il n'en distinguait pas grand-chose. Dans le tiroir se trouvaient d'autres récipients en verre et en terre cuite, certains vides, d'autres contenant des liquides ou des sels de conservation. Il avait tout préparé méticuleusement dès l'instant où il avait compris qu'il pouvait tourner la punition de Hest à son avantage.

Il avait même une liste soigneusement rédigée des divers spécimens qu'il espérait acquérir, avec leur valeur estimée : sang, crocs, griffes, écailles, foie, rate, cœur. Il se rappela le malaise avec lequel il avait regardé la jeune fille exciser les chairs de la blessure du dragon ; il faudrait qu'il surmonte ses haut-le-cœur. Si un des animaux se blessait ou mourait, il devrait trouver le moyen de se porter aussitôt auprès de lui. L'exil auquel il était contraint pouvait se révéler le fondement de sa fortune.

Il remit soigneusement en place ses échantillons et referma le tiroir. Pas de regrets, se dit-il. Pas de regrets, pas d'hésitation.

Sintara était descendue jusqu'au fleuve et s'y était enfoncée à la suite de ses congénères, Mercor en tête. Elle s'étonnait que les autres parussent l'accepter comme chef, et surtout Kalo. N'avait-il pas prétendu à ce rôle par la vertu de sa taille quelques heures plus tôt à peine ? L'enthousiasme qui les contaminait paraissait assez puissant pour les porter tous à l'action – pour le moment.

Toute la matinée, ils marchèrent dans les hauts-fonds au bord du fleuve, où le courant était moins fort et où l'eau opposait moins de résistance. Elle eût préféré demeurer sur la berge, mais l'épaisse végétation de la forêt du désert des Pluies s'avançait jusque sur l'eau et y pénétrait parfois sous la forme de racines tordues ou d'arbres abattus. En général, les dragons possédaient une masse et une force suffisantes pour écarter ces obstacles, mais, en milieu d'après-midi, ils durent se dévoyer vers une eau plus profonde pour contourner le tronc immense d'un géant mort qui mordait sur le fleuve.

L'arbre tombé était si gigantesque qu'il lui bouchait la vue. Les eaux acides rongeaient déjà le bois, mais, pour éviter le géant, Sintara devait tout de même s'aventurer dans une partie du fleuve si profonde qu'elle risquait de perdre pied, sensation déconcertante. La première fois que cela lui était arrivé, elle avait pataugé violemment en faisant jaillir l'eau de toutes parts. Un des petits dragons verts, Dente, exprima sa peur d'un coup de trompe strident ; le courant s'empara d'elle et, pendant quelques instants, elle s'agita follement avant de franchir l'obstacle de l'arbre, après quoi elle regagna les hauts-fonds dans un galop effrayé. Quand elle se remit à marcher d'un pas régulier le long de la berge, elle respirait encore à grand bruit. Sintara se réjouit d'être plus grande et plus forte que Dente : le fleuve ne l'avait pas soulevée. Les dragons sont capables de nager, mais seulement quand ils n'ont pas le choix.

Cette dernière réflexion réveilla chez elle de lents souvenirs, dont celui d'un accident effrayant : le bord d'une falaise avait cédé en précipitant une dragonne dans un fjord glacial et profond ; elle avait dû nager au milieu des escarpements qui s'opposaient à ses efforts pour sortir de l'eau. Quand elle avait enfin trouvé une surface assez vaste pour lui permettre d'y prendre pied, elle avait si froid qu'elle avait à peine eu la force d'ouvrir ses ailes et de les faire sécher avant de reprendre son vol.

Elle avait d'autres souvenirs où elle se trouvait dans l'eau, et, avec un soubresaut mental, elle les relia à Kelsingra. Elle réfléchit quelques instants en s'efforçant de rattacher les pièces les unes aux autres. Il y avait une cité sur la rive, une cité magnifique qui étincelait sous le soleil, et, à ses pieds, le fleuve, large et profond. La pression du courant sur son poitrail donnait plus de force à sa mémoire. Oui, on survolait la cité, on tournait au-dessus d'elle, une fois, deux fois, trois fois, pas seulement pour se montrer, même si un piqué ou un lent tonneau en vol pouvait soulever les cris d'admiration des Anciens qui peuplaient la ville : ces évolutions servaient à avertir chacun, dragons et

Anciens, qu'on arrivait, à laisser le temps aux petits bateaux de pêche de s'écarter, car le meilleur moyen de se poser à Kelsingra consistait à voler très bas au-dessus du fleuve, puis à rabattre brusquement les ailes sur ses flancs et à plonger sous l'eau afin d'amortir l'atterrissage. Une fois dans le fleuve, les dragons ne nageaient pas mais gagnaient la berge en marchant et sortaient, les écailles scintillantes, pour s'adonner au plaisir : il y avait toujours des Anciens pour les accueillir, des gens dont le devoir était de…

Elle trébucha sur une grosse pierre au fond de l'eau qui roula sous sa patte, et le fil fragile de ses souvenirs se rompit. Elle s'évertua à le renouer ; quelles belles, quelles merveilleuses images ! Mais elle ne les retrouvait plus. Autour d'elle, les autres dragons avançaient contre le courant en soufflant, avec des grognements d'effort. Plus près de la rive, l'eau était moins profonde et moins rapide, mais la boue entravait la marche ; néanmoins, elle jugea la fange collante moins agaçante que l'eau profonde, et, accélérant l'allure, elle doubla ses congénères jusqu'à se trouver à leur tête ; il n'y avait plus que Mercor et Ranculos devant elle.

Le dragon d'or avançait à une allure régulière. Il n'était pas aussi grand que Kalo ni Sestican, mais, dans l'eau, il paraissait plus long, peut-être à cause de sa façon de se déplacer à grandes foulées, le cou tendu, la queue au-dessus de la surface du fleuve. « Mercor ! » cria-t-elle. Il l'avait certainement entendue, mais il ne tourna pas la tête ni ne ralentit. Ranculos, rouge vif, le suivait de près.

« Mercor ! cria-t-elle à nouveau, et, malgré son absence de réaction, elle lança : Que te rappelles-tu des Anciens qui nous accueillaient lorsque nous arrivions à Kelsingra ? Je me souviens que nous tournions trois fois au-dessus de la cité pour les avertir de notre présence…

— Je me souviens qu'ils donnaient des coups de trompe du haut des tours de la ville quand ils nous apercevaient, avec des trompes d'argent et des cornes de bronze, pour prévenir les bateaux de pêche qu'il fallait dégager les eaux profondes du fleuve. » C'était, non pas Mercor, mais Ranculos qui répondait, l'iris des yeux tourbillonnant d'un soudain plaisir. « Ça vient de me revenir, quand tu as parlé de trois tours que nous faisions au-dessus de la cité.

— Je m'en souviens aussi ! » Veras apparut brusquement derrière eux, s'efforçant de les rattraper dans une gerbe d'éclaboussures. Les grenures dorées qui ornaient ses écailles vertes, si souvent maculées de boue et de poussière, brillaient à présent.

« Moi pas, avoua Sintara dans un murmure ; mais je me revois plongeant dans le fleuve et m'enfonçant jusqu'à ce que tout devienne obscur. Le fond était sablonneux. Et je me rappelle sortant sur la rive ; il y avait toujours quelques Anciens qui nous y attendaient. »

Elle se tut en espérant que quelqu'un enchaînerait, mais nul ne dit rien, et Mercor poursuivit sa marche stoïque.

« Il me revient qu'il y avait quelque chose d'agréable ensuite, un accueil particulier… » Elle laissa sa phrase en suspens pour inviter les autres à poursuivre, mais tous se turent. On n'entendait que le sifflement incessant du courant, les bruits d'éclaboussures des dragons et leur respiration lourde. Un nouvel obstacle, moins encombrant que le précédent, apparut devant eux, et Sintara éprouva soudain un profond découragement. Elle était déjà fatiguée.

Tout à coup, Mercor leva la tête, les naseaux dilatés, et il s'arrêta brusquement. Il parcourut les alentours des yeux, la vaste surface du fleuve à sa droite, la jungle dense à sa gauche, puis il souffla sèchement. Sa crinière atrophiée de pointes toxiques se dressa autour de son cou, blanc-bleu sur l'or de ses écailles.

« Qu'y a-t-il ? » demanda Veras. Puis elle aussi fit halte et observa les environs du regard.

« Des cochons de fleuve, intervint Sestican. Ça sent l'excrément de cochon de fleuve. »

Comme s'il les avait appelées, les créatures jaillirent soudain de l'eau. Elles avaient la peau aussi grise que le fleuve et des poils longs et tordus comme des racines ; elles se cachaient à l'abri de l'arbre tombé, leur échine velue et ronde au soleil, protégées du courant par le grand tronc.

Sans réfléchir, poussée à l'action par le souvenir d'un autre dragon, d'une ancienneté incalculable, Sintara tendit brusquement la tête au bout de son long cou, la gueule béante ; elle avait visé le plus gros cochon à sa portée. L'animal réagit un instant avant que les crocs ne se plantassent dans sa chair, et il tenta de s'immerger. La mâchoire de Sintara se referma sur lui, mais elle n'avait pas mordu aussi profondément qu'elle le voulait : une morsure efficace eût enfoncé les crocs dans la colonne vertébrale et paralysé sa proie ; en l'occurrence, elle n'avait saisi qu'une couche de graisse, un peu de peau épaisse et des poils. La succulence capiteuse du sang chaud dans sa gueule lui fit tourner la tête.

Alors le cochon se mit à se débattre violemment.

Tout autour de Sintara, d'autres dragons s'activaient comme elle ; certains poursuivaient des cochons et lançaient leur tête en avant sur leurs proies en poussant de grands coups de trompe. Vives dans l'eau, les créatures au ventre rond se montraient moins agiles dans les hauts-fonds et sur la rive encombrée de végétation. Les semblables de la dragonne la bousculaient brutalement en s'efforçant de s'emparer de leurs victimes, et elle faillit tomber quand trois cochons de fleuve la percutèrent en voulant gagner des eaux plus profondes.

Mais elle ne prêtait pas attention à ces incidents. Jamais encore elle n'avait tenu une proie vivante dans sa gueule, et, dans ses souvenirs ataviques, elle se voyait fondant sur du bétail et jetant les animaux au sol, si bien qu'ils étaient à demi assommés lorsqu'elle lançait la tête pour les achever ; mais la bête entre ses mâchoires était bien vivante, dans son élément et prête à tout pour survivre. Elle se débattait si violemment que la gueule de Sintara battait de gauche et de droite au bout de son cou sinueux ; le poids de l'animal lui attira la tête sous l'eau, et, par instinct, elle ferma ses naseaux et ses paupières, prit appui des pattes avant sur le fond du fleuve et s'efforça de ressortir sa proie à l'air libre. L'espace d'un instant, elle y réussit ; le cochon pendait entre ses mâchoires et poussait des couinements stridents en essayant de la frapper de ses sabots tranchants ; il la menaçait de ses petites défenses, mais ne pouvait la toucher. Elle reprit son souffle.

Mais elle avait peine à le tenir hors de l'eau.

Elle eût dû posséder plus de force, son cou être épaissi des muscles développés d'un prédateur, ses épaules larges ; mais, à son grand écœurement, elle avait une musculature aussi molle que celle d'une vache élevée au grain. Elle n'eût pas dû avoir de problème à soulever une proie de cette taille. Mais, si elle ouvrait la gueule pour assurer une meilleure prise, le cochon se libérerait aussitôt, et, tant qu'elle le tenait ainsi, il la meurtrissait en se débattant violemment. Il fallait qu'elle l'assommât. Encore une fois, il entraîna sous son poids la tête de la dragonne sous la surface et elle n'eut pas le réflexe de fermer ses naseaux ; elle aspira de l'eau.

Elle trouva la force de ressortir l'animal du fleuve, et ce fut en partie par accident que, ses forces la trahissant, elle réussit à le frapper contre le tronc qui barrait le fleuve. Un instant, il pendit entre ses mâchoires, inerte, et, quand il se remit à se débattre et à couiner, elle le cogna durement contre le bois. Elle plaqua le corps momentanément immobile contre le tronc et, en une fraction de seconde, ouvrit la gueule et la referma. Il eut une ultime convulsion puis resta pendu, mort, entre ses crocs.

Elle avait tué ! Elle avait tué sa première proie !

D'une patte, elle immobilisa le cochon contre l'arbre tandis qu'elle le dévorait. Elle n'avait jamais rien mangé d'aussi délicieux. Le sang était liquide et chaud, la chair encore vibrante de vie. Elle arrachait de grandes bouchée de tripes et broyait les os ; quand des morceaux tombaient dans l'eau, elle y plongeait la tête pour les récupérer.

C'est seulement quand elle eut dévoré l'animal jusqu'à la dernière bribe qu'elle prit conscience de ce qui se passait autour d'elle. Beaucoup de ses congénères avaient attrapé des proies ; Veras avait poursuivi la sienne jusque sur la berge et l'y avait tuée ; deux des plus petits dragons se disputaient un cochon couinant qu'ils tenaient chacun par une extrémité, jusqu'au moment où la tension exercée déchira l'animal par le milieu. Kalo finissait d'avaler une des créatures tout en en plaquant une autre au sol sous sa grande patte griffue. Voyant cela, Sintara se mit à chercher d'autres victimes.

« La horde s'est égaillée », dit Mercor calmement. Le dragon d'or se nettoyait les griffes ; il y passa la langue, puis dénicha un petit bout de viande qui se logeait sous l'une d'elles. À l'évidence, il avait fait bonne chasse, tout comme elle. À ce souvenir, le vertige la prit. Elle avait tué ! Elle, Sintara, avait abattu sa propre viande – et elle l'avait mangée. Comment avait-elle pu ignorer jusque-là l'importance de cet acte ? Tout en était soudain bouleversé. Elle parcourut du regard le fleuve et les autres dragons. Pourquoi suivait-elle aveuglément les autres comme une vache son troupeau ? Les dragons n'agissent pas ainsi ! Les dragons n'ont pas de gardiens et ne dépendent pas des humains pour se nourrir ; les dragons chassent seuls et tuent pour eux-mêmes !

Instinctivement, elle fit jouer les muscles de ses épaules et déploya ses ailes, envahie par le besoin de s'envoler, de repartir à la chasse, de tuer une fois encore, de dévorer sa proie, puis de trouver une colline ensoleillée ou une bonne corniche rocheuse pour y faire la sieste. Ce n'était pas la viande, excellente au demeurant, qui avait éveillé cette envie chez elle, mais la lutte avec sa proie et surtout le triomphe d'avoir porté le coup de grâce puis d'avoir dévoré sa proie. Elle voulait recommencer tout de suite.

Mais ses ailes déployées n'étaient que des membres pitoyables qui clapotaient misérablement sur son dos avec un bruit mouillé ; elles n'avaient aucune force. Elle se rappela avec colère l'effort qu'elle avait dû fournir pour se battre avec une proie aussi stupide qu'un cochon de fleuve ; la tuer ne lui avait pas donné l'impression d'aisance et de puissance que lui valaient ses souvenirs ancestraux. Elle n'était qu'un avorton incapable d'assurer sa survie, parquée dans un enclos comme une vache. Il était temps d'en finir avec cette existence.

« Voilà pourquoi, dit Mercor aussi tranquillement que s'il avait entendu ses pensées, il nous faut partir d'ici, pourquoi nous devons remonter le fleuve ensemble pour trouver Kelsingra : pour devenir des dragons chemin faisant, ou que nous y laissions la vie. »

Il leva la tête et poussa un grand coup de trompe. « Il est l'heure de repartir ! » Puis, sans attendre de voir si les autres le suivaient, il s'avança dans l'eau et contourna l'obstacle.

Sintara lui emboîta le pas.

SEPTIÈME JOUR DE LA LUNE DU GRAIN

*Sixième année de l'Alliance Indépendante
des Marchands*

*De Detozi, Gardienne des Oiseaux, Trehaug,
à Erek, Gardien des Oiseaux, Terrilville*

*Ci-joint, dans un étui doublement fermé et scellé à
la cire, une missive de Jess à l'attention des
Marchands Bégasti Cored et Sinad Arich à l'auberge
des Allures, Terrilville. Droits versés pour une remise
prompte et en mains propres, avec une prime à payer
si le message est délivré moins de quatre jours après
la date d'envoi.*

*Erek,
j'ai choisi Royal pour ce travail ! S'il y a un oiseau
qui peut nous valoir la prime, c'est lui !*

Detozi

*P.-S. Y aurait-il la possibilité d'obtenir un ou deux
petits de la lignée de Royal ? Je vous les échangerais*

volontiers contre quelques-uns des rejetons de Tachetée. Elle n'est pas aussi rapide que Royal, mais elle a traversé victorieusement bien des tempêtes pour moi.

8

Communauté

Quand la nuit tomba, les gardiens dormaient à côté les uns des autres sur le pont du *Mataf*. Thymara avait choisi une place près du bastingage, et, la tête sur les bras, elle contemplait la rive du fleuve. Hormis la lueur du feu de camp moribond sur la berge et celle de l'unique hublot éclairé du bateau, l'obscurité était totale, et l'œil s'y habituait difficilement, comme chaque fois qu'on s'arrêtait pour la nuit. Cassaric se trouvait très loin derrière eux, et nulle part les lumières amicales d'une cité dans les arbres ne perçaient les ténèbres des sous-bois, nul bruit ne provenait de maisons proches. Thymara frôlait les limites du sommeil mais ne parvenait pas à les franchir : trop d'événements s'étaient produits trop vite au cours des derniers jours. Elle chassa de la main un moustique qui fredonnait à son oreille et demanda à part elle : « Pourquoi nous être lancés dans cette entreprise ? C'est de la folie ! Nous ne savons ni où nous allons ni à quoi nous attendre. On ne voit pas le bout de cette aventure ; pourquoi nous y être lancés ?

— Pour l'argent », répondit Jerde à mi-voix. Elle poussa un soupir de satisfaction et se retourna sous sa couverture. « Pour faire quelque chose de nouveau.

— Parce qu'on n'a rien de mieux à faire, proposa Kanaï dans le noir, à sa gauche. Et aussi parce que je ne me suis jamais autant amusé de ma vie. » La journée paraissait l'avoir rempli de contentement.

« Pour laisser notre ancien monde derrière nous et en aborder un nouveau », déclara Graffe d'un ton pénétré. Thymara serra les dents.

« J'ai envie de dormir, intervint Tatou. Vous pourriez mettre une sourdine, tous ? » Ce soir-là, il avait étendu sa couverture près de Kanaï ; il avait l'air de mauvaise humeur pour une raison indéterminée.

Quelqu'un, peut-être Harrikine, étouffa un rire, et le silence retomba. Le fleuve clapotait contre la gabare ; sur la berge, un dragon grogna bruyamment dans son sommeil puis se tut. Thymara tira sa couverture par-dessus sa tête pour se protéger des moustiques et resta les yeux ouverts dans l'obscurité.

Rien ne se passait comme elle l'avait imaginé : la grande aventure s'était promptement réduite à une routine quotidienne ; ils se levaient de bon matin, prenaient ensemble un petit déjeuner composé en général de pain et de poisson séché ou de gruau prélevé sur les réserves du *Mataf*, et remplissaient leurs gourdes aux puits de sable creusés la veille. Les chasseurs levaient le camp avant l'aube et remontaient le fleuve dans leurs canoës ; ils devaient se mettre en route avant que le gibier ne s'enfuît à cause du bruit et de l'activité des dragons. Ces derniers se mettaient en route ensuite, dès qu'ils étaient réveillés, puis les gardiens dans leurs canoës, suivis par la gabare.

Tous les compagnons de Thymara changeaient chaque jour d'équipiers pour manier la pagaie, mais personne ne proposait de prendre Kanaï comme partenaire. En revanche, plusieurs soigneurs s'étaient portés volontaires pour partager un canoë avec elle ; Houarkenn s'était proposé, ainsi que Harrikinc, et Sylve avait laissé entendre par deux fois qu'elle pourrait voyager avec elle le lendemain. Mais, chaque matin, Kanaï était là, assis dans l'embarcation échouée sur la berge, à l'attendre ; elle avait bien songé à s'associer avec quelqu'un d'autre, sachant que, dans ce cas, un autre gardien serait forcé de partager son canoë avec Kanaï, mais elle n'en avait encore rien fait, d'abord parce qu'ils s'entendaient très bien pour diriger leur barque, et ensuite parce que l'humeur joyeuse et l'optimisme du jeune garçon lui remontaient le moral en cette époque où elle se sentait très seule. Il avait une conversation bizarrement décousue, mais il n'était pas le simplet que les autres croyaient ; il voyait seulement la vie sous un angle différent, rien de plus.

Et, tout compte fait, il était plutôt agréable à regarder.

Les muscles de Thymara s'habituaient aux pleines journées de maniement de la pagaie, mais elle avait toujours mal la nuit. Ses ampoules aux mains se transformaient en cals ; les reflets du soleil sur l'eau étaient moins durs à supporter pour ses yeux habitués à la pénombre de la voûte ; elle avait chaque jour un peu plus l'impression d'avoir de la paille à la place des cheveux, et la sensation mâtinée d'inquiétude que ses écailles s'étendaient plus vite sur son corps qu'à l'époque où elle vivait dans les arbres. Les habitants du désert des Pluies se couvraient d'écailles avec l'âge ; elle pouvait l'accepter, mais la monotonie, la répétitivité de ses mouvements, jour après jour, commençaient à lui peser.

Cette dernière journée n'avait pas fait exception à la règle. La matinée avait passé lentement, sans guère de changement dans les feuillages qui bordaient les rives à l'infini. En début d'après-midi, les gardiens, inquiets, avaient entendu les dragons de tête lancer des coups de trompe éperdus ; parvenus sur les lieux, ils avaient eu l'impression qu'une catastrophe venait de se produire, car les dragons couraient dans l'eau à grandes éclaboussures et s'immergeaient parfois complètement.

Les soigneurs, après avoir plusieurs fois frôlé l'accident dans leurs canoës, avaient fini par comprendre que les grandes créatures avaient simplement croisé un large banc de poissons et en avaient profité pour s'empiffrer. Peu après, elles s'étaient installées sur une berge longue, basse et couverte de roseaux, pour s'endormir promptement. Quand les jeunes gens les avaient rattrapées, il restait de nombreuses heures de jour ; ils eussent pu continuer bien plus loin, mais les dragons avaient refusé de bouger, et les gardiens avaient dû se résoudre à tirer leurs embarcations sur les hauts-fonds et à s'arrêter.

Gueule-de-ciel avait manifestement eu sa part de poisson : elle en avait le ventre distendu, et elle présentait la somnolence du prédateur rassasié. Elle avait refusé que Thymara la nettoyât ou la pansât ; et non seulement elle n'avait pas voulu se réveiller, mais elle avait grondé dans son sommeil en découvrant des crocs que le sang frais sur son mufle faisait paraître plus longs et plus effilés.

Dente était le seul dragon assez sociable pour faire profiter les humains de son expérience. Toute excitée, elle insistait pour répéter son histoire à qui voulait l'entendre pendant que Tatou l'étrillait, ce qui ne facilitait pas la tâche du garçon, car, prise au jeu, elle mimait la façon dont elle lançait sa tête en avant, s'emparait d'un énorme poisson et lui brisait l'échine d'un seul coup de mâchoires. « Et je l'ai avalé tout rond. Maintenant, vous voyez que je suis une dragonne d'importance, non une vache parquée qu'on engraisse à la viande avariée. Je sais tuer ; j'ai tué un cochon de fleuve et j'ai mangé cent poissons que j'ai attrapés moi-même. Vous voyez maintenant que je suis une vraie dragonne et que je n'ai besoin des soins d'aucun humain ! »

Thymara et plusieurs de ses compagnons s'étaient approchés pour l'écouter et regarder Tatou s'efforcer de panser la petite verte pleine de feu ; elle avait des taches de sang sur le mufle, et de longs filaments gluants de tripes pendaient de sa gueule et de son cou. Tatou grattait énergiquement ses écailles en souriant avec indulgence à ses fanfaronnades et à ses prétentions de n'avoir plus besoin de ses gardiens ; il l'adorait visiblement. Thymara connaissait la réputation de séduction des dragons, et savait que Tatou, malgré son pragmatisme, était tombé sous le charme de la créature.

Elle se demandait si elle-même n'était pas sous l'influence de Gueule-de-ciel. Elle s'était sentie toute déconfite que la dragonne n'eût même pas daigné se réveiller pour lui raconter sa chasse triomphale ; elle avait l'impression d'être exclue de sa vie, et elle éprouvait une sorte de jalousie envers Tatou. En même temps, une angoisse la picotait au fond de son esprit, comme une perception qu'elle répugnait à regarder en face mais qui s'imposait peu à peu à elle ; Tatou avait beau afficher un sourire béat en débarrassant Dente du sang et des tripes qui la maculaient, la créature n'avait rien d'attendrissant ni même d'apprivoisable : c'était une dragonne, et, même si ses vantardises avaient un côté puéril, elle apprenait très vite en quoi consistait son rôle de prédateur, et ce n'était pas vaine forfanterie quand elle affirmait n'avoir pas besoin des humains ; les dragons toléraient les gardiens et leurs attentions, mais ils ne les supporteraient peut-être pas toujours.

Naguère, elle s'attendait à ce que les dragons fussent tous semblables. Dans les rêveries que lui inspirait sa future carrière, elle les imaginait nobles, intelligents, avec un tempérament généreux. Le doré de Sylve répondait peut-être à cette conception, mais les autres étaient aussi différents les uns des autres que leurs soigneurs ; la verte de Tatou pouvait se montrer désagréable au possible ; la dragonne lavande de Nortel paraissait timide jusqu'au moment où elle tentait de mordre celui qui s'approchait trop d'elle. Lecter avec son caractère bonhomme et le grand mâle bleu avec qui il s'était lié paraissaient bien appareillés, au point de partager les mêmes piques sur le cou, et les dragons orange des cousins Kase et Boxteur semblaient avoir les mêmes goûts que leurs gardiens.

Depuis qu'elle avait assisté à leur éclosion, Thymara regardait les dragons comme des créatures qui avaient besoin des humains pour survivre, et cette perception l'avait rendue aveugle au danger qu'ils représentaient. Naturellement, elle savait que chacun d'entre eux était assez grand pour tuer un homme, et certains avaient la vivacité et l'intelligence nécessaires pour devenir, si l'envie les en prenait, des mangeurs d'hommes astucieux et impitoyables. La jeune fille avait pris jusque-là leur dédain pour l'humanité et leur sentiment de supériorité pour des traits de caractère agaçants mais typiques de leur espèce ; mais, à présent, son regard allait de la vive et parfois débonnaire Dente, par-delà sa propre Gueule-de-ciel, jusqu'à Kalo.

Le plus imposant et le plus agressif des dragons s'était fait un nid grossier parmi les roseaux rêches ; de ses griffes, il avait ratissé le sol pour ramener à lui la terre humide et les plantes qui y poussaient pour se créer un lieu où dormir. Il somnolait, son énorme tête posée sur ses pattes, les ailes repliées sur le dos. Comme ses congénères, il ne savait pas voler, mais, par ailleurs, il paraissait parfaitement conformé. Thymara concentra son regard et son attention sur lui, et il lui sembla le sentir frémir de colère et d'exaspération, comme si son corps immense abritait un chaudron bouillonnant de fureur. Graffe, son gardien, était assis non loin de lui. Le grand dragon était propre, les écailles luisantes. Thymara se demanda si son soigneur l'avait nettoyé ou si Kalo s'était occupé tout seul de lui. Graffe avait les yeux mi-clos ; il avait l'air de quelqu'un qui se réchauffe auprès du feu, et, l'espace d'un instant, elle crut percevoir le plaisir qu'il éprouvait de l'agressivité et de la rage de Kalo. Comme cette pensée lui venait, Graffe ouvrit les yeux ; elle y aperçut un éclair bleu et brillant, et elle détourna le visage en s'efforçant de lui faire croire qu'elle regardait derrière lui ; quelle gêne s'il se doutait qu'elle l'observait !

Néanmoins, il sourit et lui fit un petit geste pour l'inviter à se rapprocher de lui. Elle fit semblant de ne rien voir, et le sourire de Graffe s'élargit. Il tendit une main et caressa l'épaule de son dragon endormi d'un mouvement lent et sensuel, comme pour souligner la puissance de la créature. Troublée par ce spectacle, Thymara se détourna brusquement comme si Kanaï lui avait parlé. Elle crut entendre Graffe étouffer un petit rire.

Ce fut une réflexion de Sylve et non de Kanaï qui attira son attention. « Tant mieux s'ils ont réussi à chasser par eux-mêmes ; au moins, ils auront eu à manger. Nous ferions peut-être bien de chasser ou de pêcher pour nous-mêmes, non ? Parce que j'ai l'impression que nous sommes installés pour la nuit. »

Elle avait raison, évidemment. La gabare transportait des vivres, mais la viande fraîche était toujours la bienvenue. Jusque-là, les chasseurs rapportaient des prises tous les jours pour les dragons, même si cela ne suffisait pas à rassasier les grandes créatures, mais les gardiens n'avaient pas autant de réussite : ils passaient la majeure partie des courtes heures du soir à panser les dragons ou à s'efforcer d'attraper du poisson. Aujourd'hui, ils disposeraient d'une partie de l'après-midi et du début de la soirée, et Thymara vit que les autres s'en rendaient compte à leur tour. La plupart choisirent d'aller pêcher ; la jeune fille songea que les roseaux et les joncs de la berge devaient abriter de nombreux poissons, mais sans doute pas d'espèces assez grosses pour nourrir efficacement les dragons ; et puis elle en avait assez de l'eau et des rives boueuses : elle avait besoin de se retrouver seule et au calme dans la forêt, près des cimes.

Elle prit son arc, un carquois plein de flèches, un couteau, de la corde, et s'enfonça dans la pénombre du sous-bois. Elle savait ce qu'elle cherchait et ne resta pas longtemps au sol ; elle suivit le fleuve sur une courte distance en quête de sentes de gibier ; quand elle en repéra une, elle l'examina quelques instants : les empreintes de petits animaux disparaissaient sous celles, plus profondes, de sabots. La plupart appartenaient à ce que les habitants du désert des Pluies appellent « cerf danseur » ; petit, léger, cet animal se déplace vite et sans bruit dans la forêt en se nourrissant du brout et de ce qui pousse dans les parties sèches de la jungle ; on en avait vu grimper sur les basses branches et même courir sur elles. Un seul d'entre eux ne nourrirait guère un dragon, et ils sont si méfiants que, même si Thymara en trouvait toute une troupe en train de dormir, elle ne pourrait pas en abattre plus d'un avant que les autres ne prissent la fuite.

Mais certaines empreintes étaient plus grandes et plus profondes, avec des marques de sabots plus étalées. L'élan des marais se déplaçait seul à cette époque de l'année. Si elle avait l'extraordinaire fortune d'en tuer un, elle ne parviendrait à en rapporter qu'un quart au camp, mais Tatou l'aiderait peut-être à retourner chercher le reste en échange d'une part. Aujourd'hui, il avait partagé le canoë de Houarkenn au lieu de celui de Jerde ; cela signifiait peut-être qu'il aurait du temps pour autre chose qu'écouter Jerde bavarder. Thymara secoua la tête pour le chasser de son esprit : il avait choisi son compagnon de voyage, et il n'y avait aucune raison pour que cela la tracassât.

Tout en se mettant en quête d'un élan, elle se résigna d'avance à s'estimer heureuse si elle abattait un cerf, tout en sachant plus probable qu'elle tomberait sur un des quadrupèdes omnivores qui vivaient le long du fleuve ; leur chair était comestible, bien que d'un goût peu agréable, et Sintara ne tordrait sans doute pas le nez devant cette venaison.

Dès qu'elle le put, Thymara quitta le sol et s'éleva dans les branches basses. Là, ses griffes lui permettaient de se déplacer plus efficacement et plus discrètement. Au lieu de se placer à la verticale de la piste, elle la suivit sur le côté en espérant ainsi pouvoir la surveiller sans alarmer les animaux par sa présence.

L'éclat du jour diminuait à mesure qu'elle s'éloignait de la berge à ciel ouvert ; les bruits de la forêt changeaient aussi, le chuintement du fleuve étouffé par les feuillages épais. Des oiseaux chantaient, et, dans les hauteurs, elle entendait le bruissement du passage des écureuils, des singes et d'autres petits animaux. Un sentiment proche de la sérénité l'envahit ; son père avait raison : elle était faite pour cet environnement. Elle sourit aux sons familiers des bêtes arboricoles et s'enfonça davantage dans la jungle ; elle n'irait pas plus loin que la distance qu'elle s'estimait capable de couvrir pour rapporter une carcasse ; si, arrivée là, la chance ne lui avait toujours pas souri, elle retournerait ses talents de chasseuse contre le petit gibier qu'elle voyait autour d'elle en espérant pouvoir en rapporter un plein sac. La viande restait de la viande, qu'elle fût en gros ou en détail.

Elle atteignait ce point où elle devait s'en retourner quand elle sentit l'odeur, tout d'abord, puis entendit l'élan. C'était un vieil animal occupé à gratter sa bosse contre une branche, bruyamment et avec vigueur ; comme la plupart de ses semblables, il n'attendait pas le danger d'au-dessus : étant donné ses proportions, la majorité des prédateurs capables de le menacer se déplaçaient sur le sol, comme lui. C'est presque avec regret que Thymara s'avança d'arbre en arbre, sans bruit, jusqu'à se trouver à sa verticale, puis elle se décala peu à peu jusqu'à ce qu'elle eût une vue dégagée de la bête. Elle s'empara de son arc, l'arma, tendit la corde, retint sa respiration et décocha la flèche ; elle avait visé un point juste en arrière de la bosse sur les épaules, en espérant traverser la cage thoracique et toucher les poumons, voire le cœur. Le projectile atteignit sa cible avec un bruit qui évoqua un coup frappé sur la peau épaisse d'un tambour.

L'élan sursauta soudain, puis frissonna comme si une mouche s'était posée sur son pelage. Enfin, comme la douleur le saisissait brutalement, il partit dans une course trébuchante vers le fleuve. Thymara eut un sourire dur : au moins, il allait dans la bonne direction ! Elle le suivit dans les branches ; elle ne voulait pas redescendre à terre tant qu'elle n'était pas sûre qu'il était mort ou moribond.

Il courait de plus en plus maladroitement, et tomba une fois, ses pattes avant fléchissant soudain. Elle crut la bête à bout de forces, mais l'animal se releva, vacillant, et poursuivit sa course en soufflant du sang par les naseaux et la bouche, haletant de souffrance. La deuxième fois où il s'effondra, il resta à terre. Son poignard à la main, Thymara s'approcha puis s'agenouilla près de lui ; il lui jeta un regard malveillant de ses grands yeux bruns. « Je vais abréger ton calvaire », lui dit-elle, et, de toutes ses forces, elle planta le couteau dans le creux derrière l'angle de sa mâchoire. La lame transperça la peau épaisse et le muscle, et, quand la jeune fille la retira, le sang jaillit par saccades. L'élan ferma les yeux ; chaque jet rouge giclait moins haut que le précédent, et, quand il n'y eut plus qu'un ruissellement, Thymara sut que la bête était morte. Le regret l'assaillit un instant, mais elle le repoussa ; la mort nourrit la vie ; ce n'était plus que de la viande, et toute à elle.

Gueule-de-ciel serait satisfaite – à condition que Thymara parvînt à lui rapporter la venaison : la dragonne ne pourrait jamais se rendre jusqu'à la carcasse. La forêt et les taillis denses étaient impénétrables pour une créature de sa taille. Si elle voulait transporter la viande, Thymara devait découper la dépouille. Elle la mesura du regard ; elle arriverait sans doute à traîner seule une patte avant avec l'épaule ; après quoi elle demanderait à Tatou de l'accompagner pour trancher le reste et rapporter les morceaux jusqu'au fleuve. Il pourrait en prendre une part pour Dente, et il y aurait encore de la viande à partager avec les autres gardiens. À cette perspective, elle sentit une bouffée de fierté l'envahir ; personne d'autre, sans doute, n'aurait eu autant de chance qu'elle à la chasse.

Le cuir de l'élan était plus épais qu'elle ne l'avait prévu ; son poignard paraissait bien petit par rapport à la tâche, et il s'émoussait vite ; à deux reprises, elle dut s'interrompre pour l'aiguiser, et, chaque fois, elle songeait à la nuit qui approchait. Il faisait déjà sombre sous le couvert de la jungle ; si elle ne revenait pas récupérer le reste de la carcasse avant la nuit, elle ne la retrouverait jamais dans le noir, et, au matin, les charognards n'en auraient laissé que les os. Des fourmis et des insectes volants s'attroupaient déjà pour le festin.

Quand elle eut enfin découpé la peau résistante tout autour de l'épaule et tranché les muscles jusqu'à l'os, elle dut faire appel à toute sa force pour enfoncer la lame dans l'orbite afin de libérer la patte. Elle se détacha si brusquement que Thymara se retrouva brutalement assise par terre, la patte à demi sur elle. Elle nettoya son poignard sur son pantalon, le remit au fourreau puis s'essuya les mains ; elle repoussa de son visage les mèches de cheveux collantes de sueur. Les écailles de son front lui parurent plus serrées et mieux finies ; elles grandissaient. Dans quelques mois, elle ne transpirerait peut-être plus. L'espace d'un instant, elle se demanda quel aspect elle présentait, puis elle écarta cette question de ses pensées ; elle ne pouvait rien à son apparence : mieux valait ne pas y songer.

Elle repoussa la patte qui pesait sur elle et se releva avec un gémissement : son dos lui faisait terriblement mal. La perspective de se frayer un chemin parmi les taillis épais pour regagner la rive du fleuve ne l'enchantait pas du tout. Elle regarda de nouveau la carcasse. « Une patte de découpée, reste trois, dit-elle avec un sourire forcé.

— Et la tête ; n'oublie pas la tête. » Ces mots ne l'avertirent de la présence de Graffe qu'une fraction de seconde avant qu'il n'atterrît près d'elle avec la légèreté d'un lézard. Il se tourna vers la dépouille de l'élan avec un sifflement d'étonnement, et, quand il releva les yeux vers elle, ils brillaient d'admiration. « Tu ne te vantais pas quand tu disais que tu savais chasser. Mes félicitations, Thymara ! Si on m'avait demandé mon avis, j'aurais dit que c'était une tâche impossible pour une fille comme toi.

— Merci », répondit-elle, perplexe. La complimentait-il ou laissait-il entendre qu'elle avait joué de chance ? Elle ajouta, un peu agacée : « L'arc ne sait pas qui tend sa corde. N'importe qui, pourvu qu'il soit assez fort et sache tirer droit, peut abattre une proie.

— Exact, sans aucun doute ; j'en ai la preuve devant moi. Je dis seulement que je n'avais jamais vu les choses sous cet angle. » Il humecta ses lèvres minces, et une lueur bleutée s'alluma dans ses yeux quand il sourit. Il avait un regard approbateur, mais il parcourut Thymara d'une façon qui la mit mal à l'aise, et il reprit d'une voix chaude et empreinte d'un vague regret : « Thymara, tu peux être fière. » De la main, il désigna la gibecière à sa hanche ; des plumes en sortaient. « J'aimerais pouvoir dire que je me suis aussi bien débrouillé que toi ; mais le jour s'achève et je n'ai attrapé que deux oiseaux.

— Il reste quelques heures de jour, rétorqua Thymara, et je ferais bien de m'en servir, sans quoi la viande sera perdue. On se reverra au camp, Graffe. » Elle s'agenouilla, passa sa corde autour de la patte, juste au-dessus du sabot, puis, à l'autre bout, fit une boucle assez large pour l'accrocher à son épaule, sans cesser de sentir Graffe derrière elle, qui l'observait en silence. Elle enfila son bras dans la boucle en se relevant. « À tout à l'heure, au camp », dit-elle.

Mais elle n'avait pas fait deux pas qu'il demandait : « Tu laisses le reste de la carcasse ? »

Elle ne voulait pas se retourner, mais elle ne voulait pas non plus qu'il sût qu'elle avait un peu peur de lui ; il était plus grand qu'elle et très musclé. Il ne l'avait jamais menacée, mais l'attention pesante qu'il lui portait l'inquiétait, et elle n'aimait pas se trouver seule avec lui. Le pire était que, sous cette peur, se dissimulait, plus obscure, une attirance pour lui. Il était beau, à la façon du désert des Pluies ; l'éclat de ses yeux et la danse de la lumière sur les écailles de son visage lui donnaient envie de le regarder, mais son expression parlait toujours de choses interdites, et sa présence éveillait en elle des impulsions dangereuses pour elle. Mieux valait s'éloigner de lui.

Elle s'efforça de ne rien laisser paraître de ses émotions en répondant d'un air désinvolte : « Tatou et moi reviendrons chercher le reste. »

Graffe se redressa légèrement et parcourut rapidement les environs du regard. « Tatou chasse avec toi ?

— Non, il est sans doute encore près du fleuve. » Elle se rendit compte qu'elle n'eût pas dû répondre à la question, car elle se sentait soudain encore plus seule. « Quand je lui dirai que j'ai de la viande, il viendra m'aider. »

Graffe sourit et se détendit, mais avec une expression qui accrut la tension de Thymara. « Pourquoi te donner ce mal ? Je peux t'aider, moi ; ça ne me dérange pas. »

« Il faut que je parle à la dragonne de Thymara. »

Alise tourna brusquement la tête, surprise et irritée qu'on la dérangeât. Il n'était pas facile de faire parler Gueule-de-ciel ; or, aujourd'hui, tout se passait bien : la dragonne lui racontait l'histoire d'un artisan de Kelsingra qui avait créé une fontaine autour d'une sculpture grandeur nature de trois dragons. Pour l'inciter à continuer, Alise, debout à côté de la grande créature qui reposait sa tête sur ses pattes avant, nettoyait soigneusement les écailles qui bordaient ses yeux ; lorsqu'ils pêchaient, les dragons s'éclaboussaient les yeux et les oreilles de l'eau limoneuse du fleuve, qui, en séchant, laissait une fine poudre sur leurs écailles ; il valait mieux, pour l'ôter, travail délicat et chatouillant, l'intervention des doigts humains que des griffes de dragon. « Je vous demande pardon ? »

Le gardien l'observa un moment sans rien dire. Kanaï, se dit-elle ; c'était ainsi qu'il s'appelait. Elle lui avait parlé à deux reprises auparavant, et chaque fois elle avait jugé l'expérience déconcertante. Il avait les yeux d'un bleu très pâle, et parfois, quand il les clignait, leur couleur et le faible éclat qui en émanait paraissaient ne faire qu'un. Il était très beau, à la façon du désert des Pluies, et deviendrait extraordinaire une fois adulte ; pour le moment, il avait encore les traits flous de l'adolescent qui tend vers l'homme, la mâchoire qui allait s'affermissant. Elle se rendit compte que sa tignasse emmêlée lui donnait l'air plus jeune qu'il n'était vraiment.

Comme le garçon ne répondait pas, Sédric intervint. « Pourquoi avez-vous besoin de parler à Gueule-de-ciel ? Elle est en train de fournir à Alise des détails très importants sur Kelsingra.

— Il faut que je trouve Thymara ; elle va manquer la distribution de nourriture.

— Elle n'est pas ici », fit Sédric d'un ton patient. Il regarda la plume qu'il tenait, assis, son bureau portatif sur les genoux, sur la caisse qu'il avait traînée depuis le *Mataf*. La feuille d'épais papier posée devant lui était presque entièrement couverte de son écriture fine ; bien qu'Alise dût s'interrompre pour traduire les paroles de la dragonne, la conversation se déroulait bien ; ils n'en avaient même jamais eu de meilleure. Sédric trempa sa plume dans l'encre et acheva la phrase qu'il avait commencé à écrire.

Gagnée par l'impatience, Alise dit au jeune homme : « Je ne sais pas où est Thymara ; avez-vous cherché dans le bivouac ? »

Il pencha la tête comme si elle était un peu stupide. « Oui, avant de venir ici. Gueule-de-ciel, s'il te plaît, dis-moi où est Thymara. »

La dragonne répondit laconiquement : « À la chasse. Nous sommes occupés. » Elle inclina la tête légèrement pour rappeler à Alise qu'elle était en train de la nettoyer, et la jeune femme reprit son travail.

« Où, à la chasse ? demanda Kanaï, insistant.

— Dans la forêt. Va-t'en.

— C'est grand, la forêt. » Apparemment, Kanaï n'avait pas assez de jugeote pour éviter d'agacer la dragonne. Alise sentit Gueule-de-ciel bander ses muscles et elle sut que ses griffes s'enfonçaient dans la boue humide ; elle s'efforça de détourner son attention. « Il y a une écaille qui se détache, là, au coin de ton œil. Évite de battre des paupières pendant que je la décroche. » À sa grande surprise, la dragonne obéit. La jeune femme leva l'objet au bout de son index en s'émerveillant ; il tenait à la fois de l'écaille de poisson et de la plume. On y voyait des lignes, qui indiquaient peut-être les étapes de sa croissance, mais l'extrémité s'effilochait en fins cirres, et il était d'un bleu sombre et profond, plus profond que le plus beau saphir. Elle se pencha pour examiner l'emplacement d'origine de l'écaille et comprit soudain la façon dont elles se bloquaient mutuellement pour former une surface lisse. « C'est incroyable, fit-elle dans un souffle, abasourdie. Sédric, peux-tu dessiner ça ?

— Avec le plus grand plaisir ! » répondit-il avec enthousiasme. Alise s'aperçut qu'il avait posé son bureau pour venir se placer près d'elle. « Mais, pour rendre justice à la réalité, il me faudrait une surface qui ne bouge pas, une lampe qui éclaire bien et mes encres de couleur ; j'ai tout ça à bord du *Mataf*. Je vais mettre l'écaille en lieu sûr. »

Il s'apprêtait à la prendre quand Gueule-de-ciel leva soudain la tête. Sa langue, longue et fourchue comme celle d'un lézard, était proportionnée à son corps, et, quand elle jaillit, ce fut comme un immense fouet charnu qui eût claqué dans l'air entre Alise et Sédric. Tout se passa si vite que l'écaille disparut comme par magie, adroitement arrachée à la main d'Alise avec une précision qui la laissa sidérée.

« Non ! cria Sédric, horrifié.

— Ce qui fait partie de moi est à moi, dit la dragonne d'un ton sévère.

— Oh, Gueule-de-ciel, s'exclama Alise d'un ton dépité, mais nous voulions seulement la dessiner ! Pour partie, le savoir que je recherche concerne votre physiologie. Tu as bien laissé Sédric faire un croquis d'une de tes griffes, hier. » Elle soupira. « J'aurais tant aimé disposer d'une représentation exacte et à l'échelle d'une écaille.

— Une écaille ? » intervint Kanaï. Alise découvrit avec une certaine surprise qu'il était toujours présent. « J'en ai peut-être une... Tenez. » Il s'était penché pour frotter de la main le rude tissu de son pantalon. Quand il se redressa, il tendit à Alise un rubis scintillant nettement plus grand que l'écaille bleue de Gueule-de-ciel, de la taille d'un grand pétale de rose – mais nulle rose ne brille d'un éclat aussi rouge, et la jeune femme eut le souffle coupé devant ce spectacle. Enfin, elle prit le trésor qu'on lui offrait de façon si désinvolte et fut surprise de son poids, moindre que celui d'une petite pièce, mais inattendu quand même. Les cernes de croissance et la panachure étaient beaucoup plus marqués que sur l'écaille de Gueule-de-ciel.

« Gringalette l'a perdue quand j'étais sur son dos, pendant son exercice d'envol ; j'ai dû la détacher avec le genou, mais elle m'a dit qu'elle n'avait rien senti.

— Sur son dos ? Vous étiez sur le dos d'un dragon ? » Alise était effarée.

« C'est un outrage ! » s'exclama Gueule-de-ciel, scandalisée. Elle leva la tête haut, et, l'espace d'un instant, la jeune femme crut qu'elle allait frapper l'un d'entre eux. Elle vit Sédric reculer instinctivement.

Kanaï, lui, ne se laissa pas impressionner. « Ça ne dérange pas Gringalette ; elle saura bientôt voler et elle ne veut pas me laisser en arrière. On s'exerce tous les soirs ; moi, j'essaie de repérer les rochers et les troncs abattus pour qu'elle puisse se concentrer sur sa course et le battement de ses ailes.

— Vous êtes des idiots, tous les deux. Les dragons ne courent pas avant de s'envoler, et nous ne laissons personne monter sur nous ; j'ai honte de songer qu'elle se prête à cette mascarade ! Elle nous déshonore. Tu es un crétin, et elle un lézard sans cervelle !

— Que dit-elle ? » demanda Sédric.

Kanaï serra les poings et s'avança vers la dragonne d'un air menaçant. « Retire ça tout de suite ! Tu n'as pas le droit de parler de Gringalette comme ça ! Elle est magnifique, elle est intelligente, et elle saura bientôt voler, parce qu'elle a le courage d'essayer et l'intelligence de savoir que je l'aide parce que je l'aime.

— Mais que se passe-t-il ? fit Sédric d'une voix tremblante.

— Gueule-de-ciel, je t'en supplie, refrène ta colère, splendide reine ! Ce n'est qu'un gamin étourdi qui ne mérite même pas ton courroux ! » Étonnée par le ton calme de sa voix, Alise s'était interposée entre la dragonne enflammée et sa cible. Elle avait refermé le poing sur l'écaille en prenant la parole, et elle la fourra dans son sac sans quitter du regard la grande créature. Les yeux de Gueule-de-ciel brillaient d'un éclat rouge cuivre comme un creuset bouillonnant de minerai fondu ; sa tête immense se balançait d'avant en arrière au-dessus des humains, évoquant à Alise un serpent prêt à frapper. Comment avait-elle pu oublier la taille gigantesque de la dragonne ? D'un seul coup de crocs, elle pouvait couper le garçon en deux. Elle s'adressa à lui par-dessus son épaule. « Kanaï, vous feriez mieux de partir tout de suite. Thymara n'est pas ici. Merci de me prêter votre écaille ; je la rendrai à Gringalette dès que Sédric aura fini de la dessiner.

— Mais… » fit ce dernier.

Sans l'écouter, elle poursuivit avec l'autorité d'une sœur aînée : « Kanaï, allez-vous-en, vite ! Si je vois Thymara, je lui dirai que vous la cherchez. Pour le moment, cessez d'importuner la charmante, la gracieuse, la très puissante et terrifiante Gueule-de-ciel. »

Ce fut peut-être la sévérité de son ton qui fit prendre conscience au jeune garçon du danger qu'il courait. « Je m'en vais », dit-il, mécontent. Il tourna les talons et s'éloigna à grands pas ; mais, parvenu à bonne distance, il s'arrêta et lança à la dragonne : « Gringalette saura voler bien avant que tu n'arrives à soulever tes grosses fesses bleues du sol, Gueule-de-ciel ! Elle deviendra un vrai dragon bien avant toi, Ta Majesté j'ai-un-balai-où-je-pense ! » Puis il détala prudemment tandis que la dragonne soufflait dans sa direction une brume furieuse mais dépourvue de venin.

Sans qu'elle s'en rendît compte, Graffe s'était approché d'elle. Il la regardait sans rien dire, et elle soutint son regard sans le vouloir. Il y avait des éclats de lumière du désert des Pluies dans ses yeux, comme dans ceux de Thymara ; son sourire prit une nouvelle expression quand il dit d'une voix plus basse : « J'aimerais t'aider, Thymara.

— Je demanderai un coup de main à Tatou ; mais merci pour l'offre. » Elle se détourna en hâte, gênée de refuser mais persuadée qu'accepter ne ferait qu'accroître son malaise ; elle n'avait aucune envie de rester seule en compagnie du jeune homme.

Mais il ne se laissa pas rejeter. « Ça ne fera aucune différence, ni pour toi ni pour ton dragon, dit-il d'un ton plus dur. Je suis là, je suis plus costaud que Tatou ; ensemble, nous pourrons rapporter cette viande bien plus vite que si tu y vas seule et que tu reviennes avec Tatou pour récupérer le reste. Ça me paraît logique que deux chasseurs comme nous s'entraident. Pourquoi le préfères-tu à moi ? »

Rien ne l'obligeait à lui répondre. Elle n'avait pas envie de lui répondre, et pourtant les mots jaillirent d'eux-mêmes. « Tatou et moi sommes amis depuis longtemps ; il travaillait parfois pour mon père.

— Je vois ; tu as pour lui un sentiment de loyauté fondé sur un passé commun. » Il avait pris un ton vaguement professoral, mais son sourire déplaisait à Thymara ; il avait quelque chose de cruel. Et elle n'aimait pas sa façon de se croire le droit de lui parler sur ce ton, de l'obliger à l'écouter alors qu'elle voulait s'en aller. « Il y avait un lien entre vous autrefois, et tu penses que ce lien vous rattache toujours l'un à l'autre ; mais, d'après ce que j'ai pu observer, il ne partage pas ton avis. L'existence dans laquelle tu as pris pied désormais n'est pas ton passé et n'a rien à voir avec lui. Tu avances vers ton avenir, Thymara ; j'ai parfois l'impression que tu ne prends pas la mesure de la liberté dont tu jouis à présent. » Il s'approcha de quelques pas encore. « Tu as la possibilité de rompre avec tout ce qui te paraissait aller de soi jusqu'ici ; tu peux rejeter les règles qui te contraignaient et t'empêchaient de penser par toi-même, de faire ce que tu voulais, de faire les meilleurs choix pour toi-même. C'est ton père qui avait choisi Tatou, Thymara ; c'est sûrement un très gentil garçon à sa façon, mais il n'est pas comme nous et il ne sera jamais comme nous. Ton père a fait preuve de bonté en l'engageant après son abandon par sa voleuse de mère ; ça lui a sans doute évité de tomber lui-même dans la délinquance. Mais tout ça, c'est du passé, Thymara. Ton père est certainement quelqu'un de bien, mais rien ne t'oblige à reproduire son attitude envers Tatou. Tes parents en ont bien assez fait pour lui, non ? S'il n'est pas capable de se prendre en charge à présent, tu ne ferais que gaspiller ton énergie à lui tenir la tête hors de l'eau. Tu as laissé ton ancienne vie derrière toi, Thymara, avec la bénédiction de ton père. »

Il s'était insensiblement rapproché d'elle en parlant, et elle s'écarta de lui. Il s'arrêta, observa son expression, sa bouche pincée, ses yeux étrécis, et il se détourna comme s'il voulait l'enjôler ; enfin, il sourit en secouant la tête. « Peut-être pas maintenant, Thymara, mais ça viendra ; tu t'apercevras que toi et moi, nous nous ressemblons beaucoup plus qu'aux autres. Mais je te laisse le soin de le découvrir par toi-même ; nous avons plus de temps qu'il n'en faut. »

Puis il s'agenouilla près de l'élan, tira son poignard, et, sans demander la permission, entreprit de découper une patte arrière charnue. Il continua de parler tout en travaillant, d'une voix grave qui devenait parfois plus profonde lorsqu'il devait fournir un effort. La colère prenait Thymara, mais il ne la regardait pas et s'exprimait d'un ton parfaitement raisonnable. « Tu es partie seule pour te bâtir une nouvelle existence, comme nous tous. Tu ne possèdes pas de maison, tu n'as pas de biens comme tes parents : tu traces ta propre route dans le monde ; tu crées ton propre avenir. Un jour ou l'autre, tu auras besoin d'un partenaire capable de faire sa part de travail ; tu ne pourras pas toujours perdre ton temps avec des demeurés et des étrangers ; tu ne peux pas te permettre de traîner des poids morts si tu veux accéder à cet avenir. Ce que je te dis t'agace, je le sais, mais je n'ai pas à t'apporter la preuve de ce que j'avance : le désert des Pluies s'en chargera. Il me suffit d'attendre. »

Elle fit un effort pour répondre, et elle dit plus brutalement qu'elle ne l'aurait voulu : « C'est mon gibier et c'est ma viande ; n'y touche pas. »

Le poignard de Graffe ne cessa pas de trancher. « Tu n'as donc rien écouté, Thymara ? Il faut aller de l'avant, non se raccrocher à un passé qui ne nous correspond plus. Pose-toi la question franchement : pourquoi tiens-tu tant à ce que Tatou t'aide ?

— Parce que je l'aime bien. Il m'a aidé par le passé, et c'est mon ami. S'il avait abattu une proie comme celle-ci, il la partagerait avec moi. »

Il continuait de s'activer sur la carcasse ; la lame de son couteau commençait à s'émousser sur le cuir épais de l'animal, Thymara s'en rendait compte. Il leva un instant le visage vers elle ; elle n'y lut aucune colère, seulement de l'intérêt. « Crois-tu ? Ou bien partagerait-il avec

Jerde ? Ouvre les yeux. Tu as le choix : tu pourrais devenir comme moi, et moi je pourrais t'aider, beaucoup plus que Tatou, parce que toi et moi sommes beaucoup plus semblables que vous ne le serez jamais, lui et toi. Je pourrais être ton ami, et plus encore. » Il leva les yeux vers elle ; il avait pris une voix plus grave et plus douce sur les derniers mots.

Thymara fut dégoûtée par sa propre réaction, par la façon dont son ventre se serra et dont un frisson lui parcourut le dos. Un homme plus âgé qu'elle et séduisant venait de lui dire qu'il avait envie d'elle ; un homme, pas un garçon, un homme énergique qui tenait le rôle du chef parmi les gardiens. Néanmoins, elle parvint à répondre : « Tatou est mon ami. » Elle se détourna sans chercher à savoir s'il l'écoutait. « Et cet élan est à moi ; ne t'en approche pas. » Elle refusait de songer à ce qu'il avait dit. *Jerde ? Graffe sait-il quelque chose sur Tatou et Jerde que j'ignore ? Non, n'y pense pas !* Ses armes dans une main, elle passa la corde sur son épaule et s'éloigna d'un pas lourd ; il la laissa partir sans un mot de plus. Elle ne pouvait pas se déplacer vite, obligée de se frayer un chemin parmi les taillis et les branches basses ; elle s'efforçait d'aller d'un monticule de terre sèche à l'autre pour éviter les zones les plus bourbeuses, mais ce n'était pas facile.

Rapidement, la corde commença de lui irriter l'épaule ; le quartier de viande lui semblait s'accrocher dans toutes les souches et toutes les racines, et elle devait tirer sèchement sur la corde pour le libérer. Quand elle vit enfin les feuillages s'éclaircir, signe qu'elle approchait du fleuve, elle était en nage, couverte d'égratignures et de piqûres d'insectes. Elle sortit de la forêt au milieu du creux marécageux envahi de hautes herbes rêches et continua jusqu'à l'endroit où elle avait laissé Gueule-de-ciel à sa sieste. Elle donnerait la viande à la dragonne puis irait trouver Tatou afin qu'il l'aidât à rapporter le reste. Elle sourit en songeant à la surprise de la reine bleue devant un second repas copieux dans la même journée.

Mais, quand elle la vit, elle n'était pas seule. Gueule-de-ciel, réveillée, demeurait néanmoins confortablement couchée dans l'herbe haute ; assise près d'elle sur une caisse se trouvait la Terrilvillienne, vêtue d'un pantalon large et d'un corsage en coton solide. À côté d'elle, Sédric s'était juché de façon précaire sur une autre caisse en bois estampillée « poisson salé », son bureau portatif sur les genoux ; un encrier devant lui, il griffonnait rapidement sur une feuille de papier. Sa veste ajustée était du bleu de certaines libellules ; sa chemise blanche était ouverte au col, et il en avait roulé les poignets sur les manches de sa veste pour dégager ses poignets fins. Une ride barrait son front lisse, et il avait les lèvres serrées en une moue de concentration. Alise lui dictait apparemment une phrase ; Thymara entendit : « … écrase ou tranche la colonne vertébrale pour le tuer rapidement. »

Gueule-de-ciel sentit l'odeur de la viande et tourna la tête ; elle se dressa brusquement, et son mouvement attira l'attention d'Alise et de Sédric sur Thymara. Sans un mot, la dragonne fit trois pas, se jeta sur la venaison et se mit à la déchiqueter. La bouche d'Alise forma un O de surprise, puis la jeune femme éclata de rire, comme devant un enfant chéri qui dévore un bonbon. « Elle a de nouveau faim ! lança-t-elle à Thymara, comme si elle croyait que la jeune fille partagerait son plaisir.

— Elle a toujours faim », répliqua cette dernière en s'efforçant de ne pas prendre un ton acerbe, et elle perçut un écho d'acquiescement de la part de Gueule-de-ciel. Sédric avait l'air heureux de la voir ; son regard s'éclaira et sa moue se changea en sourire chaleureux.

« Que je suis content de vous voir enfin ! Je vous ai cherchée partout ; ça ira beaucoup plus vite si vous me servez d'interprète. »

Elle regretta de devoir le décevoir. « Je ne peux pas. Je n'ai rapporté qu'une partie de la carcasse ; il faut que je trouve Tatou pour qu'il m'aide à rapporter le reste avant que les charognards ne le volent. » Elle s'efforça de ne pas songer qu'une créature bipède était déjà en train de découper sa proie en morceaux. *Il n'oserait pas !* se dit-elle ; les gardiens formaient un groupe trop réduit pour que l'un d'eux se risquât à voler ouvertement les autres. Nul ne le supporterait.

N'est-ce pas ?

Sédric lui avait répondu, mais elle ne l'avait pas entendu ; il la regardait, l'air d'attendre une réaction, mais l'angoisse qui lui nouait le ventre empêcha Thymara de lui prêter attention. « Il faut que je trouve Tatou et que je retourne dans la forêt chercher le reste de la viande », répéta-t-elle en hâte sans se demander si c'était bien la réponse qu'il espérait. Elle s'en alla vers la berge où somnolaient les autres dragons.

Dans son dos, Alise lui lança : « Kanaï vous cherche ! »

Thymara acquiesça de la tête et poursuivit son chemin.

Tatou n'était pas avec Dente ; la petite dragonne verte dormait toujours, et, quand la jeune fille voulut la réveiller pour se renseigner, elle tenta de la mordre. Thymara fit un bond en arrière, indemne, et s'éloigna promptement. La créature l'eût-elle dévorée si son attaque avait réussi ? Elle savait par Gueule-de-ciel qu'elle avait la réputation de se montrer agressive quand on la provoquait ; elle ferait bien d'en parler à Tatou – enfin, si elle arrivait à mettre la main sur lui.

Elle finit par le trouver en compagnie de Sylve et du petit dragon argenté, et un sentiment de culpabilité mâtiné d'agacement l'envahit : elle avait promis de s'occuper de la petite créature, et Sylve avait dit qu'elle l'aiderait ; elle n'avait déclaré son intention que parce que Tatou et Jerde avaient annoncé vouloir prendre en charge le cuivré, et elle n'avait guère fait plus que nettoyer chaque soir les parasites nichés au coin de ses yeux et de ses naseaux ; elle n'avait même pas songé à lui donner une partie de la viande qu'elle avait rapportée. Sylve examinait la queue de l'argenté ; non loin, un petit feu brûlait tant bien que mal sur un monticule herbu ; une marmite remplie d'une soupe à l'odeur nauséabonde y chauffait.

« Comment va-t-il ? demanda Thymara, gênée, en s'approchant.

— C'est ce que nous craignions, répondit Sylve : apparemment, il a laissé sa queue tremper dans l'eau du fleuve, et plus d'une fois, d'après l'aspect de la blessure ; elle est enflammée. » Elle défit la bande de tissu qu'elle s'efforçait de nouer sur l'entaille, et Thymara fronça le nez. Les soins qu'elle avait apportés au dragon avaient-ils fait plus de mal que de bien ? Le dragon avait dû souffrir quand l'acide avait touché la chair à vif ; elle plissa le front : elle ne l'avait pourtant pas entendu crier. Seul point positif, le dragon dormait à poings fermés ; d'après les bouts d'entrailles accrochés à ses griffes antérieures, il avait à l'évidence eu sa part du banc de poissons.

« Si seulement il y avait un moyen de fixer un pansement étanche autour de sa queue ! » s'exclama-t-elle, accablée.

Tatou lui adressa un grand sourire. « Il y en a peut-être un. J'ai demandé au capitaine Leftrin s'il avait du goudron ou de la poix, et il m'en a donné une petite marmite ; c'est elle qui chauffe sur le feu. Il nous a fourni de la toile aussi. » Son sourire s'élargit encore. « J'ai l'impression que le capitaine a un petit faible pour la Terrilvillienne ; quand je me suis adressé à lui, j'ai cru qu'il allait m'envoyer sur les roses, mais la femme, Alise, s'est mise à s'exclamer sur "ce pauvre petit dragon", et du coup le capitaine a tout de suite trouvé une solution.

— Ah ! fit Thymara, tandis que Sylve acquiesçait de la tête.

— D'après le capitaine, il faut bien envelopper la plaie puis étendre du goudron sur la toile, en débordant largement sur les écailles. Avec de la chance, ça collera suffisamment pour faire un pansement étanche. »

L'idée parut tellement étrange à Thymara qu'elle en oublia un instant tous ses autres soucis. Elle regarda Tatou, les yeux écarquillés. « Tu penses que ça marchera ? »

Il sourit en haussant les épaules. « On n'a rien à perdre à tenter le coup. Le goudron doit être assez chaud ; je ne veux pas brûler le dragon ; en fait, j'espère même opérer sans le réveiller.

— Comment se fait-il que ce soit toi qui t'en occupes ? »

Sylve intervint. « C'est moi qui le lui ai demandé. » Malgré les écailles qui constellaient son visage, elle rosit. « J'ai été obligée, reprit-elle, sur la défensive. Je ne trouvais pas, et je ne savais pas quoi faire. » Elle regarda la blessure du dragon. « Alors je me suis adressée à Tatou. »

Aussi clairement que si la jeune fille l'avait dit, Thymara comprit que Sylve avait le béguin pour Tatou. Elle en eût ri si la nouvelle ne l'avait pas tant troublée ; Sylve n'avait sans doute pas plus de douze ans, même si son crâne couvert d'écailles roses et ses yeux cuivrés lui donnaient l'air plus âgé ; ignorait-elle donc qu'un penchant pour quelqu'un comme Tatou n'avait aucun avenir ? Elle ne pourrait jamais vivre avec lui, ni avec personne, d'ailleurs, pas plus que Thymara. Où avait-elle donc la tête ?

Mais elle savait la réponse : pas sur les épaules ; elle ne faisait que soupirer après un beau jeune homme qui lui avait montré de la gentillesse sans s'arrêter à

331

leurs différences. Thymara ne pouvait pas lui en vouloir ; n'avait-elle pas éprouvé les mêmes sentiments parfois ?

Ne les éprouvait-elle pas encore aujourd'hui ?

Elle devait regarder Tatou avec une expression équivoque, car il rougit soudain et dit : « Je voulais donner un coup de main. De toute manière, je ne pouvais pas faire grand-chose pour le petit cuivré, alors j'ai décidé de m'occuper ici.

— Qu'est-ce qui ne va pas chez lui ? »

Le garçon ne souriait plus. « Ce qui ne va pas depuis son éclosion : il n'est pas très intelligent, et il a des déficiences physiques. Je lui ai enlevé des quantités de parasites incrustés autour de ses yeux, de ses naseaux et, euh... ailleurs, et il n'a pas bougé. Je crois qu'il s'est épuisé à suivre la cadence des autres aujourd'hui. Il est tellement fatigué que je n'arrive pas à savoir s'il a faim. »

Ces mots résonnèrent en Thymara comme une prophétie. « J'ai tué un élan », fit-elle sans réfléchir.

Dans le silence abasourdi qui suivit, elle ajouta en hâte : « J'ai besoin d'aide pour rapporter la viande ; il y en aura pour nos dragons et pour nous aussi. Mais il ne faudrait pas tarder à y aller si nous voulons revenir avant la nuit ; nous devrons effectuer plusieurs voyages pour tout transporter. »

Tatou regarda la marmite de goudron puis Sylve. « Il faut d'abord finir le pansement, dit-il ; ensuite, peut-être que Sylve et certains des autres voudront bien nous aider pour la viande. Comme ça, nous n'aurions qu'un trajet à faire.

— Plus nous serons nombreux, moins il y aura à manger pour chaque dragon, » fit observer Thymara sans ménagement.

Tatou parut surpris qu'elle vît la situation ainsi, et elle fut surprise qu'il la vît autrement. Pendant un long moment, chacun se tut, puis Sylve dit à mi-voix : « Je peux m'occuper seule de la queue de l'argenté ; allez chercher votre viande tous les deux. »

Thymara se radoucit. « Faisons ce pansement, ensuite nous irons tous ensemble. »

Sylve garda les yeux baissés, et sa voix enfantine se voila. « Merci. Mercor a chassé aujourd'hui et il ne se plaint pas de la faim, mais je ne pense pas qu'il se soit rassasié. J'ai voulu pêcher, mais les garçons avaient déjà pris les meilleurs coins. Quand le capitaine Leftrin a annoncé qu'on distribuerait une part de viande à chaque dragon demain matin, j'ai espéré que ça lui suffirait.

— Bon, eh bien, rapetassons ce dragon et ensuite allons chercher de la viande pour les autres », dit Thymara, rendant les armes.

La chaleur du feu avait amolli le goudron. Sylve et Thymara tinrent le pansement serré autour de la queue de l'argenté pendant que Tatou y étalait le bitume avec un bâton. Il opérait avec soin, et Thymara eut l'impression qu'une éternité s'écoulait avant que la toile fût entièrement couverte et collée à la queue épaisse du dragon. Par bonheur, l'argenté n'avait même pas soulevé une paupière, mais cette constatation inquiéta la jeune fille : les deux dragons les plus handicapés paraissaient se fatiguer davantage chaque jour. Combien de temps pourraient-ils soutenir cette allure ? Que deviendraient-ils quand ils s'effondreraient ? Elle ne connaissait pas la réponse à ces questions, et, avec un effort, elle reporta ses pensées sur le problème présent.

Tatou parvint presque à la suivre quand elle les emmena dans la forêt en se déplaçant dans les arbres de préférence au sol ; Sylve traînait un peu, mais guère. Thymara n'eut pas de mal à retrouver le chemin : il lui suffit de repérer la piste qu'elle avait ouverte en rapportant la viande pour Gueule-de-ciel. Elle jugeait qu'elle avait accompli la moitié de la route quand elle entendit des voix en dessous d'elle ; elle descendit le long du tronc, accablée : ses pires craintes se réalisaient. Graffe était au sol et il traînait une patte arrière de l'élan ; derrière lui venaient Boxteur et Kase, le premier avec le deuxième antérieur, le second avec une partie de l'autre patte arrière. Ils bavardaient entre eux d'un ton triomphant quand Thymara se laissa tomber devant eux. Graffe s'arrêta net.

Elle ne s'embarrassa pas de formules liminaires. « Je peux savoir ce que tu fais avec mon élan ? »

Elle entendit Tatou descendre rapidement de l'arbre. Graffe l'entendit aussi, et il leva les yeux pour l'observer avec une expression trompeusement amène. « Je le rapporte aux dragons ; ce n'était pas ce que tu voulais ? » Il avait glissé une tonalité de reproche dans sa question.

« Je voulais le rapporter à mon dragon, pas au tien. »

Il ne répondit pas tout de suite, laissant à Tatou le temps d'atteindre le sol et de prendre position derrière Thymara. Il y eut alors une pluie de brindilles suivie d'un cri bref puis d'un choc sourd : Sylve avait dégringolé à sa suite. Graffe parcourut du regard les branches de l'arbre comme pour s'assurer qu'il n'y restait plus personne. Derrière, Boxteur et Kase avaient fait halte eux aussi ; l'un avait l'air perdu, l'autre défiant.

Graffe les regarda à leur tour ; on eût dit qu'il les jaugeait pour décider de la meilleure façon de les employer, comme s'il étudiait un échiquier. Quand il parla, ce fut d'une voix calme et posée : « Tu as emporté une patte pour ton dragon et laissé le reste en me disant que tu allais chercher Tatou ; mais, rien qu'en regardant la carcasse, je savais qu'il y en avait trop pour que vous puissiez tout rapporter en un seul voyage, même en faisant appel à Sylve ! Je suis donc retourné au fleuve, j'ai pris Boxteur et Kase et je me suis mis au travail. Je ne vois pas pourquoi tu as l'air si contrariée, Thymara ; n'est-ce pas ce que préconisait Tatou il n'y a pas si longtemps ? En tout cas, tu m'as dit que tu donnerais une part à ceux qui t'aideraient à rapporter la viande, et ça m'a paru juste. »

Elle tint bon. « Ce n'est pas ce que j'ai dit ; j'ai dit que j'avais l'intention de demander son aide à Tatou, et que lui et moi rapporterions ma viande pour nos dragons. Je voulais en garder une partie pour le dîner des autres gardiens, mais je n'ai jamais proposé de partager ma chasse avec toi ni avec tes amis. »

Graffe prit un air étonné, presque blessé. « Mais, voyons, nous sommes tous amis, ici, Thymara ! Nous formons un groupe trop réduit pour qu'il en soit autrement. Toi-même, l'autre soir, tu m'as confié que tu n'avais jamais eu d'amis comme aujourd'hui ! Je croyais que tu parlais sérieusement. »

Derrière elle, Tatou se taisait. Elle ne voulait pas se retourner vers lui : il s'imaginerait qu'elle cherchait ses conseils ; elle n'avait nulle envie non plus de voir l'expression de Sylve. Ils devaient bien se rendre compte que Graffe déformait la réalité ! Vouloir servir ses amis en premier, ce n'était pas de l'égoïsme ! Elle n'avait qu'à expliquer les choses clairement et tout irait bien. Elle prit son souffle. « J'ai tué cet élan toute seule, Graffe, et c'est moi qui décide avec qui je le partage. J'ai choisi Tatou, et aussi Sylve parce qu'elle m'aide ; toi, je ne t'ai pas choisi, ni Boxteur ni Kase. Tu n'auras pas cette viande. »

Graffe lança un regard appuyé vers le ciel. On ne voyait rien à travers la voûte des arbres, mais tous savaient que le soir les plongerait bientôt dans l'obscurité. « Tu préférerais laisser la carcasse pourrir ou se faire dévorer par les charognards que nous en donner une part ? Il reste plus de la moitié de l'élan, Thymara, c'est-à-dire plus que vous trois ne pourrez en rapporter en un seul trajet, à mon avis – et vous n'aurez pas le temps d'en faire un second. Sois raisonnable et non égoïste ; ça ne te coûte rien de partager. Le dragon de Boxteur n'a rien tué aujourd'hui, et celui de Kase a attrapé un poisson, mais pas un gros ; ils ont faim. »

La situation commandait qu'elle choisît ses mots avec soin, elle le savait, mais la façon dont Graffe présentait les choses la mettait trop en colère. « Dans ce cas, qu'ils aillent chasser comme je l'ai fait, au lieu de rester à ne rien faire en attendant de me voler ma viande ! J'ai un dragon à nourrir moi aussi – et même deux, en réalité.

— Et tous deux dormaient, le ventre plein, la dernière fois que je les ai vus, répondit Graffe d'un ton suave.

— Pas le mien ! s'exclama soudain Sylve. Mercor a mangé, mais pas assez, même s'il est trop courageux et trop noble pour se plaindre. Quant au petit cuivré de Tatou, il n'a sans doute rien eu à se mettre sous la dent. Il a besoin de viande, pas de nos disputes ! Par pitié, pourrait-on rapporter cette viande au camp et s'arranger là-bas ?

— Ça me paraît le plus avisé », acquiesça Graffe. Il jeta un regard à Boxteur et Kase derrière lui. « Vous êtes d'accord, tous les deux ? »

Le premier hocha la tête ; le second, ses yeux cuivrés brillant dans la pénombre qui s'approfondissait, voûta les épaules. Graffe se retourna vers Thymara. « Alors c'est réglé ; on se retrouve près du fleuve.

— Rien n'est réglé du tout ! » gronda-t-elle, mais Tatou posa la main sur son épaule. Elle en sentit le poids en se demandant s'il voulait la rassurer ou l'empêcher de commettre ce qu'il considérait comme une folie. Il s'adressa à Graffe par-dessus sa tête.

« Nous en reparlerons une fois revenus au bord du fleuve. La nuit tombe et nous n'avons pas de temps à perdre à discutailler, mais la question n'est pas tranchée, Graffe ; il faut partager, d'accord, mais pas selon ta façon de faire. »

Les lèvres minces de l'autre s'étirèrent en un sourire peut-être moqueur. « Naturellement, Tatou, naturellement. On vous retrouve sur la berge. » Il se remit soudain en marche, penché en avant pour tirer son fardeau, et Thymara dut s'écarter dans les taillis pour lui laisser le passage. Boxteur et Kase le suivirent, tous deux avec une expression ravie. À mi-voix, Kase dit en passant près d'elle : « On a droit à une part de la viande si on a bossé pour l'avoir.

— Personne ne t'a demandé de la transporter ! » gronda-t-elle. Il ne s'arrêta pas. « C'est comme si je payais un voleur parce qu'il a travaillé dur pour cambrioler ma maison ! » Elle avait élevé la voix pour lui lancer ces paroles.

« Non ! C'est comme si tu donnais à tes ouvriers une partie de ta récolte ! » répliqua-t-il. Alors qu'elle s'apprêtait à répondre que rentrer une récolte n'équivalait pas à travailler pour la faire pousser, Tatou intervint ; elle se rendit compte qu'il n'avait pas ôté sa main de son épaule, car elle le sentit resserrer sa prise en disant : « Pas maintenant, Thymara. Concentre-toi sur le plus important ; il faut rapporter cette viande avant la nuit, et avant que les insectes n'arrivent encore plus nombreux.

— Bande de parasites ! lança-t-elle d'une voix grondante au groupe qui s'éloignait, puis elle se détourna. La viande est par ici – du moins ce qu'il en reste ! » Et elle s'enfonça dans la jungle d'un pas irrité.

Tatou avait raison : ces saletés d'insectes piqueurs commençaient déjà à s'attrouper autour d'eux ; ils n'étaient jamais absents du désert des Pluies, et la tombée du soir les attirait toujours en masse ; mais, au moins, les voleurs avaient ouvert une piste plus facile à suivre. Elle avait envie de hurler et de tempêter, mais elle préféra économiser son souffle.

Quand ils parvinrent à la carcasse, elle entendit les bruits de petits charognards qui décampaient soudain. Les plus minuscules, fourmis et scarabées, s'étaient déjà agglutinés autour du festin, et l'arrivée des humains ne les fit pas reculer ; ils couraient sur la dépouille de l'élan, agrégés en masses noires et lui-santes partout où la chair était à nu.

Tatou avait eu la prévoyance d'emporter une hachette ; c'était un travail salissant, car la lame faisait sauter du sang et des esquilles d'os, mais entre lui et Thymara, armée de son poignard, ils découpèrent le reste de l'animal en morceaux transportables beau-coup plus vite qu'elle n'y fût parvenue seule. Elle maugréait en s'activant, car Graffe et ses sbires avaient pris les parties les plus faciles à déplacer. Ils tranchèrent la tête et le cou, puis divisèrent le tronc en cage thoracique et croupe ; une puanteur les environna quand ils ouvrirent l'abdomen et que les intestins s'épanchèrent par terre, mais ils n'y pouvaient rien. Ils eussent pu les abandonner sur place, mais Thymara savait que les dragons y voyaient une gourmandise.

Tatou avait aussi pris de la corde en supplément. La jeune fille trouvait un peu agaçant de le voir toujours aussi bien préparé. Ils parlaient peu et opéraient rapidement ; Thymara s'efforçait de se concentrer sur ce qu'elle faisait plutôt que de se laisser submerger par la colère qui bouillonnait en elle. Tatou, efficace comme toujours, se limitait à des commentaires sur la tâche en cours ; Sylve restait en retrait, n'intervenant que lorsqu'on le lui demandait et observant un silence qui finit par éveiller la perplexité de Thymara. Le sang et l'odeur la gênaient-ils ?

« Sylve, ça va ? Tu sais, il y a des gens qui ne supportent pas ce genre de travail ; ça leur donne envie de vomir. Si tu veux t'éloigner, tu n'as qu'à le dire. »

Elle vit la jeune fille secouer la tête, ce qui fit danser follement ses mèches de cheveux sur son crâne rose ; elle arborait une expression singulière, comme si elle n'aspirait qu'à s'en aller mais ne pouvait s'y résoudre.

« Je crois, fit Tatou entre deux grognements d'effort alors qu'il fixait un harnais de corde autour des pièces de viande, que les arguments de Graffe l'ont ébranlée. Elle se demande – tu veux bien me tenir ça pendant que je fais le nœud ? – si tu ne lui en veux pas de prendre une part de ta chasse. »

L'intéressée se détourna brusquement, si manifestement blessée que Thymara en eut un choc. « Sylve ! Mais bien sûr que non ! Je t'ai demandé de venir nous aider, et tu as naturellement droit à ta part ! J'avais promis de m'occuper de l'argenté, et, au lieu de ça, c'est sur toi que la tâche est retombée. Et même au cas où tu ne serais pas venue, si tu m'avais dit que ton dragon avait besoin de manger, je t'aurais aidée, tu le sais bien. »

Sylve s'essuya les joues de ses mains ensanglantées avant de regarder Thymara. Celle-ci la plaignit : elle savait que, quand les écailles s'étendent sur le visage, pleurer devient douloureux. Sylve renifla. « Tu les as traités de voleurs, fit-elle d'une voix rauque ; en quoi suis-je différente d'eux ?

— Tu n'as pas pris de viande sans demander la permission ! Tu m'as aidée à soigner le dragon argenté uniquement parce que c'est dans ta nature ; tu donnes avant de prendre. Les trois autres ne s'intéressent qu'à leurs propres dragons. »

Sylve souleva le devant de sa tunique pour sécher ses larmes, et, ainsi dissimulée, répondit : « En quoi est-ce différent de ce que nous faisons ? Nous aussi, nous voulons nourrir nos dragons.

— Mais c'était entendu ! » Thymara faillit éclater d'exaspération. « C'est l'accord que nous avions tous conclu ! Chacun de nous avait accepté d'avoir la responsabilité d'un dragon, et nous nous retrouvons chacun avec deux dragons à nourrir ! Nous n'avons vraiment pas besoin qu'une bande de voyous ignorants viennent nous faucher une proie que nous avons eue tant de mal à nous procurer ! Alors, crois-moi, ils ne s'en tireront pas à si bon compte ! » Tout en parlant, Thymara avait passé les bras dans le harnais qu'avait fabriqué Tatou. Elle avait la cage thoracique de la dépouille à transporter, Tatou avait pris la lourde croupe, et tous deux, sans se concerter, avaient laissé à Sylve, plus menue, la tête et le cou de l'animal, plus légers que les fardeaux dont ils s'étaient chargés, mais néanmoins malcommodes à traîner dans les taillis sur un terrain marécageux.

« À mon avis, c'est le contraire qui va se produire », dit Tatou en commençant à tirer sa charge à la suite de Thymara. Sylve leur emboîta le pas en profitant de la piste qu'ils ouvraient devant elle.

« Comment ça ?

— Ils s'en tireront sans difficulté. Personne ne reprochera à Graffe, Kase et Boxteur d'avoir pris ta viande.

— Alors ça, ça m'étonnerait, quand j'aurai dit à tout le monde ce qu'ils ont fait !

— Le temps que nous arrivions, ils auront raconté à tous leur version de l'histoire, et ceux qui n'auront rien eu à donner à leur dragon jugeront logique que tu partages avec tous. » Il ajouta quelque chose d'une voix plus basse.

« Comment ? lança-t-elle sèchement en s'arrêtant pour le regarder.

— J'ai dit, fit-il d'un air de défiance, le bout des oreilles rosissant, que, d'un certain côté, ce serait en effet logique.

— Quoi ? Qu'est-ce que tu racontes ? Que je devrais me taper tout le travail et donner le produit de ma chasse à tout le monde ?

— Continue d'avancer ; la nuit tombe. Oui, c'est bien ce que je dis, parce que tu es une bonne chasseuse, sans doute la meilleure du groupe ; si tu n'avais qu'à t'occuper de tuer du gibier tandis que les autres se chargeraient de découper et de transporter la viande, tu pourrais chasser beaucoup plus, et tous les dragons auraient plus de chances de faire de vrais repas.

— Mais Gueule-de-ciel aurait une part moindre ! Bien moindre. Elle aurait dû manger un demi-élan aujourd'hui ; avec ton système, elle n'en aurait qu'un quinzième ; elle mourrait de faim !

— Non, elle aurait un quinzième de ce que tout le monde chasserait. Tu es sans doute notre meilleure chasseuse, mais tu n'es pas la seule. Réfléchis, Thymara : il y a toi, les trois chasseurs professionnels, et certains d'entre nous qui ne sont pas trop mauvais pour pêcher et attraper du petit gibier ; chaque dragon aurait au moins quelque chose à se mettre sous la dent tous les soirs. »

Traîner la viande à travers les taillis commençait à la faire transpirer ; la nuit tombait, et moustiques et cousins s'assemblaient autour d'elle. D'un geste rageur, elle s'essuya le front, puis s'assena une claque sur la nuque, écrasant une demi-douzaine des petits vampires acharnés. « Je n'arrive pas à croire que tu prennes le parti de Graffe, dit-elle, acerbe.

— Tu te trompes : c'est mon propre parti que je prends. C'est le marché que tu étais prête à me proposer, mais élargi à tout le groupe. »

Sans répondre, elle continua de tirer son fardeau en écartant les basses branches et en serrant les dents chaque fois qu'elle faisait un faux pas et enfonçait dans la boue jusqu'à la cheville. La présence de Sylve la gênait : elle ne pouvait pas répondre à Tatou que c'était différent, qu'il était son ami, son allié, et que partager avec lui ne la dérangeait pas. Partager avec Sylve ne la dérangeait pas non plus ce soir ; elle avait fait son possible pour soigner le dragon argenté blessé, et Thymara devait sans doute la considérer comme une associée, dans un sens, puisqu'elles avaient toutes deux convenu de s'occuper de la créature. L'instant suivant, elle songea avec gêne que Sylve n'avait qu'une chance infime de maintenir en vie un seul dragon – alors aider à soigner l'argenté en plus... Peut-être avait-elle mérité son aide, mais elle n'aimait pas la sensation que lui donnait cette idée ; elle n'avait pas envie que quiconque dépendît d'elle, et elle tenait encore moins à être l'obligée de quiconque. Et Kanaï ? S'il lui demandait à manger pour sa petite Gringalette, refuserait-elle ? Il partageait tous les jours son canoë, et il y faisait largement sa part de travail ; que lui devait-elle ? Tatou intervint au mauvais moment.

« Tu veux que je passe devant un moment ? »

— Non », répondit-elle laconiquement. Non, elle ne voulait rien de personne : que devrait-elle à qui alors ?

Il eût dû comprendre qu'il valait mieux se taire, mais, quelques instants plus tard, il demanda à mi-voix : « Que vas-tu faire quand nous arriverons au camp ? »

Elle réfléchissait précisément à cette même question, mais sa curiosité ne l'aidait pas à se décider. « Et si je ne faisais rien ? Passerais-je pour une lâche ? »

Il ne dit rien. Elle écrasa des moustiques sur sa nuque, puis battit des mains près de ses oreilles pour les chasser, eux et leur zonzonnement incessant. « Je crois que tu agirais de façon raisonnable », murmura-t-il enfin.

Thymara ne s'attendait pas à l'intervention de Sylve. « Quoi que tu dises, il te fera passer pour une égoïste ; il retournera tout le monde contre toi, comme il l'a fait pour Tatou l'autre soir en prétendant qu'il ne faisait pas partie du groupe. » Elle ahanait, et elle parlait par courtes rafales. Thymara commençait à s'apercevoir que Sylve n'était pas la gamine qu'elle croyait ; malgré son jeune âge, elle écoutait et réfléchissait à ce qu'elle entendait. « Aïe ! Saleté de branche ! s'exclama-t-elle soudain avant de reprendre : Graffe est comme ça. Il peut avoir l'air adorable, mais il y a de la méchanceté en lui. À l'entendre, on a l'impression qu'il veut le bien de tous par le changement, mais, à d'autres moments, on voit bien sa part de malveillance. Il me fait peur ; il m'a parlé un jour, longtemps, et je me dis parfois que j'ai tout intérêt à rester loin de lui ; à d'autres moments, je me dis que, si je ne trouve pas le moyen de faire partie de ses amis, c'est là que je serai le plus en danger. »

Dans le silence qui suivit, on n'entendit plus que sa respiration lourde, les chocs sourds des morceaux de viande traînant sur le sol et les bruits nocturnes de la forêt. Des insectes tournoyaient autour de Thymara, aussi exaspérants que s'ils bourdonnaient dans sa tête. Elle se demanda ce que Graffe avait bien pu dire à Sylve lors de leur « entretien » ; elle craignait de le savoir, et son indignation s'enflamma de plus belle. Tatou interrompit ses réflexions. « J'ai peur de lui pour les mêmes raisons, plus une autre : il a des projets. Il n'a pas seulement accepté un mauvais boulot pour gagner de l'argent ou pour participer à une aventure ; il a des arrière-pensées. »

Thymara acquiesça de la tête. « Il dit qu'il veut fonder un lieu où il pourra changer les règles. »

Ils continuèrent de marcher en silence, plongés dans leurs réflexions. Enfin Tatou murmura : « S'il y a des règles, ce n'est pas pour rien.

— Nous n'avons aucune règle, rétorqua Sylve.

— Bien sûr que si ! s'exclama Thymara.

— Non. Chez nous, il y avait nos parents, le Conseil du désert des Pluies, les Marchands, et chacun votait pour décider de faire ceci ou cela ; mais c'est derrière nous, tout ça. Nous avons signé des contrats, mais qui nous commande ? Pas le capitaine Leftrin ; il n'est responsable que du bateau, pas de nous ni des dragons. Alors, qui dit quelles sont les règles ? Qui les fait appliquer ?

— Elles restent toujours les mêmes », répondit Thymara, obstinée, mais elle avait l'inquiétante impression que la jeune fille voyait la réalité plus clairement qu'elle. Quand Graffe parlait de changement, de quoi parlait-il sinon de changer les règles qu'ils avaient toujours acceptées ? Mais il ne le pouvait pas – n'est-ce pas ?

L'éclat de la fin du jour perçait entre les arbres devant eux, et, sans savoir comment, elle retrouva un peu de vigueur pour accélérer l'allure.

« Hé ! Hé ! Où étiez-vous passés ? Je commençais à m'inquiéter ! Les chasseurs sont rentrés avec tout un chargement de cochons de fleuve ; tu devrais voir ça,

Thymara ! On en a mis un entier à la broche pour les gardiens, et les dragons en ont eu un demi chacun. Hé, c'est quoi ce que tu traînes ? Tu as tué un animal ? »

C'était Kanaï, sautillant et bondissant comme un garçon de la moitié de son âge. Il s'arrêta net devant Thymara, les yeux écarquillés devant le quartier de viande qu'elle tirait derrière elle. « C'est quoi comme animal ?

— Un élan, répondit-elle laconiquement.

— Un élan ? Grosse bête ! Tu as dû avoir de la chance. Graffe en a eu un aussi ; il a dit qu'il rapportait la viande pour la partager avec tout le monde, mais elle était toute sale, toute tavelée, et puis les chasseurs sont arrivés avec les cochons, ils ont fait un grand feu, et on a fini par donner l'élan à un des dragons. Oh, tu devrais venir voir Gringalette ! Elle a tant mangé qu'elle a l'air d'un ventre avec un dragon autour. Et elle ronfle quand elle est repue, il faut l'entendre pour le croire ! » Il partit d'un rire empreint de gaieté puis assena une claque sur l'épaule de Thymara. « Je suis content que tu sois revenue, parce que je meurs de faim. Je ne voulais pas manger avant de t'avoir retrouvée pour être sûr que tu aies ta part du repas ! »

La jeune fille, Tatou et Sylve avaient débouché de la forêt sur la berge boueuse couverte de grands roseaux – du moins, ils étaient grands au départ de Thymara, mais les déplacements des dragons et de leurs soigneurs les avaient pratiquement tous couchés. De l'endroit où les trois jeunes gens se tenaient, la gabare et ses lanternes accueillantes étaient parfaitement visibles. Un feu de camp brûlait ; sur son éclat se découpait la silhouette d'une longue broche emperlée de gros morceaux de cochon. Tatou huma l'air d'un air gourmand, et son estomac gronda, ce qui provoqua l'hilarité du groupe. Le nœud de colère qui durcissait le ventre de Thymara se relâcha, et elle se demanda si elle pouvait renoncer à sa rancœur ; cela signifierait-il que Graffe avait remporté une victoire sur elle ?

« Allons manger ! lança Kanaï.

— Bientôt, promit Thymara. D'abord, il faut distribuer la viande aux dragons qui ont encore faim, et aller voir comment se porte le cuivré de Tatou ; il paraît qu'il ne se nourrissait pas beaucoup.

— Bon, eh bien, je retourne au feu de camp ; je ne l'ai quitté que pour vous chercher, tous les trois. Hé, un des chasseurs joue de la harpe, Carson, et une femme de la gabare joue du biniou, et tout à l'heure ils faisaient de la musique ensemble ; alors ils recommenceront peut-être après le repas. On pourrait même danser, si la boue ne nous colle pas trop aux pieds. » Il se tut soudain, et un sourire s'élargit lentement sur ses lèvres. « On ne s'est jamais autant amusés, pas vrai ?

— Eh bien, vas-y, profites-en », l'encouragea Tatou.

Kanaï se tourna vers Thymara. « Je crève de faim, reconnut-il, puis il demanda : Tu viens, hein ?

— Bien sûr ; va manger. »

Il n'en fallait pas plus : il s'éloigna en courant. Thymara suivit des yeux sa silhouette noire tandis qu'il rejoignait les gardiens rassemblés autour de la flambée. Quelqu'un fit une réflexion qu'elle n'entendit pas, et un éclat de rire général retentit ; on jeta dans le feu un bout de bois trouvé sur la berge, et une éblouissante fontaine d'étincelles monta dans le ciel obscur.

« On pourrait passer un moment merveilleux, murmura Sylve, ce soir, à bavarder en mangeant et en écoutant de la musique. »

Avec un soupir, Thymara rendit les armes. « Je ne le gâcherai pas, Sylve. Je ne dirai rien sur l'élan ni sur Graffe ; je ne ferais que me donner l'air chicaneur et égoïste. Pour la première fois, nous aurons de quoi bien manger et nous écouterons de la musique ; ma querelle avec Graffe attendra un autre jour.

— Ce n'est pas ce que je voulais dire », répondit Sylve précipitamment.

Puis, comme elle n'expliquait pas ce qu'elle avait voulu dire, Tatou intervint : « Apportons cette viande aux dragons et allons rejoindre les autres. »

Gueule-de-ciel dormait profondément, le ventre distendu ; Dente se réveilla, prit le morceau de carcasse que Tatou lui donna mais se rendormit, le menton posé sur la viande. Mercor avait les yeux ouverts ; le dragon doré se tenait à l'écart de ses semblables et regardait le feu de loin quand les gardiens le trouvèrent. Il parut se réjouir que Sylve lui eût apporté de la viande, car il la remercia, ce qui stupéfia Thymara, puis les satisfit tous en dévorant aussitôt la tête et le cou de l'élan. Ses immenses mâchoires et ses crocs acérés eurent tôt fait de terminer le crâne de l'animal : il referma sa gueule sur lui, et les os cédèrent avec un craquement humide. Les jeunes gens le laissèrent à ses mastications et s'en allèrent à la recherche du dragon cuivré.

Ils le découvrirent non loin de l'argenté ; celui-ci dormait, sa queue bandée rabattue sur son ventre distendu, et le cuivré était étendu près de lui, mais dans une position qui parut anormale à Thymara et que Tatou décrivit à voix haute. « On dirait qu'il s'est écroulé par terre au lieu de se rouler en boule. » Seul de ses congénères, il avait l'air maigre, comme vidé de toute substance. Il avait posé sa tête sur ses pattes avant et il respirait avec des bruits rauques, les yeux mi-clos. « Hé, cuivré ! » fit Tatou doucement. Le dragon ne réagit pas. Le garçon posa la main sur la tête de la créature et la gratta délicatement autour des oreilles. « Avant, il avait l'air d'aimer ça », expliqua-t-il. Le dragon poussa un petit soupir mais ne bougea pas.

Thymara traîna l'abdomen de l'élan jusque devant le cuivré. « Tu as faim ? demanda-t-elle au petit dragon tout en lui imposant involontairement cette pensée. Il y a de la viande, toute pour toi. De l'élan. Tu le sens ? Tu sens le sang ? »

Il inspira profondément, et ses yeux s'ouvrirent plus grand. Il donna un coup de langue timide à la carcasse puis leva la tête. « Allez, vas-y ; c'est tout pour toi », l'encouragea Tatou, et Thymara crut percevoir l'écho d'une réaction chez la créature. Tatou s'agenouilla près de l'élan et, tirant son poignard, entailla la viande en plusieurs endroits ; enfin, il rangea son couteau, plongea la main au fond de l'abdomen, tira sur les viscères, puis passa sa main ensanglantée sur le museau du dragon. « Tiens, tu le sens, ça ? C'est de la viande pour toi ; mange. »

La grande langue sortit, nettoya le mufle, et un violent frisson traversa la créature. Tatou retira sa main à temps, à l'instant où le dragon avançait brusquement la tête pour saisir une bouchée d'entrailles. Il se mit à dévorer avec de petits ronflements, et parut retrouver de la vigueur à chaque bouchée qu'il avalait. Quand les jeunes gens le quittèrent, il maintenait à terre la carcasse des deux pattes de devant et en arrachait de gros morceaux de muscles et d'os ; on eût dit qu'il les avalait tout ronds.

« Au moins, il mange, maintenant », fit Thymara tandis qu'ils regagnaient le bivouac. Le fumet de la viande en train de rôtir lui mettait l'eau à la bouche ; elle se sentait soudain très affamée et très fatiguée.

« Tu crois qu'il ne survivra pas, n'est-ce pas ? demanda Tatou d'un ton accusateur.

— Je n'en sais rien, ni pour lui ni pour aucun des autres dragons.

— Mon Mercor, lui, il survivra, déclara Sylve avec passion. Il a voyagé trop longtemps, il en a trop vu pour mourir maintenant.

— J'espère que tu as raison, dit Thymara.

— J'en suis sûre : il me l'a assuré.

— J'aimerais que ma dragonne ait ce genre d'entretiens avec moi », murmura Thymara d'un ton envieux.

Avant que Sylve eût le temps de répondre, Kanaï émergea de l'obscurité, le visage luisant de graisse, une épaisse tranche de viande entre les mains. « Tiens, je t'apporte ça, Thymara ; il faut que tu goûtes, c'est trop bon !

— On arrive, fit Tatou.

— Et le capitaine Leftrin a annoncé qu'on dormirait tous sur le pont de son bateau cette nuit ! reprit Kanaï. Des lits secs, un repas chaud – la soirée promet d'être belle ! »

Au milieu du cercle rassemblé autour du feu, de la musique jaillit dans la nuit, inattendue et brillante comme une gerbe d'étincelles.

Deuxième jour de la Lune de la Prière

Sixième année de l'Alliance Indépendante
des Marchands

D'Erek, Gardien des Oiseaux, Terrilville,
à Detozi, Gardienne des Oiseaux, Trehaug

Detozi,
Mes excuses pour toutes les difficultés auxquelles
vous avez dû faire face. Je vous fais parvenir un sac
d'un quintal de pois jaunes ; gardez-les à l'abri de
l'humidité, ils se gâtent facilement, et donnez-les tou-
jours bien secs à vos oiseaux. Par le même envoi, vous
recevrez deux oisillons en état de voler, un mâle, une
femelle, tous deux de la lignée de Royal.

Erek

9

Décisions

Depuis trois jours, le voyage se déroulait mieux que ne l'avait espéré Leftrin. Le départ avait été un peu agité, certes, mais la situation s'était rapidement stabilisée. Les dragons avaient chassé pour la première fois, et cet événement les avait profondément changés ; ils dépendaient toujours pour se nourrir du gibier que les chasseurs et les gardiens rapportaient, mais, maintenant qu'ils se savaient capables de tuer, ils s'essayaient tous les jours à la chasse, avec un succès mitigé ; mais ce qu'ils parvenaient à attraper réduisait d'autant la charge de leurs compagnons humains. Leurs jeunes soigneurs les complimentaient abondamment chaque fois qu'ils s'emparaient d'une proie, et les dragons jouissaient de leur adulation à en éclater.

Leftrin s'accouda au bastingage de Mataf, écoutant son bateau et le fleuve qui le caressait. Dans ses mains calleuses, il tenait une grosse chope de thé. D'après les petits bruits que son oreille fine captait de la cabine d'Alise, la jeune femme était réveillée et s'habillait, mais il s'interdisait d'imaginer la scène : à quoi bon se tourmenter ? Très bientôt, elle sortirait, du moins l'espérait-il. Ils se levaient tous deux de bonne heure, et il chérissait ces moments du petit matin presque plus que leurs soirées pendant lesquelles ils devisaient agréablement, heures merveilleuses passées à manger, à rire et à écouter de la musique, mais qu'il devait partager avec les chasseurs et l'inévitable Sédric. Quand Davvie prenait son biniou et Carson la harpe, Alise n'avait d'yeux que pour eux. Jess, au grand dépit de Carson, s'était révélé aussi bon chasseur que le vieil ami de Leftrin, et lui aussi semblait s'intéresser à Alise. C'était un conteur exceptionnel, car sa mine maussade dissimulait un talent pour se donner le rôle du ridicule dans ses anecdotes et susciter l'hilarité de tous, même du morose Sédric. Contes et chansons faisaient d'agréables soirées, mais il devait partager l'attention d'Alise.

Le matin, il l'avait pour lui tout seul, car ses hommes avaient déjà appris à éviter de lui poser des questions, hormis les plus urgentes, pendant ces heures-là. Il poussa un soupir et se surprit à sourire ; il appréciait même les moments où il attendait sa venue.

Le site où ils avaient installé le camp la veille n'était pas aussi humide que les précédents, et c'est sans état d'âme qu'il avait proposé que les gardiens dorment à terre avec leurs dragons. Lors d'une violente crue, des années plus tôt, le fleuve avait formé une plage compacte de sable et de gravier ; de hautes herbes et de jeunes arbres y poussaient, formant un bois ensoleillé dont les dragons et leurs soigneurs jouissaient. Le temps passant, les arbres croîtraient et finiraient par se fondre dans le reste de la forêt – ou bien la prochaine montée de niveau ferait totalement disparaître le bosquet. Pour le moment, Leftrin contemplait une étendue herbue qui s'élevait à peine au-dessus de l'eau ; les dragons y étaient couchés et dormaient à poings fermés, leurs gardiens au milieu d'eux, enroulés dans leurs couvertures bleues. Des braises mourantes qui avaient servi à faire la cuisine montait vers le ciel bleu marine une fine volute de fumée bleuâtre. Jusqu'à présent, nul ne se réveillait.

Dragons et soigneurs avaient extraordinairement changé depuis le peu de temps qu'il les connaissait. Le groupe des gardiens, de conglomérat dépareillé, était devenu une communauté cohérente ; la plupart du temps, les jeunes gens se montraient exubérants, les garçons, effrontés, indisciplinés, s'éclaboussant, se défiant, riant et criant comme seuls le font les adolescents aux portes de l'âge adulte. Le voyage n'avait pas commencé depuis longtemps, mais le maniement quotidien de la pagaie augmentait leur musculature. Les filles faisaient moins de bruit et de tapage autour des changements qu'elles subissaient, mais les signes étaient néanmoins visibles chez elles aussi. Les garçons se disputaient leur attention, et parfois les rivalités prenaient des formes brutales ; et les filles, comme les dragons, paraissaient jouir de leur intérêt : les uns comme les autres faisaient des grâces et minaudaient, quoique de façon très différente.

Sylve n'était encore qu'à peine plus qu'une enfant. Manifestement, elle avait décidé de gagner l'attention de Tatou ; elle le suivait partout comme un jouet au bout d'une ficelle ; la veille, elle avait piqué des fleurs dans ses cheveux, comme si leur splendeur écarlate pouvait dissimuler son crâne couvert d'écailles roses. Il fallait reconnaître au jeune homme qu'il la traitait avec gentillesse mais qu'il la tenait à distance, comme il sied dans le cas d'une fille aussi jeune.

Par contraste, Jerde paraissait changer d'avis d'une heure à l'autre quant au garçon qui l'attirait, et Graffe la courtisait d'une manière désinvolte. Leftrin l'avait vu ranger son canoë le long de celui de la jeune fille et tenter de bavarder avec elle pour gagner son attention ; mais, pendant la journée, Jerde s'attachait non seulement à ne pas se laisser distancer par les dragons mais aussi à remplir son embarcation de tout le poisson qu'elle pouvait attraper. Elle se dévouait à Veras et l'étrillait chaque jour jusqu'à ce que les mouchetures d'or du petit dragon vert resplendissent comme une pluie de pépites sur un tissu vert sombre. Le soir, alors que les gardiens se rassemblaient autour d'un feu crépitant sur la berge du fleuve, Jerde s'asseyait en compagnie des autres filles et laissait les jeunes gens se battre pour s'installer à côté d'elle ; Leftrin souriait du spectacle, tout en se demandant avec inquiétude ce qui risquait d'en sortir.

Il n'avait jamais eu beaucoup de rapports avec des gens aussi lourdement marqués par le désert des Pluies ; la plupart d'entre eux étaient rendus à la forêt le jour de leur naissance, car les Marchands avaient compris depuis longtemps que des rejetons aussi mal formés ne pourraient que faire le malheur de leurs parents par leur mort précoce ou donner naissance à une seconde génération d'enfants si difformes qu'ils ne survivraient pas. Le désert des Pluies ne pardonnait rien ; mieux valait se débarrasser tout de suite d'un nourrisson et tâcher de se lancer dans une nouvelle grossesse que nourrir un enfant et lui donner son amour alors qu'il ne vivrait pas assez longtemps pour transmettre le nom. L'afflux récent de Tatoués avait apporté un sang neuf dans la population, mais, pendant les décennies précédentes, le taux des naissances n'avait qu'à peine dépassé celui des décès.

Alise n'était pas encore sortie de sa cabine. Sur la rive, Lecter s'était réveillé ; emmitouflé dans sa couverture, il posait sur les braises du feu ce qu'il restait de bois de la veille. Une petite flamme monta, et le garçon s'accroupit, les mains tendues vers sa chaleur. Houarkenn alla le rejoindre en se frottant les yeux et en se grattant les écailles de la nuque ; sa peau avait pris un éclat cuivré au cours des derniers jours, comme pour s'harmoniser à son dragon rouge. Il adressa un salut chaleureux à Lecter ; celui-ci lui fit une réponse qui le fit éclater d'un rire cordial d'adolescent que Leftrin entendit nettement.

Et, comme il observait ces deux jeunes gens qu'on eût dû laisser mourir à la naissance, il se prit à douter de la sagesse des traditions. Ils paraissaient vigoureux, quoique étranges, et il leur souhaitait tout le bonheur du monde, aux garçons comme aux filles ; pourtant, il espérait ne voir naître entre eux nulle liaison amoureuse. Permettre à de tels enfants de se reproduire irait contre toutes les coutumes du désert des Pluies. Jusque-là, rien n'indiquait qu'aucune des filles autoriserait une telle transgression ; et Leftrin espérait que la situation resterait en l'état, tout en s'interrogeant avec inquiétude : avait-il la responsabilité d'appliquer les règles leur interdisant de s'accoupler ? « Mon vieux Mataf, personne ne m'a dit que ça faisait partie du contrat. Je sais que chacun a le devoir d'honorer les lois qui garantissent notre survie, mais mon grand-père me répétait souvent que le travail de tous, c'est le travail de personne ; alors peut-être qu'on ne me reprochera pas de ne pas me charger de celui-ci. »

Le bateau ne répondit pas, ce qui n'étonna pas Leftrin. Le soleil était chaud et le fleuve calme ; Mataf paraissait apprécier ce bref répit autant que son capitaine. Leftrin jeta un nouveau coup d'œil en direction de la cabine d'Alise. Patience, patience ; c'était une dame, et une dame prend son temps pour s'apprêter le matin avant d'affronter le jour ; l'effet en valait la peine.

Il entendit un bruit derrière lui et se tourna pour souhaiter une bonne journée à la jeune femme, mais ses paroles moururent sur ses lèvres : Sédric, tiré à quatre épingles comme toujours, se dirigeait vers lui à pas discrets sur le pont. Leftrin le regarda approcher, partagé entre la jalousie et le mépris ; l'autre était impeccablement coiffé, sa chemise blanche et son pantalon brossés, et ses bottes nettoyées ; rasé de frais, il s'accompagnait d'un léger parfum épicé. C'était le pire rival qu'un homme pût craindre : non seulement parfaitement soigné de sa personne, mais avec des manières irréprochables. À côté de lui, Leftrin se sentait sale et ignorant – d'où le mépris que Sédric lui inspirait. Quand ils se trouvaient tous deux en présence d'Alise, elle devait les comparer, et Leftrin devait toujours lui paraître inférieur. Rien que cela lui suffisait pour haïr son concurrent ; mais ce n'était pas tout.

La courtoisie sans faille dont Sédric faisait preuve à l'égard du capitaine et de ses hommes ne pouvait dissimuler le dédain qu'il leur portait. Leftrin connaissait ce genre de personnage, comme n'importe quel marin ; il y a toujours des gens qui, en voyant un matelot, lui prêtent aussitôt la triste réputation qu'ont traditionnellement les gens de mer ; tous les marins ne sont-ils pas des ivrognes et des rustres sans éducation ? Une fois embarquées, ces personnes perdaient souvent leur dédain à mesure qu'elles se rendaient compte que Leftrin et ses hommes, bien que rudes et dépourvus d'instruction, connaissaient leur métier sur le bout des doigts ; elles découvraient peu à peu la fraternité qui existait à bord, et souvent leur mépris initial se muait en envie avant la fin du périple.

Mais il voyait déjà que Sédric ne serait pas de ceux-là : il s'accrochait à sa position supérieure et à sa piètre opinion de Leftrin comme un naufragé à la dernière épave flottante après une tempête. Mais l'expression fermée et le regard froid qu'il affichait n'avaient rien à voir avec sa vision des marins, et le capitaine serra les mâchoires : l'élégant paraissait décidé à s'expliquer avec lui d'homme à homme.

Leftrin but une gorgée de café et regarda la rive ; les gardiens commençaient à s'éveiller les uns après les autres ; il serait bientôt l'heure de se remettre en route. Au lieu d'un entretien privé avec Alise, il n'aurait droit qu'à une conversation dont il ne voulait pas avec Sédric.

Celui-ci était arrivé près de la lisse. « Bonjour, capitaine. » Au ton qu'il employait, la journée ne s'annonçait pas bonne du tout.

« Bonjour, Sédric ; bien dormi ?

— À la vérité, non. »

Leftrin étouffa un soupir. Il aurait dû se douter que l'autre profiterait de toutes les occasions pour laisser libre cours à ses pleurnicheries. Il répondit : « C'est vrai ? » et prit une nouvelle gorgée de café ; le breuvage était encore un peu trop chaud, mais il décida de le finir rapidement puis de prendre prétexte de vouloir se resservir pour planter là son interlocuteur.

« C'est exact, en effet », répondit Sédric avec une note de moquerie dans la voix, en prenant un accent aristocratique.

Leftrin but encore une gorgée de café puis décida d'attaquer. Il le regretterait certainement, mais pas autant que de rester à supporter les âneries de Sédric sans réagir. « Vous devriez essayer de travailler de vos mains ; ça aide à dormir.

— Et vous, vous devriez essayer d'avoir la conscience nette ; mais peut-être dormez-vous bien sans en avoir une.

— Je n'ai rien sur la conscience », répliqua Leftrin en mentant.

362

Sédric eut l'air d'un chat sur le point de feuler ; il avait relevé les épaules. « Ainsi, mépriser les vœux de mariage d'une femme ne vous dérange pas ? »

Le capitaine ne pouvait pas laisser pareille accusation sans réponse. Il se planta face à Sédric, sentit ses épaules se crisper et son cou enfler ; l'autre ne recula pas, mais il le vit chercher son pied d'appui, prêt à bouger rapidement. Leftrin s'efforça de parler d'un ton calme. « Vous insultez une dame qui ne mérite pas votre dédain ; Alise n'a rien fait pour violer ses vœux de mariage, et je n'ai pas cherché à la pousser à faire quoi que ce soit de mal ; je pense donc que vous feriez bien de réfléchir à ce que vous venez de dire. Ce genre de propos peut causer de grands dégâts. »

Sédric étrécit les yeux mais dit d'un ton posé : « Mes propos se fondent sur ce que je vois. J'ai une profonde affection pour Alise, née d'une longue amitié, et je pèse mes mots. Vous êtes peut-être tous les deux innocents, mais ce n'est plus l'impression que ça donne ; vos petits rendez-vous de l'aube et vos conversations jusque tard dans la nuit – est-ce ainsi qu'une femme mariée se conduit ? J'ai le malheur d'avoir le sommeil léger et l'ouïe très fine ; je sais qu'après qu'Alise et moi vous avons quitté hier soir pour regagner nos cabines, elle est ressortie pour vous retrouver. Je vous ai entendu parler.

— A-t-elle fait vœu de ne plus rien dire après minuit ? demanda Leftrin avec ironie. Parce que, dans ce cas, je le reconnais, elle a enfreint sa promesse, et je l'y ai aidée. »

Sédric lui jeta un regard noir. Le capitaine continua de boire son café en l'observant par-dessus le bord de la chope ; son interlocuteur avait l'air d'un homme qui se contient avec effort. Quand il répondit enfin, ce fut avec sa courtoisie habituelle, mais elle paraissait forcée. « Pour une dame comme Alise, mariée à un Marchand fortuné et influent de Terrilville, les apparences peuvent être aussi importantes que la réalité. Si je sais qu'elle a quitté son lit hier soir pour vous rejoindre, je gage que d'autres à bord le savent aussi. La seule rumeur de ce type de comportement suffirait à compromettre sa réputation à Terrilville. »

Son discours achevé, il se tourna vers la rive. Les derniers gardiens se réveillaient ; certains s'agglutinaient autour du feu pour chasser le froid de la nuit et préparer le petit déjeuner ; d'autres autour du puits de sable qu'ils avaient creusé la veille puisaient l'eau filtrée pour se laver et faire la cuisine. Leftrin nota que les dragons n'avaient pas bougé ; c'étaient des créatures qui aimaient le soleil et la chaleur, et elles dormiraient tant que leurs soigneurs les laisseraient tranquilles, ne se levant qu'à midi si on les laissait faire. Sédric eût aimé que sa vie fût aussi simple.

Avec un effort, Leftrin décrispa ses doigts de la poignée de la chope avant qu'elle ne se brisât. « Je vais vous parler clairement, Sédric : il ne s'est rien passé. Elle est montée sur le pont alors que je faisais ma ronde de nuit, et nous avons bavardé pendant qu'elle m'accompagnait. Nous avons vérifié les amarres et l'ancre ; je lui ai montré quelques constellations, je lui ai expliqué comment un marin peut se servir des étoiles pour s'orienter, je lui ai appris les noms des oiseaux nocturnes qu'elle entendait. Si ça offense votre sens de la morale, c'est vous que ça regarde, pas moi ni Alise. Je n'ai rien fait dont j'aie honte. »

Il s'exprimait d'un ton vertueux, mais un sentiment de culpabilité s'enroulait en lui comme un serpent. Il songeait aux instants où la main d'Alise se trouvait sous la sienne alors qu'il lui montrait comment nouer la bouline ; il avait posé ses mains sur ses épaules tièdes pour l'orienter dans la direction de la Charrue de Sâ, dans le ciel méridional. Et, très tard, ou très tôt, suivant le point de vue, quand elle lui avait souhaité bonne nuit et qu'elle avait regagné sa cabine, il s'était accoudé au bastingage près de sa porte et avait contemplé le fleuve en rêvant à tout ce qui eût pu se passer ; de là, il s'était laissé aller à imaginer ce qui pouvait encore être s'il avait le courage de le proposer, et si elle avait le désir de l'accepter. Sous ses mains, la lisse vibrait au rythme du courant du fleuve et de la réaction de sa gabare au clapot ; il s'était alors vu lui-même comme une rivière dont Alise eût été un bateau qui se risquait dans son courant. Était-il assez fort pour l'emporter ?

Le ton radouci de Sédric prit Leftrin au dépourvu. « Écoutez, je vois ce qui se passe autour de moi. Si quelqu'un à bord de ce bateau n'a pas remarqué votre penchant pour elle, c'est qu'il est aveugle et qu'il a le cœur fermé. Votre équipage est au courant, vos amis chasseurs sont au courant. Et, connaissant Alise comme je la connais, je me rends compte qu'elle s'avance sur un terrain dangereux. Vous êtes un homme habitué au monde, vous voyagez, vous rencontrez toutes sortes de femmes ; mais vous n'avez peut-être jamais rencontré quelqu'un d'aussi protégé qu'Alise. Elle est passée directement de la maison de son père à celle de son époux, qui était son premier et unique amoureux. Par certains côtés, Hest et elle sont bien assortis : il est riche, il pourvoit à tous ses besoins, y compris le matériel et le temps qu'il lui faut pour ses chères études. Elle n'a jamais croisé d'homme comme vous ; pour une Terrilvillienne, vous paraissez sans doute plus grand que nature, mais, si votre admiration pour elle la pousse à s'écarter des limites de la société, c'est elle qui en paiera le prix, pas vous ; à elle l'opprobre et le rejet, voire le divorce qui la renverra, accablée d'une honte irrévocable, chez son père, qui n'a pas de fortune, lui. Si vous persistez à la poursuivre de vos assiduités, et même si elle ne succombe pas à vos entreprises, les gens en entendront parler. Vous risquez de ruiner son existence, de la forcer à vivre modestement sans pouvoir se livrer aux recherches qui sont devenues sa joie. Je ne veux pas paraître désagréable, capitaine, mais en valez-vous la peine ? Comptez-vous poursuivre cette bluette qui la mènera à sa perte ? Vous finirez par la quitter – pardonnez-moi si je vous dis que chacun connaît les habitudes des marins dans ces affaires-là –, et elle sera anéantie. »

Son discours achevé, Sédric se détourna de Leftrin comme pour lui laisser le temps de réfléchir. Deux des dragons s'étaient réveillés et se dirigeaient de leur pas lourd vers le fleuve. Sédric les suivit du regard, comme fasciné, comme s'il avait oublié l'homme qui se tenait près de lui.

Chez Leftrin, la colère le disputait à l'horreur. Il avait d'abord rougi puis blêmi ; il avait le cœur bien accroché d'ordinaire, mais les paroles de Sédric lui retournaient l'estomac. Avait-il raison ? Sa relation avec Alise pouvait-elle se terminer autrement qu'en désastre pour elle ? Il maîtrisa ses émotions et dit : « Je ne pense pas qu'il y ait un seul homme à bord qui compte aller à Terrilville, surtout pas pour y raconter des ragots à propos d'une dame ; la seule exception, c'est vous, et, si vous êtes son ami comme vous le prétendez, vous ne direz rien d'ignoble ni de faux sur elle. Et vous la jugez bien mal si vous la soupçonnez de pouvoir trahir son mari. » Cette dernière affirmation était sans doute exacte, mais qu'il avait donc envie qu'Alise perdît un peu de sa rectitude morale !

« Je suis son ami, dit Sédric ; dans le cas contraire, je m'en serais tenu à ce que j'avais dit et je l'aurais abandonnée sur ce bateau pour retourner à Terrilville. Mais je sais qu'alors elle serait perdue, et, si je reste, c'est uniquement pour sauvegarder sa réputation ; n'allez pas imaginer que cette petite équipée me ravisse ! Non, si je demeure à bord, c'est pour Alise, pour la protéger ; son époux est un ami en plus d'être mon employeur, aussi songez un instant dans quelle position intenable vous me mettez. Dois-je respecter la dignité d'Alise et me retenir de la réprimander, ou dois-je respecter la dignité de mon employeur et vous provoquer en duel ?

— Me provoquer en duel ? » répéta Leftrin, abasourdi.

Hâtivement, Sédric reprit : « Ce n'est pas ce que je fais, naturellement ; je ne pense pas que ce soit nécessaire. Maintenant que je vous ai expliqué la situation en termes civils, vous voyez évidemment qu'il n'y a qu'une seule solution. »

Il se tut comme s'il attendait une réponse de Leftrin. Celui-ci, malgré ses efforts pour se maîtriser, dit d'une voix que la fureur et le désespoir rendaient grondante : « Vous voulez que je cesse de lui parler, c'est ça ? »

Sédric baissa le menton et ouvrit grand les yeux, étonné que Leftrin ne vît pas l'évidence. « Hélas, au point où nous en sommes, et dans la promiscuité où nous vivons, ça ne suffirait pas. Vous devez donner l'ordre à un de vos chasseurs de prendre un des canoës des gardiens et de nous ramener, Alise et moi, à Trehaug.

— Nous sommes à trois jours en amont de Cassaric, répondit Leftrin ; et ces petites embarcations ne pourront pas emporter tous vos bagages, et je ne parle même pas de vous, d'Alise et de toutes vos affaires.

— Je m'en rends compte. » Leftrin étudiait le visage de son interlocuteur, et il crut voir l'ombre d'un sourire tirailler le coin de sa bouche. « En voyageant avec le courant, les canoës vont beaucoup plus vite – j'ai entendu les chasseurs le mentionner hier. À mon avis, Alise et moi ne passerions pas plus d'une nuit à la belle étoile avant de parvenir à Cassaric ; de là, nous pourrions prendre nos dispositions pour regagner Trehaug et rentrer chez nous. Quant à nos bagages, ma foi, il faudra qu'ils restent à votre bord pour le moment ; nous voyagerons léger, et nous vous demanderons de nous renvoyer nos affaires à Terrilville quand vous retournerez à Trehaug. Nous pouvons certainement compter sur vous pour cela. »

Leftrin le regarda sans rien dire.

« C'est ce qu'il faut faire, vous le savez parfaitement, reprit Sédric à mi-voix, puis il ajouta, comme pour retourner le couteau dans la plaie : Pour le bien d'Alise. »

Une longue plainte s'éleva de la rive pour fracasser le ciel.

« Il allait mieux hier soir ! » répéta Sylve. Des larmes teintées de rouge ruisselaient sur ses joues. Thymara fronça le nez en les voyant, sachant combien ces larmes faisaient mal ; peut-être la peur de cette douleur seule l'empêchait-elle de pleurer elle aussi. Elle s'agenouilla près du petit dragon cuivré ; la veille, il avait pris son premier gros repas depuis la part d'élan qu'elle lui avait donnée quelques jours plus tôt ; mais, au contraire des autres qui avaient gagné du poids et du muscle depuis le début de l'aventure, le cuivré était resté maigre ; il avait encore le ventre rond de ce qu'il avait mangé la veille, mais on eût pu lui compter les côtes. Sur ses épaules et le long de son échine, certaines écailles paraissaient se détacher de la peau.

Tatou examinait le mufle de la créature ; il se releva et, comme pour consoler Sylve, il lui passa un bras autour des épaules. « Il n'est pas mort », dit-il, et elle

369

poussa un soupir de soulagement ; mais sa consolation fut de courte durée, car il poursuivit : « Mais, à mon avis, il le sera avant ce soir. Ce n'est pas ta faute ! ajouta-t-il en hâte en voyant Sylve secouée par un nouveau sanglot. Tu es arrivée trop tard dans sa vie pour le sauver ; il n'avait de toute manière guère de chances de survivre dès le départ. Regarde ses pattes : elles sont disproportionnées par rapport au reste ! Et je l'ai surpris à manger des cailloux et de la boue l'autre soir ; je pense qu'il a des vers : regarde comme son ventre est distendu alors qu'il est tout maigre ! C'est typique d'un animal infesté de parasites. »

Avec un hoquet étranglé, Sylve rejeta le bras de Tatou d'un haussement d'épaules et s'éloigna du groupe. D'autres gardiens s'approchaient en formant un cercle autour du dragon à terre. Thymara se mordit les lèvres pour se taire : une partie d'elle-même, dure et insensible, avait envie de demander à Tatou où était Jerde ; après tout, elle avait proposé de son propre chef de l'aider à s'occuper de son dragon. Sylve, elle, avait promis de prendre en charge l'argenté ; mais, le cœur trop tendre, elle avait fini par participer au soin des deux dragons malformés. Et, si le cuivré mourait, elle en serait anéantie.

« Qu'est-ce qu'il a ? demanda Lecter qui venait d'arriver d'un pas vif.

— Des parasites, répondit Kanaï d'un ton docte ; ils le rongent de l'intérieur, et du coup ce qu'il mange ne lui profite pas. »

La cohérence de son explication étonna Thymara ; Kanaï remarqua son regard et vint se placer à côté

370

d'elle. « Qu'allons-nous faire ? fit-il, comme si elle était responsable du dragon.

— Je n'en sais rien, murmura-t-elle. Que pouvons-nous faire ?

— Je pense qu'il faut tirer le meilleur parti de la situation et continuer d'avancer », dit Graffe. Il ne parlait pas fort mais tous l'entendirent. Thymara lui jeta un regard noir ; elle ne lui avait toujours pas pardonné l'affaire de l'élan. Elle n'avait pas fait d'esclandre, mais elle évitait depuis de s'adresser à lui, à Kase ou à Boxteur. Elle les observait ; elle surveillait la façon dont Graffe prenait la tête du groupe en recourant à l'intimidation, mais elle n'avait rien dit jusque-là. À présent, elle redressait le menton et carrait les épaules, prête à l'affronter.

Sylve se retourna brusquement ; ses larmes avaient cessé de couler mais elles avaient laissé des sillons rouges sur ses joues. « Le meilleur parti ? dit-elle d'une voix rauque. Qu'est-ce que ça veut dire ? Que peut-on trouver de bien dans cette affaire ? »

Un silence épais s'était abattu sur l'assemblée. Sylve restait immobile, les épaules relevées, ses petits poings crispés ; tous attendaient la réponse de Graffe. Pour la première fois depuis que Thymara le connaissait, elle le vit hésiter, parcourir des yeux son auditoire ; voir sa langue rose humecter ses étroites lèvres couvertes d'écailles faisait un étrange effet. Que cherchait-il ? À savoir si les autres acceptaient son autorité ? S'ils étaient prêts à obéir aux « nouvelles règles » qu'il voulait établir ?

« Il va mourir », dit-il à mi-voix. Thymara vit un cri monter en Sylve, mais elle le contint. « Et, quand il sera mort, il ne faudra pas laisser perdre sa dépouille.

— Bien sûr que non. » Kanaï avait rompu le silence que tenaient les autres d'un accord tacite. Sa voix d'adolescent et son ton prosaïque comparés au discours posé et adulte de Graffe lui donnaient l'air d'un gamin tandis qu'il exprimait tout haut ce que les autres pensaient tout bas. « Les dragons le dévoreront pour récupérer ses souvenirs, et aussi pour se nourrir, tout le monde le sait. » Il regarda les autres gardiens en souriant, mais, peu à peu, son sourire s'effaça, et il parut surpris de leur absence de réaction. Thymara reporta son attention sur Graffe ; il avait l'air agacé, comme s'il jugeait que le commentaire de Kanaï devait évidemment paraître ridicule à tous. Mais, quand il parla, elle sentit de la prudence dans sa voix, comme s'il espérait que quelqu'un d'autre le soutiendrait.

« Il y a peut-être mieux à faire de ce cadavre », dit-il, et il se tut. Thymara retint son souffle : que voulait-il dire ? Il parcourut les gardiens du regard comme pour se donner du courage. « On a évoqué des offres pour…

— La chair des dragons appartient aux dragons. » Ce n'était pas une voix humaine qui était intervenue. Malgré sa grande taille, le dragon d'or savait se déplacer discrètement ; il dominait le groupe, la tête haut dressée pour regarder Graffe. Les jeunes gens s'écartaient pour le laisser passer comme des roseaux devant le courant du fleuve, et Mercor avançait d'un pas majestueux. Aux yeux de Thymara, il était magnifique ; depuis le début du voyage, il avait pris du poids et du muscle, et il commençait à ressembler à un vrai dragon ; avec leur nouvelle musculature, ses pattes étaient mieux proportionnées au reste du corps, et sa queue paraissait avoir grandi. Seules ses ailes en cerf-volant brisé le trahissaient, trop courtes et trop fragiles pour le soulever.

Il courba son long cou pour renifler le dragon cuivré, puis il approcha la tête de Graffe. « Elle n'est pas morte, dit-il d'un ton froid. Il est un peu tôt pour envisager de vendre sa chair.

— Elle ? fit Tatou, ahuri.

— Vendre sa chair ? » Kanaï avait l'air horrifié.

Mercor ne répondit ni à ces deux exclamations ni aux murmures qui couraient parmi les gardiens ; il avait baissé la tête pour renifler la dragonne cuivrée à nouveau ; il la poussa rudement du museau, mais elle ne réagit pas. Il tourna lentement la tête au bout de son long cou pour regarder les gardiens, et ses écailles scintillèrent au soleil ; Thymara ne put déchiffrer l'expression de ses yeux noirs et luisants. « Sylve, reste près de moi ; les autres, allez-vous-en ; ça ne vous concerne pas. Ça ne concerne aucun humain. »

Thymara sentit l'attraction qu'éprouvait Sylve pour Mercor : il avait une voix irrésistible, grave comme les ténèbres, riche comme une crème. La jeune fille s'approcha de lui et s'appuya contre son épaule, comme si elle tirait consolation et force de sa proximité. Timidement, elle demanda : « Tatou et Thymara peuvent-ils rester ? Ils m'ont aidée à soigner Cuivre.

« — Moi aussi, intervint Kanaï, impudent comme toujours. Moi aussi, je dois rester : je suis leur ami.

— Pas maintenant, répondit le dragon d'un ton catégorique. Ils n'ont rien à faire ici. Toi, tu restes avec moi pendant que je veille sur cette dragonne. »

Une puissance subtile imprégnait ses paroles ; Thymara se sentit non seulement congédiée, mais poussée dehors, comme un enfant qu'on fait sortir de la chambre d'un malade, et, sans décision de sa part, elle commença à s'éloigner. « Je dois aller voir si Gueule-de-ciel n'a besoin de rien, dit-elle à Tatou comme pour expliquer son départ.

— Je l'ai senti moi aussi, murmura-t-il.

— Sintara », dit Mercor derrière elle. Un frisson lui parcourut le dos, une connaissance soudaine qu'elle ne pouvait nier. La voix grave du dragon vibrait en elle. « La dragonne que tu sers se nomme Sintara. Je sais son vrai nom et je sais qu'elle te le doit ; je te le donne. »

Thymara s'était arrêtée net. Près d'elle, Tatou s'immobilisa aussi et la regarda d'un air perplexe. Elle avait l'impression d'avoir les oreilles bouchées, les yeux obscurcis ; une tempête faisait rage quelque part, au-delà de ses sens : Sintara était furieuse de l'initiative de Mercor, et elle ne le lui cachait pas.

Il eut un rire dépourvu d'humour. « Il faut choisir, Sintara ; nous l'avons tous compris tout de suite, et aucun de nous n'a gardé son nom pour lui, sauf les malheureux incapables de se rappeler qu'ils possèdent un vrai nom de dragon. »

Toujours impétueux, Kanaï profita de la pause pour intervenir. « Est-ce que Gringalette a un nom de dragon ? »

Au grand étonnement de Thymara, le grand dragon d'or prit la question au sérieux. « Gringalette est maintenant Gringalette. Elle s'est approprié ce nom tel que tu le lui as donné ; il reste à voir s'il lui permettra de grandir ou s'il la limitera. »

Thymara mourait d'envie de demander dans quel état était le dragon argenté blessé à la queue, mais elle n'en avait pas le courage ; elle eût parfois aimé être Kanaï, trop étourdi pour avoir peur de quiconque.

Mercor avait de nouveau approché son mufle de la dragonne cuivrée. Il la poussa doucement, puis plus rudement ; elle ne bougea pas. Il releva la tête et considéra la créature à terre de ses yeux noirs et brillants. « Nous devrons rester ici jusqu'à ce qu'elle se remette debout ou qu'elle meure », déclara-t-il. Il parcourut les gardiens du regard et s'arrêta sur Graffe. « Laissez-la tranquille, ne la touchez pas. Je reviens bientôt. » Puis il s'adressa à Sylve : « Viens avec moi. » Et il s'en alla vers le fleuve. Ses lourdes pattes griffues laissaient de profondes empreintes dans le sol ; l'eau ne tarderait pas à sourdre pour les remplir.

Le matin était venu et s'installait, Alise le voyait aux rectangles de lumière qui tombaient par les minuscules fenêtres en haut de la cloison de sa chambre. Elle s'efforça une fois encore de trouver le courage de sortir, et, une fois encore, se rassit à son petit bureau. Il lui faudrait bientôt quitter sa cabine : elle avait faim et soif, et elle devait vider son pot de chambre ; mais elle croisa les bras sur son bureau puis posa la tête sur eux, les yeux ouverts dans la petite obscurité qu'ils créaient. « Que vais-je faire ? » se demanda-t-elle.

Nulle réponse ne lui vint. À l'extérieur, l'équipage devait détacher les amarres et repousser la gabare loin de la berge boueuse ; sans doute les dragons s'étaient-ils déjà mis en route, suivis par leurs gardiens dans leur flottille de canoës. Une nouvelle journée de voyage les attendait. Devant elle s'ouvrait une échappée sur le fleuve, les hauts arbres et la tranche de ciel qui évoquait parfois un fleuve d'une autre sorte ; chaque jour était pour elle une nouvelle aventure, pleine de fleurs inconnues au parfum étrange, d'animaux jamais vus qui descendaient au bord de l'eau ou s'élevaient de ses profondeurs pour bondir, scintillants dans le soleil. Jamais elle n'avait imaginé que le désert des Pluies pût abriter une telle richesse de vie ; quand elle avait appris l'existence du fleuve et de l'acide qu'il lui arrivait de charrier, elle pensait le voir bordé par des terres arides ; et voici qu'au contraire elle découvrait de nouvelles essences d'arbres, des plantes et des bêtes qu'elle ne connaissait pas. Les poissons et autres créatures aquatiques qui avaient réussi à s'adapter à l'acidité variable de l'eau la laissaient stupéfaite ; quant aux oiseaux, il y en avait des centaines d'espèces. Et Leftrin paraissait les connaître toutes par leur aspect ou par leur chant…

Encore une fois, ses pensées vagabondes étaient revenues à lui, à l'homme qui se trouvait à la source de tous ses problèmes.

Non, c'était injuste ; elle ne pouvait lui en vouloir. C'était sa faute à elle si elle avait un tel penchant pour lui. Oh, il le lui rendait, elle le savait ! Avec sa franchise naturelle, il ne lui cachait rien : son affection et son intérêt pour elle transparaissaient dans chacun de ses regards, dans tout ce qu'il lui disait. Le contact accidentel de sa main contre la sienne faisait comme une décharge de foudre entre le ciel et la terre ; des émotions et des sensations qu'elle avait cru éteintes se réveillaient violemment et roulaient en elle comme des grondements de tonnerre qui ébranlent le sol.

La nuit précédente, alors qu'il lui montrait comment renouer la bouline, elle avait feint l'incompétence devant un simple nœud ; c'était un stratagème d'adolescente, mais le malheureux, dans sa candeur, s'y était laissé prendre. Derrière elle, dans l'espace de ses bras refermés sur elle, il lui avait pris les mains pour lui faire accomplir les gestes simples ; alors une grande chaleur l'avait envahie et ses genoux s'étaient mis à trembler, puis la tête lui avait tourné, et elle avait eu envie de se laisser tomber sur le pont en entraînant Leftrin avec elle. Elle s'était figée entre les bras du capitaine en adressant de ferventes prières à tous les dieux qu'elle connaissait pour qu'il se rendît compte de son désir brûlant et en profitât. C'était cela qu'on devait ressentir pour l'homme à qui on était uni, et elle ne l'avait jamais éprouvé !

« Comprenez-vous maintenant ? » avait-il demandé d'une voix rauque. Sur les mains d'Alise, les siennes avaient serré le nœud.

« Oui ; je comprends parfaitement à présent. » Elle ne parlait évidemment pas de cordages. Prenant son courage à deux mains, elle avait légèrement reculé pour s'appuyer contre Leftrin, puis elle s'était retournée entre ses bras pour regarder son visage adoré. Là, paralysée, elle n'avait pas pu former un mot, et, pendant un moment incommensurablement bref et infini, il était resté sans bouger et l'avait gardée enfermée dans ses bras protecteurs. Les bruits nocturnes du désert des Pluies formaient une douce musique composée de clapotis d'eau, de cris d'oiseaux et de stridulations d'insectes ; elle sentait l'odeur de Leftrin, musc masculin, « à dominante de sueur », comme eût dît Sédric pour se moquer, mais extraordinairement viril et attirant pour elle. Entre ses bras, elle se sentait incluse dans son monde ; le pont sous ses pieds, le bastingage du bateau, le firmament au-dessus d'elle et l'homme derrière elle la reliaient à un univers immense et merveilleux, encore sauvage mais dans lequel elle était pourtant chez elle.

Et puis il avait baissé les bras en reculant. La nuit restait chaude et humide, les insectes bourdonnaient toujours, et elle entendait encore les cris des oiseaux nocturnes, mais ils n'étaient plus rattachés à elle, et, comme aujourd'hui, elle était redevenue la petite Terrilvillienne timide, plongée dans ses études, qu'elle était à l'évidence. Elle s'était vendue à Hest, prostituée par sa capacité à porter un enfant en échange de la sécurité et de la position sociale qu'il lui offrait. Elle avait passé un contrat et l'avait signé. Un Marchand ne vaut que par sa parole, dit l'adage. Elle avait donné la sienne ; que valait-elle ?

Même si elle la reprenait, même si elle la rompait, elle demeurerait une petite Terrilvillienne timide, et non la femme qu'elle rêvait d'être. Ce rêve, elle osait à peine l'imaginer, non parce qu'il était hors de sa portée mais parce qu'il lui paraissait trop puéril et trop extravagant. Dans le cercle noir de ses bras, elle ferma les yeux et revit Althéa, la femme du capitaine du *Parangon* ; elle l'avait vue aller et venir d'un pas assuré sur le pont, pieds nus, vêtue d'un pantalon ample comme un homme ; elle l'avait vue debout près de la figure de proue de son navire, le vent dans les cheveux et un sourire aux lèvres pour échanger une plaisanterie avec le mousse. Et puis le capitaine Trell avait grimpé la courte échelle qui menait au gaillard d'avant pour les rejoindre ; elle et lui se déplaçaient l'un vers l'autre sans se regarder, comme une aiguille attirée par un aimant, leurs bras se levant comme s'ils étaient les deux moitiés du dieu Sâ enfin réunies. Alise avait cru que l'envie allait lui broyer le cœur.

Comment serait-ce de vivre avec un homme qui la prenait dans ses bras quand il la voyait, même s'il avait partagé son lit quelques heures plus tôt ? Elle tenta de s'imaginer aussi libre que cette Althéa, courant pieds nus sur le pont du *Mataf* ; pourrait-elle jamais s'accouder sur son bastingage dans une attitude de complète possession du bateau, de parfaite confiance dans la gabare ? Elle songea à Leftrin en s'efforçant de le voir de façon détachée ; il n'avait pas de manières ni d'instruction ; il disait des blagues à table, et elle l'avait vu éclater de rire si violemment qu'il en avait recraché son thé à cause d'une plaisanterie salace d'un de ses matelots ; il ne se rasait pas tous les jours, il ne se lavait pas aussi souvent qu'il seyait à un homme du monde ; les coudes de ses chemises et les genoux de ses pantalons étaient usés ; les ongles courts de ses larges mains étaient cassés et mal limés. Là où Hest était grand, mince et élégant, Leftrin ne mesurait qu'un pouce de plus qu'elle à peine ; il avait les épaules larges et la carrure râblée ; les amies d'Alise à Terrilville se détourneraient si pareil personnage leur adressait la parole dans la rue.

Puis elle pensa à ses yeux gris, gris comme le fleuve qu'il aimait, et son cœur fondit ; elle songea à ses pommettes rouges au-dessus de ses joues mal rasées, et à ses lèvres qui paraissaient plus pleines et plus colorées que le sourire sophistiqué de Hest ; elle mourait d'envie de baiser cette bouche, de sentir ces mains calleuses se plaquer sur elle et l'attirer ; elle avait la nostalgie des nuits passées dans sa couchette, de son odeur dans la pièce et sur les couvertures ; elle avait envie de lui comme elle n'avait jamais eu envie de rien ni de personne. À la pensée de Leftrin, la chaleur envahissait son corps alors que les larmes emplissaient ses yeux.

Elle se redressa sur son siège et essuya cette eau inutile qui coulait sur ses joues. « Profite de ce que tu peux avoir pour le peu de temps que ça durera », se conseilla-t-elle sévèrement. Elle se demanda vaguement pourquoi le bateau n'avait pas encore quitté la berge. Elle se sécha mieux les yeux, lissa ses cheveux en bataille, puis se dirigea vers la porte. Elle n'enfreindrait pas sa promesse envers Hest ; ils avaient conclu un accord selon lequel ils resteraient fidèles l'un à l'autre, et elle l'honorerait.

Au sortir de la cabine obscure, elle fut éblouie par l'éclat du jour. Sur le pont, elle eut la surprise de découvrir Sédric en compagnie de Leftrin près de la lisse ; ils regardaient tous deux vers la rive. « Je vais voir ce qui se passe », annonça le capitaine, et il s'en alla vers la proue. Alise courut rejoindre Sédric.

« Qu'y a-t-il ? demanda-t-elle.

— Je l'ignore ; du chahut parmi les gardiens. Le capitaine est allé se renseigner. Comment vas-tu ce matin, Alise ?

— Assez bien, je te remercie. » Sur la berge, on entendait des cris alarmés, et elle vit certains gardiens courir pendant que les dragons somnolents levaient la tête en direction du tapage. « Je ferais bien d'y aller aussi », dit-elle, et elle partit à la suite de Leftrin. Il ne l'avait pas vue ; il franchit le bastingage de proue et entreprit de descendre l'échelle de corde.

« Je crois qu'il vaudrait mieux t'en abstenir », lança Sédric d'un ton sec.

À contrecœur, elle s'arrêta et se retourna vers lui. Elle le dévisagea un instant puis demanda : « Quelque chose ne va pas ? »

Il soutint son regard. « Je ne sais pas exactement, murmura-t-il ; j'espère que non. » Il détourna les yeux, et, pendant un moment, un silence gêné tomba entre eux. Sur la berge, les soigneurs s'assemblaient apparemment autour du petit dragon brun ; elle savait qu'il n'allait pas bien, et la peur lui noua soudain l'estomac. « Tu n'as pas à me protéger, Sédric ; si le dragon est mort, il est mort, et je sais que ses congénères le dévoreront. Or, crois-le ou non, je sens que je dois y assister. Il y a des aspects du comportement de ces créatures que les hommes jugeront répugnants, mais ce n'est pas pour autant que je ne dois pas les étudier. »

Elle voulut s'en aller, mais la voix de Sédric l'arrêta de nouveau. « Ce n'est pas du tout cela qui m'inquiète, Alise. Je dois te parler sans détour, et en privé ; je t'en prie, reviens, que nous puissions discuter discrètement. »

Elle n'en avait nulle envie. « Discuter de quoi ?

— De toi, répondit-il à mi-voix. De toi et du capitaine Leftrin. »

Elle resta un instant pétrifiée. Un brouhaha de voix lui parvenait de la rive ; elle vit Leftrin qui se dirigeait vers le groupe d'un pas pressé. Alors, elle se retourna vers Sédric avec son expression la plus calme. « Je ne comprends pas », dit-elle en s'efforçant de prendre un ton perplexe, de continuer à respirer, d'empêcher le sang d'affluer à ses joues.

Il ne s'y laissa pas prendre. « Si, Alise, tu comprends. Nous nous connaissons trop bien pour que tu puisses me le dissimuler : tu es amoureuse de cet homme. Pourquoi, je me le demande bien, si je le compare à Hest, à ce que tu as déjà et…

— Tais-toi. » La dureté de sa propre voix et la sécheresse de ses mots la laissèrent sidérée ; jamais elle n'avait parlé ainsi à quiconque. Mais peu importait : elle avait réussi à réduire Sédric au silence. Il la regardait, la bouche entrouverte. Les paroles jaillirent des lèvres d'Alise comme des rochers emportés par un torrent. « Ce que j'ai déjà, Sédric, ce n'est rien, rien qu'un trompe-l'œil mis au point par Hest et auquel je me suis prêtée parce que je n'imaginais pas trouver mieux. Notre mariage est une imposture – mais je reconnais que je l'ai acceptée. Oui, je l'ai accepté, son satané marché ! Nous l'avons scellé par une poignée de main, comme de bons Marchands, et j'en ai tenu ma part – bien plus que lui, dois-je ajouter. Et je continuerai à la remplir. Mais ne compare jamais Leftrin à Hest ! Jamais, tu m'entends ? »

Sa véhémence lui éraillait la voix ; elle croyait avoir d'autres choses à dire, mais l'expression effarée de son ami tarit toute pensée en elle. Elle se sentit soudain très lasse : à quoi bon pester contre son sort ? « Pardon de t'avoir parlé si durement, Sédric ; tu ne le mérites pas. » Et elle s'apprêta à s'en aller.

« Alise, il faut quand même que nous parlions. Reviens ici. » Sa voix tremblante faisait de son ordre une supplication.

Elle s'arrêta sans se retourner. « Il n'y a rien à discuter, Sédric ; nous avons tout dit. Je suis prise au piège d'un mariage qui me lie à un homme pour lequel je n'ai nulle affection et encore moins d'amour, et je sais qu'il me porte les mêmes sentiments. Je suis amoureuse du capitaine Leftrin ; je m'enivre de l'attention d'un homme qui me juge belle et désirable ; mais c'est tout. Je n'irai pas plus loin. Qu'y a-t-il d'autre à savoir ?

« — J'ai dit à Leftrin que nous devions rentrer, aujourd'hui même ; je lui ai demandé de nous trouver un chasseur prêt à prendre un des canoës pour nous ramener à Trehaug. Comme le courant nous portera, ça ne devrait pas prendre trop de temps ; nous devrons peut-être camper, mais sans doute pas plus d'une fois. »

À ces mots, elle fit demi-tour, le cœur cognant dans sa poitrine, gagnée par le désespoir. « Pourquoi ? Pourquoi nous en irions-nous ?

— Pour t'écarter de la tentation avant que tu n'y cèdes, pour écarter le capitaine de la tentation avant qu'il ne s'y laisse aller. Pardonne-moi, Alise, mais tu ne connais guère les hommes ; tu m'avoues tout joyeusement que tu es amoureuse de celui-ci, et dans le même souffle tu m'assures que tu n'iras pas plus loin ; or le capitaine Leftrin est au courant de tes sentiments ; peux-tu affirmer que, s'il te pressait, tu serais capable de lui dire non ?

— Il n'agirait jamais ainsi. » Elle s'exprimait d'une voix grave et gutturale. Quelle que fût l'envie qu'elle eût de lui, jamais il ne la presserait, elle en était certaine.

« Tu ne peux pas courir ce risque, Alise. En restant ici, tu prépares une tragédie, non seulement pour toi mais pour Leftrin. Votre petite aventure est encore innocente, mais on vous verra et on parlera. Tu n'as pas le droit de te montrer égoïste et de ne penser qu'à toi ; songe à l'humiliation de ton père, à la peine de ta mère, si une telle rumeur se répandait ! Et qu'éprouverait Hest à porter les cornes du cocu ? Il ne pourrait

384

jamais laisser passer un affront pareil ! Un homme dans sa position doit apparaître comme quelqu'un d'astucieux et d'influent, non comme un sot qui se laisse duper. J'ignore jusqu'où ça irait... Exigerait-il réparation de Leftrin ? Et puis, même si tu ne consommais pas cette amourette malavisée, qu'en retirerais-tu ? Alise, tu dois comprendre que ma solution, si dangereuse soit-elle, est la seule. Il faut partir aujourd'hui, avant que nous ne nous éloignions davantage de Trehaug. »

D'un ton posé, elle répondit : « Et Leftrin a déjà accepté ce plan ? »

Sédric fit la moue puis soupira. « Qu'il l'accepte ou non, c'est ce qui doit se produire. Je crois qu'il allait s'y plier quand il a entendu des cris parmi les gardiens et qu'il est allé voir ce qui se passait. »

Il mentait, elle le savait ; Leftrin n'allait se plier à rien du tout ; le courant qui les entraînait les rapprochait, il ne les séparait pas. Elle saisit l'occasion de changer de sujet. « D'où provenait cette agitation sur la rive ?

— Je l'ignore. Les gardiens avaient l'air de se rassembler...

— Je vais me rendre compte par moi-même », dit-elle, et elle lui tourna le dos sans le laisser achever sa phrase. Elle allait atteindre la proue quand il se remit de sa stupéfaction.

« Alise ! »

Elle poursuivit son chemin.

« Alise ! » Il mit dans le mot toute l'autorité qu'il put. Il vit les épaules de la jeune femme se crisper ;

elle l'avait entendu. Mais elle prit le bastingage à deux mains et l'enjamba ; ses jupes de marche s'emmê-lèrent, et elle les secoua patiemment avant de franchir la lisse puis de descendre l'échelle de corde jusqu'à la berge boueuse. Elle disparut à sa vue, puis il la vit quelques instants plus tard courir sur l'herbe écrasée et les flaques de fange en direction des soigneurs attroupés ; un dragon s'approchait d'eux à pas lents, et Sédric retint sa respiration : se rendrait-il compte de quelque chose ?

Il observa le groupe ; il entendait les voix mais ne comprenait pas ce qu'elles disaient. Son angoisse monta, et il se détourna brusquement de la lisse pour regagner en hâte sa cabine ; il ouvrit la porte, pénétra dans la petite pièce sombre et sans air et referma der-rière lui, puis il fixa le petit crochet, seul moyen de barrer l'huis, et s'agenouilla. Le tiroir « secret » à la base de son coffre à vêtements lui paraissait soudain visible comme le nez au milieu de la figure. Il défit le verrou et l'ouvrit tout en guettant des bruits de pas sur le pont. Y avait-il meilleur endroit où cacher son trésor ? Devait-il le laisser en un seul lieu ou le répartir parmi ses affaires ? Il réfléchit en se mordant la lèvre.

La nuit précédente, il avait ajouté deux articles à sa réserve. Il leva un flacon de verre pour le regarder devant la petite fenêtre ; le sang de dragon l'emplis-sait, d'un rouge fuligineux qui tournoyait dans la maigre lumière. La veille, il s'était cru victime de son imagination, mais il avait bien vu. Le liquide conser-vait une couleur profonde et se mouvait comme s'il était encore vivant.

Plusieurs jours durant, il avait surveillé le petit dragon brun en s'efforçant de trouver le courage d'agir. Chaque matin, les chasseurs partaient avant l'aube vers l'amont dans l'espoir de prendre du gibier avant que la meute des dragons ne le fît fuir ; une fois le soleil haut dans le ciel et la température de l'air remontée, les grandes créatures s'éveillaient ; en général, le doré se rendait le premier au bord de l'eau, les autres lui emboîtaient le pas, les gardiens suivaient dans leurs canoës, et la gabare fermait la marche.

La veille et le jour précédent, le petit dragon brun s'était laissé distancer ; incapable de tenir l'allure de ses congénères, il avançait seul entre eux et les gardiens qui les suivaient. Hier, même eux l'avaient dépassé, et il n'avait réussi qu'à grand-peine à demeurer en avant de la gabare. Sédric s'y était intéressé en voyant Alise et Leftrin à la proue en train de le regarder en échangeant des réflexions apitoyées ; il s'était joint à eux, s'accoudant au bastingage pour observer la créature malformée qui s'efforçait, l'œil terne, de remonter le courant. Un instant, la teinte de l'eau avait retenu son attention ; elle n'était plus aussi blanche que lorsqu'ils avaient voyagé à bord du *Parangon*, et ressemblait presque à de l'eau ordinaire. Le capitaine avait dit quelque chose à Alise, et Sédric n'avait entendu que la réponse.

« Si, c'est plus dur pour lui ; regardez comme ses pattes sont courtes. Les autres dragons touchent le fond tandis que lui est presque obligé de nager. »

Leftrin avait acquiescé de la tête. « Le pauvre, il n'avait de toute manière pas beaucoup de chances de s'en tirer ; il était condamné dès son éclosion. N'empêche que le voir mourir ainsi, ça me fait horreur.

— Mieux vaut qu'il meure en tentant de vivre comme il l'entend plutôt que dans la boue près de Cassaric. » Alise s'était exprimée avec tant de passion que Sédric n'avait pu que la regarder avec étonnement ; c'est alors qu'il avait mesuré, non sans effroi, la profondeur de son attirance pour Leftrin. Ses paroles s'appliquaient évidemment à sa propre vie. Elle cherche le courage de se laisser aller à ses impulsions, se dit-il, effaré. Sachant ce qu'il savait d'elle, la question était quand, non pas si, elle se donnerait à Leftrin, et, à l'idée de la façon dont Hest réagirait, il sentit un doigt glacé lui parcourir l'échine ; Hest n'était peut-être pas amoureux d'Alise, mais il la considérait comme il considérait tous ses biens, avec un sens jaloux de la propriété. Si Leftrin la lui « prenait », il serait furieux, et il le reprocherait autant à Sédric qu'à Alise.

L'inquiétude qu'il éprouvait en songeant que chaque jour passant l'entraînait davantage dans la jungle et plus loin de chez lui était devenue soudain intolérable. Il était temps qu'Alise et lui sortent de ce bourbier pour regagner Terrilville.

Alors il avait songé à la maigre collection d'échantillons de dragon qu'il possédait, et il avait froncé les sourcils. Il les examinait quotidiennement, et leur aspect ne donnait pas envie d'en préparer un médicament ni un reconstituant ; la chair que Thymara avait excisée de la plaie du dragon argentée était à moitié pourrie, et, malgré ses efforts pour la préserver, elle sentait mauvais comme n'importe quel morceau de viande en putréfaction. La dernière fois qu'il avait ouvert les bocaux, il avait failli vomir, et il avait décidé de conserver les extraits jusqu'au moment où l'occasion se présenterait de les remplacer par d'autres, plus propres à être vendus.

Cette pensée lui était revenue en regardant le chétif dragon brun qui s'évertuait à rester en avant d'eux, et il avait compris brusquement qu'il n'aurait pas meilleure occasion d'agir que la nuit même.

Il n'avait pas eu de difficulté à quitter le bateau à la faveur de l'obscurité. Chaque soir, Leftrin plantait l'étrave du *Mataf* dans la rive boueuse du fleuve, le plus près possible des dragons endormis ; certaines nuits, les gardiens couchaient à bord ; d'autres, ils s'installaient près des grandes créatures. Sédric avait joué de chance : les dragons s'étaient établis sur une berge couverte d'herbe, et les soigneurs avaient décidé de ramasser du bois rejeté par le fleuve et de dormir près d'eux. Leftrin avait pris la garde de la gabare, et Alise, sans le savoir, s'était faite la complice de Sédric, car elle avait si bien détourné l'attention du capitaine que Sédric avait pu descendre à terre sans se faire remarquer.

La lueur du feu mourant des gardiens et la lune quasi pleine avaient suffi à l'éclairer ; il avait traversé tant bien que mal les herbes écrasées et les mares, résigné à revenir avec les bottes et le bas du pantalon trempés et crottés de boue. Il avait pris soin, plus tôt, d'observer les dragons alors qu'ils se couchaient, et il savait donc à peu près où se trouvait le dragon brun à bout de forces. Il était tard et les gardiens comme leurs dragons dormaient à poings fermés alors qu'il se déplaçait prudemment parmi eux. La petite créature débile était seule, à l'extérieur du groupe de ses congénères, et elle n'avait pas réagi à son approche, à tel point qu'il l'avait d'abord crue morte : il ne détectait nul mouvement chez elle, nul signe de respiration. Prenant son courage à deux mains, il avait touché l'épaule crasseuse du dragon : aucune réaction. Il l'avait secouée légèrement, puis plus fort ; la créature avait émis un bruit sifflant mais n'avait pas bougé. Sédric avait alors pris son couteau.

Sa première ambition avait été de s'emparer de quelques écailles, et l'épaule était parfaite pour cela ; il avait bien observé les dragons tandis qu'Alise communiquait avec eux, et il savait que c'était là qu'on trouvait les écailles les plus grandes, ainsi que sur la croupe et la section la plus large de la queue. À la maigre lumière de la lune, il avait glissé sa lame sous une écaille, l'avait plaquée contre le métal d'une pression du pouce, et avait tiré un coup sec. L'objet de sa convoitise avait opposé une certaine résistance, et il avait eu l'impression d'extraire une assiette de sous une meule de foin. Mais l'écaille vint enfin, soulignée d'un liséré de sang luisant. Le dragon eut un sursaut mais continua de dormir, apparemment trop faible pour se réveiller.

Il avait soutiré trois écailles de plus à la créature, grandes comme la paume de sa main, et les avait soigneusement enveloppées dans un mouchoir avant de les fourrer dans sa chemise. Il avait alors failli retourner à la gabare, car il savait qu'un seul de ces objets lui rapporterait une somme royale ; mais, bien que cette petite fortune pût lui permettre d'acheter sa liberté, elle ne retiendrait pas Hest longtemps à ses côtés. Non, puisqu'il avait déjà pris le risque, il tirerait de cette entreprise de quoi vivre comme un roi, ou bien ça n'en valait pas la peine ; il serait fou d'arrêter maintenant, alors qu'il s'apprêtait à faire fortune.

Il avait choisi ses instruments avec soin, et le petit couteau dont il s'était muni servait aux bouchers pour égorger les cochons et récupérer le sang frais pour le boudin ; il avait été surpris de découvrir l'existence d'un tel outil, et il n'avait pas hésité à s'en procurer un. Court et effilé, le couteau avait une gorge dans la lame qui se prolongeait à travers le manche évidé pour laisser passer le sang.

Il avait choisi une autre zone du dragon, sur le cou, juste sous la mâchoire, et il avait chassé les moustiques qui bourdonnaient, affamés, autour de lui. « C'est seulement un très gros moustique », dit-il au dragon à demi inconscient ; il souleva une des grosses écailles du cou, saisit fermement son couteau et le planta dans la chair.

La lame, bien que longuement aiguisée à la meule, s'enfonça difficilement. Le dragon poussa dans son sommeil un couinement ridicule chez une si grosse bête ; sa patte griffue s'agita sur la terre boueuse, et Sédric, saisi de terreur, faillit s'enfuir. Mais, les mains tremblantes, il avait sorti un flacon de verre de son petit sac à dos et l'avait débouché ; au bout d'un moment, le sang avait commencé à couler par gouttes brillantes ; il avait placé le goulot sous la ponction et ainsi récupéré le précieux liquide.

Ses mains tremblaient trop fort. Il n'avait jamais effectué ce genre de tâche, et l'entreprise lui paraissait encore plus pénible qu'il ne l'avait imaginée. Une goutte de sang tomba à côté du flacon et coula, épaisse, sur ses doigts ; fronçant les sourcils, il appuya plus fermement le goulot contre le manche du couteau, et, à cet instant, l'écoulement devint un ruissellement, puis le sang jaillit brusquement. « Sâ miséricordieux ! » s'exclama-t-il avec un mélange d'effroi et de ravissement. La fiole s'alourdit dans sa main, puis déborda ; il l'ôta et dut renverser un peu de son contenu avant de pouvoir la reboucher, en regrettant de n'en avoir pas emporté une deuxième. Il essuya ses mains rouges sur son pantalon et rangea soigneusement le flacon dans son sac ; d'un coup sec, il retira le couteau, qui alla rejoindre la fiole.

Mais le sang avait continué à couler.

Son odeur reptilienne et curieusement riche emplissait ses narines, et les insectes qui tournaient autour de lui l'avaient délaissé pour ce festin liquide ; agglutinés sur la plaie, ils s'étaient nourris avidement. Le sillon rouge qui courait sur l'épaule du dragon s'était mué en ruisseau qui dégouttait sur le sol, où une petite flaque avait commencé à se former ; noire au clair de lune, elle rougit peu à peu à mesure qu'elle s'épaississait, à la fois écarlate et cramoisie, les deux teintes tournoyant comme de l'encre dans de l'eau, séparées seulement par un ourlet argenté. Hypnotisé par la couleur, Sédric s'accroupit pour l'observer.

Son regard remonta le long du ruissellement qui alimentait la flaque ; il tendit la main et posa deux doigts dans le flot qui s'ouvrit et courut sur ses phalanges comme un fil de soie. Il les retira, observa le flux qui reprenait, sans obstacle, puis porta ses doigts à sa bouche et les lécha.

Il eut un mouvement de recul en sentant le sang du dragon sur sa langue, stupéfait d'avoir obéi à une impulsion dont il n'avait nul souvenir. Le goût du liquide envahit sa bouche et satura ses sens ; il le sentait partout, dans son nez mais aussi au fond de sa gorge et sur son palais ; il tintait à ses oreilles et piquait sa langue. Il secoua la main pour la débarrasser du sang qui couvrait ses doigts puis l'essuya sur sa chemise, désormais rouge et crottée de boue. Et le dragon saignait toujours.

Il se baissa et prit une poignée de boue mêlée de sang, à la fois chaude et froide dans sa main, et il eut l'impression de la sentir se tordre, comme un serpent liquide qui déroulait ses anneaux dans sa paume. Il l'appliqua sur la blessure du dragon, mais, quand il ôta la main, l'écoulement rouge reprit de plus belle. Il y remit une poignée de boue, puis une autre, et il maintint fermement la dernière sur la gorge de la créature, haletant de peur et d'effort. Dans la bouche, dans le nez, dans la gorge, il sentait le dragon, il était dragon ; il y avait des écailles sur son cou et le long de son dos, ses griffes s'enfonçaient dans la boue, ses ailes refusaient de s'ouvrir, et qu'est-ce qu'un dragon qui ne peut pas voler ? Il vacilla, pris de vertige, et, quand il s'écarta du dragon d'un pas chancelant, le sang avait cessé de couler.

Il était resté un moment plié en deux, les mains sur les genoux, à respirer profondément l'air nocturne en tâchant de se reprendre. Quand il se fut éclairci un peu la tête, il se redressa et il se sentit envahi, non par le tournis, mais par une vague d'horreur devant l'incompétence avec laquelle il avait opéré. Où étaient passées ses intentions d'agir discrètement et sans laisser de traces ? Il était couvert de boue ensanglantée, et le dragon gisait dans une mare de sang. Quelle subtilité !

Du pied, il avait recouvert la flaque avec de la terre, y avait épandu des poignées d'herbe qu'il avait arrachées, et remis encore de la boue par-dessus ; il avait eu l'impression d'y passer une éternité. Au clair de lune, il ne se rendait pas compte si du rouge apparaissait encore sur le sol ou sur le cou du dragon. La créature dormait toujours ; au moins elle n'aurait aucun souvenir de lui.

Il retourna à la gabare, mais ne put y remonter tout de suite. Il passa près d'une heure à se ronger les sangs dans l'ombre de l'étrave ; au-dessus de lui, Leftrin et Alise parlaient de nœuds à mi-voix. Quand ils s'étaient enfin éloignés, il avait escaladé l'échelle de corde et regagné sa cabine en hâte ; là, il s'était rapidement changé et avait dissimulé son précieux butin dans son coffre. Il avait dû s'y reprendre à trois fois avant de parvenir à nettoyer sans se faire voir les traces de boue et de sang qu'il avait laissées sur le pont. Leftrin et Alise avaient failli le surprendre alors qu'il jetait ses vêtements salis et ses bottes irrécupérables par-dessus bord ; s'ils n'avaient pas été absorbés l'un par l'autre, ils l'eussent certainement découvert.

Mais il avait échappé à leur attention, et le flacon de sang qu'il tenait dans sa main le récompensait de toutes ses avanies. Il examina le lent tournoiement du liquide rouge, qui évoquait des serpents se lovant les uns autour des autres, et une image de serpents de mer s'entremêlant dans le bleu brumeux d'un monde sousmarin s'insinua dans son esprit. Il secoua la tête pour s'éclaircir l'esprit et résista à une soudaine envie de déboucher la fiole pour en humer le contenu. Il avait de la cire dans son coffre ; il faudrait qu'il en fît couler sur le goulot pour le fermer hermétiquement. Il faudrait… Il s'en occuperait plus tard.

Il avait retrouvé une étrange sérénité en voyant son trésor. Il reposa le flacon dans le tiroir secret et prit une petite boîte peu profonde en cèdre ; il ouvrit le couvercle coulissant et examina le contenu : les écailles reposaient sur un lit de sel, légèrement iridescentes dans la maigre lumière de la cabine. Il referma le coffret, le remit à sa place puis repoussa le tiroir et replaça la clenche. On retrouverait sans doute le dragon mort, mais on ne le soupçonnerait pas, il en avait soudain la certitude ; il avait bien couvert ses traces : il avait dilué le sang avec de la boue, et la ponction du couteau était trop petite pour qu'on la détectât. Il n'avait pas tué l'animal, du moins pas vraiment ; de toute manière, il était manifestement à l'agonie, et si, en le saignant, il avait hâté sa mort, il ne l'avait pas achevé pour autant. Et puis ce n'était qu'une bête, malgré tout ce que pouvait en dire Alise, une bête comme la vache ou la poule, soumise à la volonté de l'homme.

C'est exactement le contraire, en réalité.

L'intrusion fut si soudaine et inattendue qu'il en resta pantois. Le contraire ? L'homme devait se laisser exploiter par les dragons à leur convenance ? Ridicule ! D'où sortait une idée aussi aberrante ?

Il rajusta sa veste, défit le crochet qui fermait sa porte et sortit sur le pont du *Mataf*.

CINQUIÈME JOUR DE LA LUNE DE LA PRIÈRE

*Sixième année de l'Alliance Indépendante
des Marchands*

*D'Erek, Gardien des Oiseaux, Terrilville, à Detozi,
Gardienne des Oiseaux, Trehaug*

*Une lettre du Marchand Kincarron aux Conseils de
Trehaug et Cassaric exprimant son incompréhension
et son inquiétude concernant le contrat passé par ces
Conseils avec sa fille, Alise Kincarron Finbok, et
demandant des éclaircissements. Une prompte réponse
est attendue.*

Detozi,
*Quand le Marchand Kincarron est venu déposer ce
message, il a promis une prime coquette si sa
demande et la réponse arrivaient rapidement. Si vous
pouvez travailler au corps un membre de votre
Conseil pour qu'il rédige une réponse avant la fin du
jour, et envoyer votre pigeon le plus rapide, je vous
considérerai comme quitte de ce que vous me devez
pour les pois.*

Table

Photocomposition Nord Compo
59650 Villeneuve-d'Ascq

Achevé d'imprimer par GGP Media GmbH, Pößneck
en octobre 2011
pour le compte de France Loisirs,
Paris

N° d'éditeur: 65391
Dépôt légal: novembre 2011

Imprimé en Allemagne